LEVIATÃ

PAUL AUSTER

Leviatã

Tradução
Rubens Figueiredo

COMPANHIA DAS LETRAS

Publicado mediante acordo com Viking Penguin,
uma divisão da Penguin Putnam Inc.

O autor dirige agradecimentos especiais a Sophie Calle pela autorização para misturar fato e ficção.

Título original
Leviathan

Capa
João Baptista da Costa Aguiar

Foto da capa
© Keystone

Preparação
Eliane de Abreu Maturano Santoro

Revisão
Ana Maria Barbosa
Beatriz de Freitas Moreira

Dados Internacionais de Catalogação na Publicação (CIP)
(Câmara Brasileira do Livro, SP, Brasil)

Auster, Paul, 1947-
Leviatã / Paul Auster ; tradução Rubens Figueiredo. — São Paulo : Companhia das Letras, 2001.

Título original: Leviathan.
ISBN 85-359-0086-1

1. Romance norte-americano I. Título.

00-5220 CDD-813.5

Índices para catálogo sistemático:
1. Romances : Século 20 : Literatura norte-americana 813.5
2. Século 20 : Romances : Literatura norte-americana 813.5

[2001]

EDITORA SCHWARCZ LTDA.
Rua Bandeira Paulista 702 cj. 32
04532-002 — São Paulo — SP
Telefone (11) 3846-0801
Fax (11) 3846-0814
www.companhiadasletras.com.br

Para Don DeLillo

Todo Estado é corrupto.
Ralph Waldo Emerson

1.

Seis dias atrás, um homem morreu em uma explosão à beira de uma estrada no norte de Wisconsin. Não houve testemunhas, mas parece que ele estava sentado na grama junto a seu carro estacionado quando a bomba que montava detonou por acidente. Segundo o relatório da perícia divulgado há pouco, o homem teve morte instantânea. Seu corpo explodiu em inúmeros pedacinhos, e fragmentos do seu cadáver foram encontrados a até quinze metros do local da explosão. Até hoje (4 de julho de 1990), ninguém parece ter a menor idéia de quem era o morto. O FBI, trabalhando em conjunto com a polícia local e agentes do Departamento de Álcool, Tabaco e Armas, deu início a suas investigações com uma busca no carro, um Dodge azul de sete anos, com placa de Illinois, mas logo constataram que o automóvel era roubado — surrupiado de um estacionamento em Joliet, no dia 12 de junho, em plena luz do dia. O mesmo aconteceu quando examinaram o conteúdo da carteira do homem, que por um milagre resistira mais ou menos incólume à explosão. Pensaram que haviam topado com uma rica fonte de pistas — carteira de motorista, número do Seguro Social, cartões de crédito —, mas, assim que submeteram esses documentos ao computador, um a um todos se revelaram ou falsos ou roubados. Impressões digitais seriam o próximo passo, mas no caso não havia impressões digitais, uma vez que as mãos do homem foram destruídas pela bomba. O carro tampouco os ajudou em nada. O Dodge se convertera em uma massa de aço carbonizado e plástico derretido e, apesar de seus esforços, não foi possível encontrar nele nenhuma impressão digital. Talvez venham a ter mais sorte com os dentes do homem, supondo que haja dentes em número suficiente para se poder trabalhar, mas isso vai demandar certo tempo, talvez até vários meses. No fim, não há dúvida de que vão pensar em alguma coisa, mas, até que consigam determinar a identidade da vítima dilacerada, eles não têm como apresentar à justiça um caso bem fundamentado.

No que me diz respeito, quanto mais demorar, melhor. A história que tenho para contar é bem complicada e, a menos que eu a conclua antes que eles apareçam com a solução, as palavras que estou prestes a escrever não vão significar nada. Uma vez revelado o segredo, vão espalhar todo tipo de mentira, distorções repulsivas vão circular nos jornais e revistas, e, em questão de dias, a reputação de um homem será destruída. Não é que eu queira justificar o que esse homem fez, mas, como ele não está mais em condições de se defender sozinho, o mínimo que posso fazer é explicar quem era e apresentar a história verdadeira de como ele foi parar naquela estrada no norte de Wisconsin. É por isso que tenho de trabalhar ligeiro: para estar pronto para eles quando a hora chegar. Se por algum acaso o mistério permanecer sem solução, vou simplesmente guardar para mim o que escrevi, e ninguém precisará saber nada a respeito. Este seria o melhor desfecho possível: um final perfeito, nem uma palavra enunciada, de uma parte ou de outra. Mas não devo contar com isso. Para fazer o que é preciso, tenho de supor que já estão fechando o cerco em torno dele, que mais cedo ou mais tarde vão descobrir quem era. E não só quando eu houver tido tempo para concluir isto aqui — mas a qualquer momento, a qualquer momento a partir de agora.

No dia após a explosão, as agências de notícias trouxeram a público um breve artigo sobre o fato. Era uma dessas matérias enigmáticas de dois parágrafos que ficam enterradas no meio no jornal, mas calhou de eu dar com os olhos nela no *New York Times* enquanto almoçava, naquela tarde. De forma quase inevitável, me pus a pensar em Benjamin Sachs. Não havia na matéria nada que apontasse para ele de maneira precisa, por pouco que fosse, mas ao mesmo tempo tudo parecia se encaixar. Não nos falávamos fazia quase um ano, mas em nossa última conversa Benjamin dissera o bastante para me convencer de que estava em sérios apuros, em marcha acelerada rumo a alguma calamidade obscura e inominável. Se isso soa muito vago, eu poderia acrescentar que ele também falou a respeito de bombas, na verdade falou interminavelmente sobre o assunto durante sua visita e, nos onze meses seguintes, andei com esse temor dentro mim — de que ia se matar, de que um dia eu ia abrir o jornal e ler que o meu amigo se fizera explodir. A essa altura, não passava de uma intuição desenfreada, um desses saltos loucos para o vazio e, no entanto, uma vez que a idéia entrou na minha cabeça, não consegui mais me livrar dela. Assim, dois dias depois de passar os olhos na matéria no jornal, dois agentes do FBI vieram bater à minha porta. No instante em que declararam quem eram, compreendi que eu estava certo. Sachs era o homem que se fizera explodir. Não podia haver a menor dúvida. Sachs estava morto e agora o único modo de eu ajudá-lo era guardar a notícia da sua morte para mim mesmo.

Foi, provavelmente, um lance de sorte eu ter lido a matéria no jornal naquele momento, embora me lembre de, na ocasião, desejar não ter visto nada. Pelo menos, tive dois dias para assimilar o choque. Quando os homens do FBI apareceram aqui para fazer suas perguntas, eu já estava preparado para elas e isso ajudou a me manter sob controle. Além do mais, foi bastante oportuno o fato de terem se passado mais quarenta e oito horas até eles conseguirem me rastrear. Entre os objetos recuperados da carteira de Sachs, parece que havia uma tira de papel com minhas iniciais e o número do meu telefone. Foi assim que resolveram me procurar, mas, para minha sorte, o número era o do meu telefone de Nova York, e fazia dez dias que eu estava em Vermont, com minha família, em uma casa alugada, onde pretendíamos passar o resto do verão. Deus sabe com quantas pessoas tiveram de falar antes de descobrir que eu estava aqui. Se menciono, de passagem, que esta casa pertence à ex-esposa de Sachs é apenas para dar um exemplo de como essa história é irremediavelmente complexa e emaranhada.

Fiz o melhor que pude para bancar o bobo diante deles, para revelar o mínimo possível. Não, disse eu, não li a matéria no jornal. Eu não sabia nada sobre bombas, carros roubados, estradas em ermas regiões rurais do Wisconsin. Eu era escritor, expliquei, um homem que escrevia romances para ganhar a vida e, caso quisessem conferir quem eu era de fato, que fossem em frente, tudo bem — mas isso não iria ajudá-los em nada; no caso, só iam perder tempo. É provável, responderam, mas e quanto à tira de papel na carteira do morto? Não estavam tentando me acusar de nada, mas o fato de ele levar consigo o número do meu telefone parecia provar que existia uma ligação entre nós. Eu tinha de admitir isso, não tinha? Sim, respondi, é claro que sim, mas só porque parecia ser verdade não significava que fosse mesmo verdade. Havia mil maneiras pelas quais aquele homem poderia ter conseguido o número do meu telefone. Eu tinha amigos espalhados pelo mundo todo e qualquer um deles poderia dar o meu número a um estranho. Talvez esse estranho tivesse entregado o número para outro estranho que, por sua vez, o entregara ainda para um outro estranho. Pode ser, retrucaram, mas por que alguém levaria consigo o número de telefone de uma pessoa que não conhece? Porque sou escritor, respondi. Ah é, disseram, e que diferença isso faz? Porque meus livros são publicados, expliquei. As pessoas os lêem, e não tenho a mínima idéia de quem são essas pessoas. Mesmo sem saber disso, entro na vida de desconhecidos e, enquanto têm o meu livro nas mãos, minhas palavras são a única realidade que existe para eles. Isto é normal, responderam os homens do FBI, é assim que acontece com os livros. Certo, admiti, é assim que acontece, mas às vezes acontece também de algumas dessas pessoas serem doidas. Lêem o seu livro e alguma coisa nele toca fundo na alma delas. Sem mais nem menos, imaginam que você tem tudo a ver com elas, que você é o único amigo que têm no mundo. Para ilustrar o meu argumento, apresentei-lhes vários exemplos — todos verdadeiros, todos retirados da minha experiência pessoal. As cartas desequilibradas, os telefonemas às três da madrugada, as ameaças anônimas. Ainda no ano passado, prossegui, descobri que uma pessoa andava por aí fingindo ser eu — respondia cartas em meu nome, entrava em livrarias e autografava meus livros, pairava como uma sombra maléfica nas margens da minha vida. Um livro é um objeto misterioso, falei, e, uma vez que comece a circular pelo mundo, qualquer coisa pode acontecer. Todo tipo de patifaria pode ser posto em prática, e não existe coisa alguma que você possa fazer a respeito. Para o bem ou para o mal, a situação está totalmente fora do seu controle.

Não sei se acharam minhas negativas convincentes ou não. Tendo a pensar que não, mas, mesmo que não tenham acreditado em nenhuma palavra do que eu disse, é possível que com minha estratégia eu tenha ganhado certo tempo. Levando em conta que eu jamais havia conversado com um agente do FBI, não me sinto muito mal diante da maneira como me conduzi durante a entrevista. Estava calmo, fui educado, consegui projetar a combinação adequada de desamparo e perplexidade. Só isso já seria um triunfo considerável para mim. Em termos gerais, não tenho um talento lá muito grande para imposturas e, apesar de meus esforços ao longo dos anos, raramente enganei alguém acerca do que quer que fosse. Se consegui levar a efeito uma representação convincente anteontem, os homens do FBI foram, pelo menos em parte, responsáveis por isso. Não tanto por alguma coisa que tivessem dito mas antes por sua aparência, pelo jeito como se vestiram para seus papéis, com absoluta perfeição, confirmando em todos os detalhes a aparência que eu sempre imaginara para homens do FBI: ternos leves de verão, sapatos tipo lancha, reforçados, camisas que não precisam ser passadas, óculos escuros de piloto de avião. Eram, por assim dizer, os óculos escuros protocolares e davam à cena um cunho artificial, como se os homens que os usavam fossem meros atores, figurantes contratados para representar um papel minúsculo em algum filme barato. Tudo isso era estranhamente reconfortante para mim e, quando relembro o caso agora, compreendo como aquela cena de irrealidade trabalhou em meu favor. Permitiu-me pensar em mim mesmo também como um ator e, uma vez que eu me tornara outra pessoa, de repente tinha o direito de enganá-los, de mentir sem a mais tênue dor na consciência.

Contudo eles não eram burros. Um tinha quarenta e poucos anos e o outro era bem mais jovem, talvez tivesse só vinte e cinco ou vinte e seis anos, mas ambos tinham nos olhos certa expressão que me manteve em guarda o tempo todo em que estiveram aqui. É difícil apontar com exatidão o que havia de tão ameaçador naquele olhar, mas creio que tinha alguma coisa a ver com sua opacidade, sua recusa em se expor, como se eles vissem tudo e nada ao mesmo tempo. Aquele olhar deixava transparecer tão pouca coisa que eu nunca conseguia saber ao certo o que cada um dos dois homens pensava. Seus olhos eram, de algum modo, demasiado pacientes, muito bem adestrados para sugerir indiferença, mas, a despeito de tudo isso, vigilantes, implacavelmente vigilantes, na verdade, como se tivessem sido treinados para fazer você sentir-se incomodado, para deixar você consciente de suas faltas e transgressões, para fazer você se revirar todo por baixo da pele. Seus nomes eram Worthy e Harris, mas esqueci quem era quem. Como espécimes físicos, eram desconcertantemente parecidos, quase como se fossem uma versão mais jovem e uma versão mais velha da mesma pessoa: altos, mas não altos demais; corpulentos, mas não corpulentos demais; cabelo ruivo, olhos azuis, mãos maciças com unhas impecavelmente limpas. É verdade que seus estilos de conversa eram distintos, mas não quero confiar demais em uma primeira impressão. Pelo que percebi, trabalham um de cada vez, alternam seus papéis em um contínuo vaivém a qualquer instante que julguem apropriado. Na visita que me fizeram, dois dias atrás, o mais novo representou o papel do bruto. Suas perguntas eram bastante ríspidas e ele parecia levar seu trabalho a ferro e fogo, raramente deixava escapar um sorriso, por exemplo, e me tratou com uma formalidade que às vezes beirava o sarcasmo e a irritação. O mais velho se mostrou mais descontraído e gentil, mais disposto a deixar a conversa seguir seu curso natural. Sem dúvida, é mais perigoso por causa disso, mas tenho de admitir que conversar com ele não foi totalmente desagradável. Quando comecei a lhe contar a respeito de algumas reações estapafúrdias aos meus livros, pude ver que o assunto lhe interessava e ele me deixou prosseguir em minha digressão por mais tempo do que eu mesmo havia esperado. Suponho que estivesse me avaliando, me estimulando a divagar para poder formar alguma idéia de quem eu era e de como minha mente trabalhava, mas, quando entrei no assunto do tal impostor, ele de fato se ofereceu para começar uma investigação do caso para mim. Isso podia ser um truque, é claro, mas por algum motivo duvido que fosse. Não preciso acrescentar que recusei sua oferta, mas, se as circunstâncias fossem diferentes, na certa eu teria pensado duas vezes na possibilidade de aceitar sua ajuda. É uma coisa que tem me perseguido feito uma praga há muito tempo, e eu adoraria imensamente pôr essa questão em pratos limpos.

— Não leio muitos romances — disse o agente. — Parece que nunca tenho tempo para isso.

— Não, não é mesmo muita gente que lê romances — comentei.

— Mas os seus devem ser muito bons. Se não fossem, duvido que você ficasse tão preocupado com isso.

— Talvez eu me preocupe porque eles são ruins. Todo mundo é crítico literário hoje em dia. Se a pessoa não gosta de um livro, vai até lá e ameaça o autor. Existe certa lógica nessa abordagem. Obrigue esse sacana a pagar pelo que fez a você.

— Acho que era melhor eu ir para casa e ler um de seus romances — disse ele. — Para entender de onde vem toda essa encrenca. Você não se importa, não é?

— Claro que não. É para isso que os livros estão nas livrarias. Assim as pessoas podem ler.

Foi um modo curioso de concluir a visita — anotar os títulos de meus livros para um agente do FBI. Mesmo agora, me atormento no esforço de tentar saber o que ele procurava. Talvez ele ache que vai encontrar algumas pistas em meus livros, ou talvez seja apenas um jeito sutil de me dizer que vai voltar, que ainda não deu por encerrada sua questão comigo. Afinal, sou a única pista que eles têm e, se adotarem o pressuposto de que menti, não vão me esquecer tão cedo. Além do mais, não tenho a menor idéia do que possam estar pensando. Parece improvável que me considerem um terrorista, mas digo isso apenas porque sei que não sou. Não sabem de nada e, portanto, podiam estar trabalhando com essa hipótese, procurando sofregamente alguma coisa que me ligasse à bomba que detonou em Wisconsin, semana passada. E mesmo que não estejam, tenho de reconhecer o fato de que vão ficar no meu pé ainda por um longo tempo. Farão perguntas, vasculharão minha vida, descobrirão quem são os meus amigos e, mais cedo ou mais tarde, o nome de Sachs virá à tona. Em outras palavras, o tempo todo que estou aqui em Vermont escrevendo esta história, eles por sua vez estarão ocupados escrevendo a deles. Será a minha história e, assim que a tiverem concluído, eles vão saber sobre mim tanto quanto eu mesmo sei.

Minha esposa e minha filha voltaram para casa umas duas horas depois que os homens do FBI foram embora. Elas tinham saído de manhã cedo para passar o dia com umas amigas e fiquei contente de não estarem em casa na hora da visita de Harris e Worthy. Minha esposa e eu compartilhamos quase tudo entre nós, mas nesse caso não creio que deva contar-lhe o que aconteceu. Iris sempre foi muito afeiçoada a Sachs, mas para ela estou em primeiro lugar e, se descobrisse que eu estava prestes a me encrencar com o FBI por causa dele, faria tudo a seu alcance para me deter. Não posso correr esse risco agora. Mesmo que a convencesse de que estou fazendo a coisa certa, levaria muito tempo para dobrá-la, e não posso me dar a esse luxo, tenho de dedicar todos os minutos à missão que estabeleci para mim mesmo. Além do mais, ainda que Iris cedesse, só serviria para ela ficar doente de preocupação, e não vejo que benefício poderia vir daí. No fim vai acabar sabendo a verdade, de um jeito ou de outro; quando vier a hora, tudo será trazido a público abertamente. Não é que eu queira enganá-la, só desejo poupá-la tanto tempo quanto possível. No pé em que estão as coisas, não creio que isso vá ser terrivelmente difícil. Estou aqui para escrever, afinal de contas, e se Iris acha que todos os dias me recolho a meu barracão para me dedicar a minhas antigas artimanhas de escritor, que mal isso pode causar? Ela vai supor que estou rascunhando meu novo romance, e quando notar quanto tempo dedico a ele, quanto progresso resulta de minhas longas horas de trabalho, vai sentir-se feliz. Iris é também parte da equação e, sem sua felicidade, não creio que eu tivesse a coragem de começar.

Este é o segundo verão que passamos aqui. Nos velhos tempos, quando Sachs e a esposa vinham para cá todo ano nos meses de julho e agosto, às vezes me convidavam para visitá-los, mas eram sempre viagens muito breves e eu raramente ficava mais de três ou quatro noites. Depois que Iris e eu nos casamos, nove anos atrás, fizemos a viagem juntos várias vezes e, certa ocasião, até ajudamos Fanny e Ben a pintar a parte de fora da casa. Os pais de Fanny compraram a propriedade durante a Depressão, em uma época em que fazendas como esta podiam ser adquiridas praticamente de graça. Abrangia mais de cem acres, com um lago particular, e, embora a casa estivesse em mau estado, era espaçosa e arejada por dentro, e bastariam algumas obras superficiais para deixá-la habitável. Os Goodman eram professores em Nova York e jamais tiveram recursos para fazer grandes melhorias na propriedade depois de a terem adquirido; assim, durante todos aqueles anos a casa manteve seu aspecto rústico primitivo: a armação de ferro das camas, o fogão abaulado na cozinha, tetos e paredes rachados, piso pintado de cinza. Contudo, há um não-sei-quê de consistente nessa penúria, e seria difícil alguém não se sentir em casa aqui. Para mim, o grande atrativo da casa é o seu isolamento. Situa-se no topo de uma pequena montanha, a seis quilômetros e meio da vila mais próxima, seguindo por uma estradinha de terra. Os invernos devem ser ferozes nesta montanha, mas, durante o verão, tudo é verde, com pássaros a cantar em toda parte e as campinas repletas de inúmeras flores silvestres: piloselas de cor laranja, cravos vermelhos, sempre-vivas cor-de-rosa, botões-de-ouro. A mais ou menos trinta metros da casa principal há uma construção simples, que Sachs usava como escritório quando ficava aqui. É pouco mais do que uma cabana, com três cômodos pequenos, uma quitinete e um banheiro e, desde que foi saqueada por vândalos, doze ou treze invernos atrás, decaiu para um estado de abandono. Os canos racharam, a luz foi cortada, o linóleo descascou do piso. Menciono essas coisas porque este é o lugar onde estou agora — sentado a uma mesa verde no centro do cômodo mais amplo, com uma caneta na mão. Durante o tempo inteiro em que com ele convivi, Sachs passou todos os verões escrevendo nesta mesma mesa, e este é o cômodo onde o vi pela última vez, onde abriu seu coração para mim e me revelou o seu segredo terrível. Se eu me concentrar com força bastante na recordação que trago daquela noite, sou capaz de quase me iludir e me fazer crer que ele ainda está aqui. É como se suas palavras ainda pairassem no ar à minha volta, como se eu pudesse estender a mão e tocá-lo. Foi uma conversa longa e extenuante e, quando enfim terminamos (às cinco da manhã), ele me fez prometer que eu não deixaria o seu segredo ultrapassar as paredes desta sala. Estas foram exatamente as suas palavras: nada do que ele disse devia sair desta sala. Por enquanto, serei capaz de manter minha palavra. Até chegar a hora de eu mostrar o que escrevi aqui, posso me consolar com o pensamento de que não estou quebrando minha promessa.

* * *

Na primeira vez em que nos vimos, nevava. Mais de quinze anos se passaram desde aquele dia, mas ainda posso trazê-lo de volta sempre que desejo. Muitas outras coisas se perderam para mim, mesmo assim me lembro daquele encontro com Sachs mais nitidamente do que qualquer outro fato da minha vida.

Era uma tarde de sábado, em fevereiro ou março, e nós dois fôramos convidados para fazer uma leitura conjunta de nossa obra em um bar no West Village. Eu nunca tinha ouvido falar de Sachs, mas a mulher que me ligou estava afobada demais para responder a minhas perguntas ao telefone.

— É um romancista — disse ela. — Seu primeiro livro foi publicado uns dois anos atrás.

Seu telefonema veio numa quarta-feira à noite, apenas três dias antes da data prevista para a leitura, e havia uma coisa próxima ao pânico em sua voz. Michael Palmer, o poeta cuja presença era esperada no sábado, acabara de cancelar sua viagem a Nova York e ela queria saber se eu estaria disposto a substituí-lo. Era um convite um tanto ambíguo, mas mesmo assim respondi que faria o que ela estava pedindo. Eu ainda não havia publicado muita coisa àquela altura da vida — seis ou sete contos em revistas pequenas, um punhado de artigos e de resenhas de livros —, e a impressão que se tinha era a de que o público não estava se engalfinhando pelo privilégio de me ouvir ler meus textos. Portanto aceitei a proposta maçante da mulher e, durante os dias seguintes, caí eu mesmo em um estado de pânico, mergulhado no mundo nanico de meus contos reunidos, em busca de uma coisa que não me deixasse constrangido, uma migalha de texto suficientemente boa para exibir diante de uma sala cheia de desconhecidos. Na sexta-feira à tarde parei em diversas livrarias e perguntei se tinham os romances de Sachs. Parecia no mínimo justo que eu soubesse alguma coisa a respeito da sua obra antes de encontrá-lo, mas o livro fora editado fazia dois anos e não estava mais no estoque de ninguém.

Por obra e graça do acaso, uma imensa tempestade deflagrou na sexta-feira à noite, vinda do Meio-Oeste, e, no sábado de manhã, quarenta e cinco centímetros de neve haviam desabado sobre a cidade. A coisa mais sensata a fazer seria entrar em contato com a mulher que me telefonara, mas, estupidamente, me esquecera de perguntar o seu telefone e, como à uma hora eu ainda não tinha recebido qualquer notícia dela, achei que era melhor seguir para o centro da cidade o mais depressa possível. Me meti nas minhas galochas e no meu sobretudo, enfiei o manuscrito do meu conto mais novo em um dos bolsos do paletó e depois marchei firme pela Riverside Drive, rumo à estação do metrô que fica na esquina da rua Cento e Dezesseis com a Broadway. O céu começava a limpar, àquela altura, mas as ruas e calçadas ainda estavam obstruídas pela neve e quase não havia trânsito. Uns poucos carros e caminhões tinham sido abandonados em altos montes de neve junto ao meio-fio e de vez em quando surgia um veículo solitário que avançava lentamente pela rua, derrapando fora de controle toda vez que o motorista tentava parar no sinal vermelho. Normalmente me agradaria observar essa bagunça, mas o tempo nesse dia estava gélido demais para eu tirar meu nariz de dentro do cachecol. A temperatura vinha caindo de forma acentuada desde o nascer do dia e, naquela altura, o ar estava mais cortante, com repentinas ondas de vento que sopravam do rio Hudson, rajadas colossais que literalmente empurravam meu corpo rua acima. Estava meio ensurdecido quando cheguei à estação de metrô, mas, apesar de tudo, parecia que os trens ainda circulavam. Aquilo me surpreendeu e, enquanto eu descia a escada e comprava o bilhete, admiti que significava que a leitura, afinal, estava de pé.

Cheguei à Nashe's Tavern às duas e dez. O bar estava aberto, mas, tão logo meus olhos se adaptaram à escuridão lá dentro, vi que não havia ninguém. Um garçom de avental branco estava parado atrás do balcão, enxugando meticulosamente copinhos para uma dose de uísque com um pano vermelho. Era um homem grandalhão, de uns quarenta anos, que me examinou atentamente enquanto eu me aproximava, quase como se lamentasse aquela interrupção da sua solidão.

— Não é aqui que vão fazer uma leitura dentro de uns vinte minutos? — perguntei. No instante em que as palavras saíram da minha boca, me senti um tolo por dizê-las.

— Foi cancelado — respondeu o garçom. — Com toda essa lama lá fora, não tinha muito sentido. Poesia é uma coisa maravilhosa, mas não vale a pena a gente congelar a bunda por causa disso.

Sentei em um dos banquinhos junto ao balcão e pedi um *bourbon*. Ainda tremia da caminhada pela neve e queria aquecer minhas entranhas antes de me aventurar a sair outra vez. Dei cabo da bebida em dois tragos, em seguida pedi para reabastecer o copo, pois o primeiro tinha um sabor excelente. No meio desse segundo *bourbon*, outro cliente entrou no bar. Era alto, um jovem extraordinariamente magro, rosto estreito e espessa barba castanha. Eu o observei enquanto ele batia algumas vezes as botas sobre o soalho, estalava as mãos enluvadas uma contra a outra e bafejava ruidosamente, em razão dos efeitos do frio. Não havia dúvida de que ele talhava uma figura incomum — muito alto, ali plantado, em seu casaco roído pelas traças, com um boné de beisebol dos New York Knicks empoleirado na cabeça e um cachecol azul da Marinha enrolado em volta do boné para proteger as orelhas. Parecia uma pessoa com uma tremenda dor de dente, pensei, ou então um soldado russo meio morto de fome perdido nos arredores de Stalingrado.

As duas imagens me vieram em rápida sucessão: a primeira, cômica; a segunda, desoladora. Apesar de sua indumentária ridícula, havia algo bravio em seus olhos, uma intensidade que subjugava qualquer vontade de rir dele. Parecia, talvez, Ichabod Crane, mas também era John Brown e, depois que a gente se habituava à sua roupa e ao seu corpo de jogador de basquete, espigado e curvo para a frente, começava a enxergar um tipo de pessoa totalmente distinto: um homem que captava tudo à sua volta, um homem com mil engrenagens a rodar dentro da cabeça.

Ficou parado na porta durante alguns instantes, esquadrinhando o salão vazio, em seguida caminhou até o garçom e fez mais ou menos a mesma pergunta que eu tinha feito dez minutos antes. O garçom deu mais ou menos a mesma resposta que me dera, mas, nesse caso, fez também um gesto com o polegar na minha direção, apontando o lugar onde eu estava sentado, na extremidade do balcão.

— Aquele ali também veio para a leitura — disse ele. — Vocês, na certa, são os dois únicos caras bastante doidos para sair de casa num dia feito hoje.

— Nem tanto — respondeu o homem com o cachecol enrolado na cabeça. — Você esqueceu de contar a si mesmo.

— Não esqueci, não — retrucou o garçom. — Acontece que eu não conto. Eu tenho de ficar aqui, entende? E vocês não. É disso que estou falando. Se eu não vier, perco o emprego.

— Mas eu também vim aqui para trabalhar — disse o outro. — Me avisaram que eu ia ganhar cinqüenta dólares. Agora cancelaram a leitura, e o pior de tudo é que gastei à toa o dinheiro da passagem do metrô.

— Bem, então a coisa fica diferente — disse o garçom. — Se você devia ler, acho que você também não conta.

— Isso deixa apenas uma pessoa, em toda a cidade, que saiu de casa sem ter necessidade.

— Se estão falando de mim — retruquei, entrando enfim na conversa —, então a lista de vocês baixou para zero.

O homem com o cachecol em volta da cabeça virou para mim e sorriu.

— Ah, então isso quer dizer que você é Peter Aaron, não é?

— Acho que sim — respondi. — Mas se sou Peter Aaron, você deve ser Benjamin Sachs.

— O primeiro e único — respondeu Sachs, soltando uma risada curta e autodepreciativa. Caminhou até onde eu estava sentado e estendeu a mão direita. — Estou muito feliz de você estar aqui — disse. — Andei lendo as suas coisas ultimamente e não via a hora de conhecê-lo.

Foi assim que começou nossa amizade — sentamos juntos naquele bar deserto, quinze anos atrás, um pagando os drinques do outro, até ficarmos os dois sem um tostão. Deve ter durado três ou quatro horas, pois me lembro nitidamente de que, quando afinal saímos cambaleantes para o frio, a noite já havia caído. Agora que Sachs está morto, acho insuportável recordar como ele era na época, relembrar toda a generosidade, humor e inteligência que jorravam dele naquela primeira vez em que nos encontramos. Apesar dos fatos, é difícil para mim imaginar que a pessoa que se sentou ao meu lado no balcão naquele dia era a mesma que acabou destruindo a si própria na semana passada. O percurso deve ter sido tão longo para ele, tão medonho, tão carregado de sofrimento, que mal consigo pensar nisso sem ter vontade de chorar. Em quinze anos, Sachs viajou de uma extremidade a outra de si mesmo; quando chegou à última parada, duvido que ainda soubesse quem era. Tanta distância fora percorrida àquela altura, que ele já não teria condições de lembrar-se do ponto de partida.

— Em geral consigo me manter em dia com o que está rolando por aí — disse Sachs, enquanto desatava o cachecol debaixo do queixo e o retirava junto com o boné de beisebol e o comprido sobretudo marrom. Arremessou a tralha toda sobre a banqueta a seu lado e sentou-se. — Até duas semanas atrás, eu nunca tinha nem sequer ouvido falar de você. Agora, de uma hora para outra, seu nome parece que está estourando em toda parte. Para começar, topei com o seu artigo nos diários de Hugo Ball. Um artigozinho aliás excelente, eu achei, engenhoso e bem argumentado, uma resposta admirável às questões que propõe. Não concordo com todas as suas opiniões, mas você defendeu muito bem seu ponto de vista e respeitei a seriedade da sua posição. Esse sujeito acredita demais em arte, eu disse comigo mesmo, mas pelo menos ele sabe onde pisa e tem a perspicácia de reconhecer que outras opiniões são possíveis. Aí, três ou quatro dias depois disso, chegou uma revista pelo correio, e a primeira coisa que abri para ver foi um conto que trazia o seu nome. "O alfabeto secreto", o conto sobre o estudante que a toda hora descobre mensagens escritas nas paredes dos prédios. Adorei. Adorei tanto que o li três vezes. Quem será esse tal de Peter Aaron? Eu quis saber, e onde é que ele andou se escondendo? Quando a Kathy não sei das quantas telefonou para dizer que o Palmer tinha furado a leitura, sugeri que ela entrasse em contato com você.

— Então você é o responsável por eu ter me arrastado até aqui, hoje — falei, demasiado atônito com os seus elogios pródigos para poder pensar em outra coisa que não essa réplica desenxabida.

— Bem, tenho de reconhecer que a coisa não alcançou o sucesso que havíamos imaginado.

— Talvez não tenha sido tão mau, assim — falei. — Pelo menos, não vou ter de ficar de pé no escuro e escutar os meus joelhos baterem um no outro. É o lado bom da história.

— Mamãe Natureza veio socorrer você.

— Exatamente. A Mão da Fortuna salvou minha pele.

— Fico contente por você ter se livrado desse tormento. Eu não gostaria de andar por aí com esse peso na consciência.

— Mas obrigado por ter me convidado. Significou muito para mim, e a verdade é que estou muito grato a você.

— Não fiz isso porque queria a sua gratidão. Eu estava curioso e, mais cedo ou mais tarde, eu mesmo entraria em contato com você. Mas aí uma oportunidade se apresentou e achei que esse seria um jeito mais elegante de resolver o assunto.

— E aqui estou, sentado no pólo norte ao lado do almirante Peary em pessoa. O mínimo que posso fazer é lhe pagar um drinque.

— Aceito sua oferta, mas só com uma condição. Você primeiro tem de responder à minha pergunta.

— Ficarei contente de responder, contanto que você me diga que pergunta é essa. Não creio que você tenha feito nenhuma pergunta.

— Claro que fiz. Perguntei onde é que você andou escondido. Posso estar enganado, mas meu palpite é que você não está em Nova York há muito tempo.

— Eu morava aqui, mas depois fui embora. Voltei faz apenas cinco ou seis meses.

— E onde esteve?

— Na França. Morei lá por quase cinco anos.

— Isso explica tudo, então. Mas por que diabos você quis morar na França?

— Nenhum motivo especial. Eu apenas queria estar em outro lugar que não aqui.

— Não foi lá para estudar? Não foi trabalhar na Unesco ou em alguma firma internacional de advogados fodões?

— Não, nada disso. Eu vivi, na verdade, da mão para a boca.

— A velha aventura do expatriado, não é? Jovem escritor americano parte para Paris a fim de descobrir a cultura e as lindas mulheres, experimentar o prazer de sentar-se em cafés e fumar cigarros fortes.

— Não creio que tenha sido esse o caso, também. Achei que eu precisava de espaço para respirar, nada mais que isso. Escolhi a França porque sei falar francês. Se eu falasse servo-croata, provavelmente teria ido para a Iugoslávia.

— Portanto você foi embora. Sem nenhum motivo especial, como você diz. E houve algum motivo especial para você voltar?

— Acordei certa manhã, no verão passado, e disse a mim mesmo que estava na hora de voltar para casa. Sem mais nem menos. Senti, de repente, que tinha ficado lá por tempo bastante. Anos demais sem beisebol, eu acho. Se a gente não recebe a nossa ração de pontos duplos ou de *home runs*, o espírito pode começar a secar.

— E não tem planos de partir de novo?

— Não, creio que não. O que quer que eu estivesse querendo provar ao ir para lá, já não me parece mais importante.

— Talvez você já tenha provado.

— É possível. Ou talvez a questão tenha de ser formulada em outros termos. Talvez eu tenha usado o tempo todo os termos errados.

— Muito bem — disse Sachs, de repente fazendo estalar sua mão contra o balcão do bar. — Vou tomar agora aquele drinque. Começo a me sentir satisfeito, e isso sempre me deixa com sede.

— O que vai querer?

— O mesmo que você está bebendo — respondeu, sem se dar ao trabalho de me perguntar o que era. — E como o garçom tem de vir até aqui de um jeito ou de outro, diga a ele para servir mais um para você. Um brinde cai bem. É o seu regresso ao lar, afinal, e temos de dar as boas-vindas em grande estilo à sua volta à América.

Não creio que ninguém jamais tenha me desarmado tão completamente quanto Sachs naquela tarde. Ele chegou feito um vulcão desde o primeiro instante, provocando um motim nos meus calabouços e esconderijos mais secretos, arrombando uma porta depois da outra. Conforme vim a saber mais tarde, era um desempenho típico da parte dele, um exemplo quase clássico de como Sachs abria caminho pelo mundo. Nada de rodeios, nada de cerimônia — simplesmente arregaçava as mangas e se punha a falar. Para ele, era a coisa mais natural do mundo conversar com pessoas totalmente desconhecidas, meter a cara e fazer perguntas que ninguém mais teria a audácia de fazer e, na maioria dos casos, levar tudo a bom termo. A gente sentia que Sachs nunca aprendera as regras, que, por ele ser tão completamente destituído de constrangimentos, esperava também que todo mundo mostrasse um coração tão aberto quanto o dele. E no entanto sempre havia algo de impessoal em suas indagações, como se não estivesse tentando estabelecer um contato humano com a gente, mas sim querendo resolver, para si mesmo, algum problema intelectual. Isso dava a seus comentários certa coloração abstrata e inspirava confiança, deixava a pessoa disposta a revelar a Sachs coisas que, em certos casos, não havia dito nem para si mesma. Sachs nunca julgava ninguém que encontrasse, nunca tratava ninguém como inferior, nunca fazia distinções entre as pessoas por causa de sua posição social. Um garçom lhe interessava tanto quanto um escritor e, se eu não tivesse aparecido ali naquele dia, na certa ele teria passado duas horas conversando com aquele mesmo homem com quem eu não me dignara a trocar dez palavras. Sachs automaticamente supunha uma grande inteligência na pessoa com quem conversava e, assim, imbuía o interlocutor com o sentimento da sua própria dignidade e importância. Creio que essa era a qualidade que eu mais admirava nele. Essa habilidade inata de trazer para fora das pessoas o que tinham de melhor. Muitas vezes ele surgia como uma aparição excêntrica, um homem desajeitado e magro que nem uma vara, a cabeça enfiada nas nuvens, sempre distraído por pensamentos e cuidados obscuros, e contudo, vezes e vezes seguidas, ele nos surpreendia com mil pequeninos sinais da sua atenção. Como todas as outras pessoas no mundo, talvez apenas com maior intensidade, Sachs conseguia combinar infinitas contradições em uma presença una e sem fraturas. Onde quer que estivesse, sempre parecia estar em sua casa, em seu território, e todavia jamais conheci ninguém tão desajeitado, tão fisicamente inapto, tão incapaz de levar a efeito as tarefas mais simples. No decorrer de nossa conversa, toda hora ele esbarrava no casaco sobre a banqueta e o derrubava no chão. Deve ter acontecido umas seis ou sete vezes e, em uma delas, quando Sachs se abaixou para pegar o casaco, conseguiu bater com a cabeça de encontro ao balcão. Porém, como vim a descobrir mais tarde, Sachs era um atleta excelente. Fora o cestinha no time de basquete da escola secundária e, em todas as partidas individuais de basquete que disputamos um contra o outro ao longo dos anos, não creio que eu tenha vencido Sachs mais do que uma ou duas vezes. Ele era falador e muitas vezes descuidado no jeito de se expressar e, não obstante, seu texto era marcado por uma grande precisão e economia, um dom genuíno para a palavra justa. O mero fato de ele escrever, na verdade, muitas vezes me espantava como uma coisa enigmática. Era extrovertido demais, fascinado demais pelas pessoas, se misturava com demasiada alegria com as pessoas para poder se dedicar a uma ocupação tão solitária, pensava eu. Mas a solidão não o perturbava em nada, e Sachs sempre trabalhava com uma disciplina e um rigor tremendos, por vezes ficava metido em um buraco durante semanas seguidas para completar um projeto. Em vista de quem era, e do modo peculiar como mantinha em movimento essas várias facetas de si mesmo, Sachs não era um homem que a gente esperaria ver casado. Parecia destituído demais de senso prático para encarar a vida doméstica, democrático demais em suas afeições para conseguir manter relações íntimas com qualquer pessoa. Mas Sachs se casou moço, muito mais moço do que qualquer outro homem que eu tenha conhecido, e manteve esse casamento de pé durante quase vinte anos. Fanny tampouco era o tipo de esposa que parecesse especialmente adequada para ele. Em um caso extremo, poderia imaginá-lo com uma mulher do tipo dócil e maternal, uma dessas esposas que se mantêm alegremente à sombra do marido, dedicada a proteger o seu homem-menino das agruras práticas do dia-a-dia. Mas Fanny não era nada disso. A parceira de Sachs era igual a ele em todos os detalhes, uma mulher complexa e extremamente inteligente que levava sua vida própria e independente, e se ele conseguiu ficar junto a ela durante todos aqueles anos, foi só porque se esforçou muito para isso, porque tinha um talento enorme para compreendê-la e mantê-la em equilíbrio consigo mesma. A índole mansa de Sachs ajudou o casamento, sem dúvida nenhuma, mas não gostaria de enfatizar demais esse aspecto do seu caráter. A despeito de sua brandura, Sachs podia se mostrar severamente dogmático em seu modo de pensar, e houve ocasiões em que se entregou a brutais acessos de cólera, ataques de raiva realmente apavorantes. Não eram dirigidos às pessoas a quem tanto apreciava, mas sim ao mundo em geral. As burrices do mundo o aterrorizavam e, subjacente à sua vivacidade e a seu bom humor, às vezes se percebia um reservatório profundo de intolerância e desdém. Quase tudo o que escrevia tinha algum cunho impaciente e belicoso e, ao longo dos anos, ele adquiriu fama de criador de casos. Suponho que o merecesse, mas, no fim das contas, isso representava apenas uma pequena parte de quem ele era. A dificuldade decorre de se tentar classificá-lo de alguma forma conclusiva. Sachs era imprevisível demais para isso, tinha um espírito demasiado aberto e arguto, vivia muito cheio de idéias novas para poder ficar parado em um lugar por muito tempo. Às vezes eu achava fatigante estar com ele, mas não posso dizer que alguma vez fosse chato. Sachs me manteve alerta durante quinze anos, constantemente me desafiando e me provocando e, agora, aqui sentado, enquanto tento compreender quem foi, mal consigo imaginar minha vida sem ele.

— Você me pôs em desvantagem — falei, enquanto tomava um gole do *bourbon* no meu copo já reabastecido. — Você leu quase todas as palavras que escrevi e eu não pus os olhos em nenhuma linha sua. Morar na França tem as suas vantagens, mas manter a gente em dia com os livros americanos não é uma delas.

— Não perdeu grande coisa — disse Sachs. — Posso garantir.

— Mesmo assim, acho um pouco constrangedor. A não ser o título, não sei nada a respeito do seu livro.

— Vou lhe dar um exemplar. Aí você não vai ter mais desculpas para não ter lido.

— Procurei por ele em algumas livrarias, ontem...

— Não tem importância, poupe o seu dinheiro. Tenho uns cem exemplares em casa e fico contente de poder me livrar deles.

— Não estou bêbado demais, vou começar a ler esta noite.

— Não tenha pressa. É só um romance, afinal de contas, e você não o deve levar muito a sério.

— Sempre levo os romances a sério. Sobretudo quando me são dados pelo próprio autor.

— Bem, este autor era muito jovem quando escreveu o

seu livro. Talvez jovem demais, na verdade. Às vezes ele se arrepende de o haver publicado.

— Mas você tinha planos de ler um trecho desse livro esta tarde. Portanto não pode achar que seja tão ruim assim.

— Não digo que seja ruim. É só jovem, nada mais. Literário demais, satisfeito demais com a própria sagacidade. Eu nem sonharia em escrever uma coisa assim hoje em dia. Se tenho algum interesse nele hoje, é apenas por causa do local onde foi escrito. O livro mesmo não significa grande coisa, mas creio que ainda estou ligado ao lugar onde ele nasceu.

— E que lugar foi esse?

— A prisão. Comecei a escrever o livro na prisão.

— Quer dizer, uma prisão de verdade? Com celas trancadas e grades? Com números impressos na frente da camisa?

— Sim, uma prisão de verdade. A penitenciária federal em Danbury, Connecticut. Fui hóspede desse hotel durante dezessete meses.

— Meu Deus. E como é que você foi parar lá?

— Foi muito simples, de fato. Me recusei a entrar no Exército quando me convocaram.

— Você era um desertor por razões de consciência?

— Quis ser classificado assim, mas recusaram o meu requerimento. Tenho certeza de que você conhece a história. Se você pertence a uma religião que prega o pacifismo e se opõe a todas as guerras, então há uma chance de eles desculparem o seu caso. Mas não sou *quaker* nem adventista do sétimo dia, e a verdade é que não me opunha a toda e qualquer guerra. Só àquela guerra. Por azar, era justamente a guerra em que eles queriam que eu lutasse.

— Mas por que ir para a cadeia? Havia outras opções. Canadá, Suécia, mesmo a França. Milhares de pessoas partiram para esses lugares.

— Porque sou um cabeça-dura filho da mãe, essa é a razão.

Eu não queria fugir. Achava que tinha a responsabilidade de assumir minha posição e declarar para eles o que pensava. E não podia fazer isso a menos que ficasse na linha de fogo.

— Assim eles ouviram a sua digna declaração e depois o mandaram para a cadeia do mesmo jeito.

— É claro. Mas valeu a pena.

— Acredito. Mas aqueles dezessete meses devem ter sido horríveis.

— Não foram tão ruins quanto você imagina. A gente não precisa se preocupar com nada lá dentro. Ganha três refeições por dia, tem roupa lavada, todos os detalhes da vida são programados para a gente de antemão. Você ficaria surpreso ao ver quanta liberdade isso nos proporciona.

— Fico contente que você ainda consiga brincar sobre isso.

— Não estou brincando. Bem, talvez um pouco. Mas não sofri em nenhum aspecto desses que você na certa está imaginando. Danbury não era uma prisão de pesadelo como Attica ou San Quentin. A maioria dos detentos está lá por causa de crimes de colarinho branco, desfalques, fraudes fiscais, cheques falsos, esse tipo de coisa. Tive sorte de ser mandado para lá, mas a vantagem principal era que eu estava preparado. Meu processo se arrastou durante meses e, como eu sempre soube que ia perder, tive tempo de me adaptar à idéia da prisão. Eu não era um desses caras acabrunhados que se lamentam o tempo todo e ficam contando os dias que faltam, marcando mais um xis no calendário toda vez que vai dormir. Quando entrei lá, disse a mim mesmo, pronto, aí está, é aqui que você vai viver agora, meu velho. As fronteiras do meu mundo haviam encolhido, mas eu ainda estava vivo e, contanto que pudesse continuar respirando, peidando e pensando minhas coisas, que diferença fazia o lugar onde estava?

— É estranho.

— Não tem nada de estranho. É que nem a piada do velho corno. O marido chega em casa, entra na sala e vê um charuto aceso no cinzeiro. Pergunta à mulher o que está acontecendo, mas ela finge não saber. Ainda desconfiado, o marido começa a procurar pela casa toda. Quando chega ao quarto, abre o armário e descobre um estranho ali dentro. "O que você está fazendo no meu armário?", pergunta o marido. "Não sei", gagueja o homem, tremendo e suando muito. "Todo mundo tem que estar em algum lugar."

— Tudo bem, peguei a idéia. Mesmo assim, devia haver uns tipos meio brutos dentro daquele armário, junto com você. Não é possível que tenha sido agradável o tempo todo.

— Houve alguns poucos momentos de aperto. Admito isso. Mas aprendi muito bem como me safar. Por uma vez na vida esse meu jeito engraçado me ajudou. Ninguém sabia como lidar comigo e, depois de um tempo, consegui convencer a maioria dos detentos de que eu era doido. Você ficaria espantado de ver como as pessoas deixam a gente em paz quando acham que a gente é maluco. Se você tiver aquela expressão nos olhos, fica vacinado contra tudo que é encrenca.

— E tudo isso porque você quis ser fiel aos seus princípios.

— Não foi tão difícil assim. Pelo menos eu sempre soube por que estava lá. Não tive de me torturar com remorsos.

— Comparado a você, eu tive sorte. Não passei no exame de saúde por causa da asma e nunca mais tive de pensar no assunto.

— Portanto você foi para a França e eu fui para a prisão. Nós dois fomos para algum lugar, e nós dois voltamos. Até onde posso enxergar, nós dois estamos agora no mesmo lugar.

— É um modo de ver as coisas.

— É o único modo de ver as coisas. Nossos métodos foram distintos, mas os resultados foram exatamente os mesmos.

Pedimos outra rodada de drinques. Isso nos levou a mais uma rodada, e depois outra, e ainda uma outra depois dessa. No intervalo, o garçom nos presenteou com alguns copos por conta da casa, gentileza a que prontamente retribuímos convidando-o a servir uma dose para si mesmo. Então a taberna começou a encher de fregueses e fomos nos sentar a uma mesa no fundo do salão. Não consigo me lembrar de tudo o que falamos, mas o começo da conversa está muito mais claro para mim do que o final. Quando chegamos aos últimos trinta ou quarenta e cinco minutos, havia tanto uísque no meu organismo que eu estava vendo tudo em dobro. Isso nunca me havia acontecido e eu não tinha a menor idéia de como repor o mundo em foco. Toda vez que eu olhava para Sachs, via dois dele. Piscar os olhos não adiantava, e sacudir a cabeça só servia para me deixar tonto. Sachs se convertera em um homem de duas cabeças e duas bocas e, quando enfim me levantei para sair, lembro como ele me amparou em seus quatro braços quando eu estava à beira de cair. Com certeza, foi bom que houvesse tantos dele ali naquela tarde. Nessa altura, eu quase não passava de um peso morto e duvido que um homem sozinho conseguisse me carregar.

Só posso falar das coisas que sei, das coisas que vi com os próprios olhos e ouvi com os próprios ouvidos. Exceto Fanny, é possível que eu tenha sido a pessoa mais próxima de Sachs, mas isso não faz de mim um especialista nas minúcias da sua biografia. Ele já tinha cruzado a barreira dos trinta anos quando o conheci e nenhum de nós passava muito tempo falando sobre o passado. Sua infância é, em grande parte, um mistério para mim, e fora uns poucos comentários fortuitos que fez ao longo dos anos acerca dos pais e das irmãs, não sei quase nada sobre a sua família. Caso as circunstâncias fossem diferentes, eu tentaria conversar com algumas dessas pessoas agora, faria um esforço para preencher o maior número de lacunas que pudesse. Mas não estou em condições de sair à caça dos professores de Sachs na escola primária e de seus colegas na escola secundária, marcar entrevistas com seus primos e colegas de faculdade e com os homens que estiveram na prisão com ele. Não há tempo para isso, e como sou obrigado a trabalhar ligeiro, nada tenho em que me apoiar senão minhas próprias memórias. Não digo que essas memórias devam ser objeto de dúvida, que exista algo de falso ou adulterado nas coisas que sei a respeito de Sachs, mas não pretendo apresentar este livro como uma coisa que não é. Nada há de conclusivo neste livro. Não se trata de uma biografia nem de um retrato psicológico exaustivo, e embora Sachs me haja confidenciado muita coisa no decorrer dos anos da nossa amizade, não me arrogo possuir nada mais do que uma visão parcial de quem ele foi. Quero contar a verdade a respeito dele, registrar estas memórias o mais honestamente que puder, mas não posso desprezar a possibilidade de que eu esteja enganado, de que a verdade seja bem diferente do que imagino.

Sachs nasceu no dia 6 de agosto de 1945. Lembro a data porque ele sempre fazia questão de citá-la, referindo-se a si mesmo, em várias conversas, como o "primeiro bebê de Hiroshima da América", "o filho original da bomba atômica", "o primeiro homem branco a respirar na era nuclear". Costumava se vangloriar de o obstetra tê-lo trazido ao mundo no exato momento em que a bomba atômica era libertada das entranhas de um avião B-29 chamado *Enola Gay*, mas tudo isso sempre me pareceu um exagero. A única vez em que estive com a mãe de Sachs, ela não conseguiu lembrar a que horas ocorreu o nascimento (teve quatro filhos, disse, e os nascimentos todos se misturavam na sua cabeça), mas pelo menos confirmou a data, acrescentando lembrar nitidamente que veio a saber de Hiroshima *depois* de seu filho nascer. Se Sachs inventou o resto, não passa de um toque de mitificação inocente da sua parte. Ele era ótimo para transformar fatos em metáforas e, como sempre tinha à disposição fatos em abundância, podia bombardear a gente com uma carga interminável de associações históricas estranhas, emparelhando as pessoas e os acontecimentos mais disparatados. Certa vez, por exemplo, me contou que durante a primeira visita de Piôtr Kropótkin aos Estados Unidos, na década de 1890, a sra. Jefferson Davis, viúva do presidente confederado, solicitou um encontro com o famoso príncipe anarquista. Só isso já seria bizarro o bastante, disse Sachs, mas aconteceu que, poucos minutos depois de Kropótkin ter chegado à casa da sra. Davis, quem apareceu na porta senão Booker T. Washington? Washington explicou que estava procurando o homem que acompanhava Kropótkin (um amigo comum), e quando a sra. Davis soube que ele estava no vestíbulo da sua casa, mandou avisar que Washington devia entrar e se juntar a eles. Portanto, durante a hora que se seguiu, esse trio insólito bebeu chá, sentado um ao lado do outro, e todos mantiveram uma conversa polida: o nobre russo que almejava lançar por terra todo e qualquer governo estabelecido; o ex-escravo que se tornara escritor e educador; e a esposa do homem que conduzira a América para a mais sanguinolenta de suas guerras, em defesa da instituição da escravidão. Ninguém a não ser Sachs poderia saber de uma coisa assim. Ninguém a não ser Sachs poderia nos informar que, enquanto a atriz de cinema Louise Brooks crescia em uma cidadezinha do Kansas no início do século, sua vizinha e amiga de brincadeiras era Vivian Vance, a mesma mulher que mais tarde faria sucesso no seriado *I love Lucy*. Ele vibrava por ter descoberto isso: que os dois lados da mulher americana, o chique e o vulgar, o demônio sexual libidinoso e a dona-de-casa desmazelada, tenham ambos partido do mesmo lugar, da mesma rua poeirenta no centro da América. Sachs adorava essas ironias, as imensas loucuras e contradições da história, a maneira como os fatos constantemente se punham de pernas para o ar. Ao se empanturrar com esses fatos, ele se habilitava a ler o mundo como se fosse uma obra de imaginação, convertia acontecimentos documentados em símbolos literários, tropos que sugeriam algum esquema sombrio e complexo, embutido no real. Nunca consegui estar muito seguro de quanto levava a sério esse jogo, mas ele o praticava com freqüência e, às vezes, era quase como se fosse incapaz de se conter. A história sobre o seu nascimento era parte dessa mesma compulsão. De um lado, era uma forma de humor negro, mas representava também uma tentativa de definir quem ele era, um modo de se enredar nos horrores da sua época. Sachs muitas vezes falava sobre "a bomba". Para ele, era um fato central no mundo, um marco supremo do espírito e, em sua opinião, nos distinguia de todas as demais gerações da história. Uma vez que adquirimos o poder de destruir a nós mesmos, a mera noção de vida humana se alterava; até o ar que respirávamos estava contaminado pelo aroma fétido da morte. Sachs certamente não foi a primeira pessoa a formular essa idéia, mas, levando em conta o que lhe aconteceu nove dias atrás, há certo toque de mistério na sua obsessão, como se fosse uma espécie de charada macabra, uma palavra movediça que se enraizou dentro dele e se propagou além do seu controle.

Seu pai era um judeu da Europa Oriental, sua mãe era uma católica irlandesa. Como acontece em muitas famílias americanas, a desgraça os trouxe para cá (a escassez da batata da década de 1840, os *pogroms* da década de 1880), mas, afora essas circunstâncias elementares, não tenho nenhuma informação acerca dos ancestrais de Sachs. Ele adorava dizer que um poeta fora o responsável pela vinda da família da mãe para Boston, mas isso era apenas uma referência a Sir Walter Raleigh, o homem que introduziu o cultivo da batata na Irlanda e, portanto, causou a praga que veio a ocorrer trezentos anos depois. Quanto aos familiares do pai, Sachs me contou, certa vez, que tinham vindo para Nova York por causa da morte de Deus. Era mais uma das alusões enigmáticas de Sachs, e até a gente penetrar na lógica de versinhos infantis que se abrigava por trás disso, parecia não ter sentido nenhum. O que ele queria dizer era que os *pogroms* tinham começado depois do assassinato do czar Alexandre II; esse Alexandre foi assassinado por niilistas russos; os niilistas eram niilistas porque acreditavam que Deus não existia. Não passava de uma equação simples, no final, mas incompreensível, até que os termos intermediários fossem reintegrados à seqüência completa. A afirmação de Sachs era semelhante a uma pessoa dizer que o reino se perdera por falta de um prego. Se você conhecesse o poema, tudo bem. Se não conhecesse, não ia entender nada.

Quando foi que os pais dele se conheceram, como eram no início da vida, como suas respectivas famílias reagiram ante a perspectiva de um casamento misto, em que momento se mudaram para Connecticut — tudo isso se situa fora do âmbito do que estou apto a discutir. Até onde sei, Sachs teve uma criação secular. Era tanto judeu como católico, o que significa que não era nem uma coisa nem outra. Não me recordo de ele contar que freqüentou alguma escola religiosa e, por tudo o que pude apurar, ele jamais fez primeira comunhão nem *bar mitzvah*. O fato de ser circuncidado não passava de um detalhe médico. Em várias ocasiões, entretanto, Sachs aludiu a uma crise religiosa que teve lugar em meados da sua adolescência, mas obviamente essa crise ardeu e se apagou muito depressa. Sempre fiquei impressionado com a sua familiaridade com a Bíblia (tanto com o Velho como com o Novo Testamento), e talvez ele tenha começado a ler esse livro naquela época, durante o tal período de conflito interior. Sachs se interessava mais por política e história do que por questões espirituais, mas sua política era matizada por algo que eu descreveria como um traço religioso, como se o engajamento político não fosse apenas um modo de enfrentar os problemas do aqui e agora, mas também um meio de salvação pessoal. Creio que esse é um ponto importante. As idéias políticas de Sachs nunca se enquadravam em nenhuma das categorias convencionais. Tinha desconfiança de sistemas e ideologias e, embora pudesse falar a respeito deles com bastante discernimento e sofisticação, a ação política, para ele, se resumia a uma questão de consciência. Foi por causa disso que resolveu ir para a prisão em 1968. Não porque acreditasse que poderia realizar alguma coisa lá dentro, mas porque sabia que não conseguiria viver consigo mesmo se não fosse para lá. Se eu tivesse de resumir a posição de Sachs no que diz respeito às suas crenças, começaria mencionando os transcendentalistas do século XIX. Thoreau era o seu modelo, e sem o exemplo de "Sobre o dever da desobediência civil", duvido que Sachs viesse a ser quem foi. Não estou falando, agora, apenas da prisão, mas de todo um modo de encarar a vida, uma atitude de vigilância interior livre de remorsos. Certa vez, quando o livro *Walden* entrou na conversa, Sachs me confessou que usava barba "porque Henry David usava barba" — o que me trouxe uma repentina visão interior de o quanto era profunda sua admiração. Enquanto escrevo estas palavras agora, me ocorre que ambos viveram o mesmo número de anos. Thoreau morreu aos quarenta e quatro anos e Sachs só teria ultrapassado essa idade no mês que vem. Não creio que nada se possa deduzir dessa coincidência, mas é o tipo de coisa de que Sachs sempre gostou, um pequeno detalhe que valia a pena ser registrado.

Seu pai trabalhava como administrador hospitalar em

Norwalk, e, até onde consegui entender, a família não era nem muito próspera nem vivia especialmente apertada. Duas filhas nasceram primeiro, depois veio Ben e depois veio uma terceira filha, nascendo os quatro em um curto período de seis ou sete anos. Sachs parece ter sido mais chegado à mãe do que ao pai (ela ainda está viva, ele não), mas nunca senti que existissem quaisquer conflitos mais sérios entre o pai e o filho. Como exemplo da sua burrice quando garoto, certa vez Sachs me contou como ficara zangado quando soube que seu pai não tinha lutado na Segunda Guerra Mundial. À luz da atitude posterior de Sachs, essa reação se torna quase cômica, mas quem pode calcular a gravidade do impacto dessa frustração sobre ele naquela época? Todos os seus amigos se vangloriavam das façanhas dos pais como soldados e ele os invejava pelos troféus de batalha que exibiam quando brincavam de guerra nos seus quintais de subúrbio; os capacetes e os cinturões de munição, os coldres e os cantis, as plaquinhas de identificação e as medalhas. Mas a razão pela qual seu pai não serviu no Exército, isso nunca me foi explicado. Por outro lado, Sachs sempre falava com orgulho das atividades políticas socialistas do pai na década de 30, que aparentemente abrangiam a organização de sindicatos ou algum outro trabalho ligado ao movimento sindical. Se Sachs gravitava mais em torno da mãe do que do pai, creio que era porque as personalidades dele e da mãe se assemelhavam mais: ambos eram faladores e sem-cerimônia, ambos dotados de um talento misterioso para induzir os outros a falar de si mesmos. Segundo Fanny (que me contou tanto quanto Ben a respeito dessas coisas), o pai de Sachs era mais calado e mais evasivo do que a mãe, mais fechado em si mesmo, menos propenso a deixar os outros saberem o que estava pensando. Porém deve ter havido um vínculo forte entre eles. A prova mais segura que consigo imaginar advém de uma história que Fanny me contou certo dia.

Não muito tempo depois da prisão de Ben, um repórter local foi à casa deles para entrevistar o sogro de Fanny acerca do julgamento de Sachs. O jornalista estava nitidamente interessado em escrever uma matéria sobre o conflito de gerações (um tema palpitante naquela época), mas, assim que o sr. Sachs percebeu quais eram as intenções do repórter, aquele homem normalmente contido e taciturno bateu com o punho cerrado contra o braço da poltrona, fitou bem firme os olhos do jornalista e disse:

— Ben é um garoto formidável. Nós sempre lhe ensinamos a ser fiel às suas convicções e eu estaria louco se não sentisse orgulho do que ele está fazendo agora. Se existissem mais jovens como o meu filho neste país, este seria um lugar muitíssimo melhor para se viver.

Nunca estive com o pai dele, mas me lembro de um Dia de Ação de Graças muito simpático que passei na casa da mãe de Sachs. A visita ocorreu poucas semanas depois de Ronald Reagan ter sido eleito presidente, o que significa que era novembro de 1980 — faz dez anos agora. Foi uma época ruim da minha vida. Meu primeiro casamento terminara dois anos antes e eu só viria a ter a sorte de conhecer Iris no fim de fevereiro, três longos meses mais tarde. Meu filho David havia acabado de completar três anos na ocasião, e sua mãe e eu havíamos combinado de ele passar o feriado comigo, mas os planos que eu fizera para nós foram por água abaixo no último minuto. As alternativas pareciam muito chatas: ou ir para algum restaurante ou comer peru congelado no meu pequeno apartamento no Brooklyn. No exato instante em que eu começava a me lamentar (talvez já fosse segunda ou terça-feira), Fanny veio salvar a situação ao nos convidar para ir à casa da mãe de Ben, em Connecticut. Todos os sobrinhos estariam lá, disse ela, e sem dúvida David iria se divertir.

A sra. Sachs, mais tarde, foi morar em um asilo, mas na

época ela ainda vivia na casa em Nova Canaã, onde Ben e as irmãs tinham crescido. Era uma casa grande, bem junto aos limites da cidade, que parecia ter sido construída na segunda metade do século XIX, um desses labirintos vitorianos cheios de cumeeiras, com armários para armazenar mantimentos, escada nos fundos e pequenos e estranhos corredores no segundo andar. O interior era escuro e a sala estava atulhada por pilhas de livros, jornais e revistas. A sra. Sachs devia andar entre os sessenta e cinco e os setenta anos de idade, na ocasião, mas não havia nela nada de uma pessoa idosa ou de uma avó. Tinha sido assistente social durante muitos anos nos bairros pobres de Bridgeport, e não era difícil perceber que fora boa em sua profissão: uma mulher extrovertida, cheia de opiniões sobre tudo, com um senso de humor atrevido e meio amalucado. Ela parecia se divertir com muita coisa, uma pessoa sem nenhuma tendência para o sentimentalismo nem para o mau humor, mas, sempre que o assunto se desviava para a política (como aconteceu várias vezes naquele dia), ela dava mostras de ter uma língua diabolicamente afiada. Alguns de seus comentários eram francamente obscenos e, a certa altura, quando ela disse que os parceiros de Nixon sentenciados pela justiça eram “homens do tipo que dobra a cueca antes de ir para a cama, de noite”, uma das suas filhas olhou para mim com uma expressão constrangida no rosto, como se pedisse desculpas pelo comportamento da mãe, tão impróprio para uma senhora. Ela não precisava se preocupar. Senti uma enorme simpatia pela sra. Sachs naquele dia. Era uma matriarca subversiva que ainda gostava de dar seus murros contra o mundo e parecia tão pronta para rir de si mesma quanto de qualquer um — inclusive de seus filhos e netos. Não muito depois de eu ter chegado, ela me confessou ser uma péssima cozinheira, razão pela qual delegara às filhas a responsabilidade de cuidar do jantar. Mas, acrescentou ela (e então chegou bem perto e cochichou no meu ouvido), aquelas três filhas também não eram lá grande coisa na cozinha. Afinal, disse a sra. Sachs, ela lhes ensinara tudo o que sabiam, e se a própria professora era uma tapada e uma cabeça-de-vento, o que se podia esperar das alunas?

É verdade que a comida estava horrenda, mas mal tivemos tempo de notar. Com tanta gente dentro da casa naquele dia e com a algazarra incessante das cinco crianças de menos de dez anos de idade, nossas bocas estavam mais ocupadas em falar do que em comer. A família de Sachs era um bando de gente barulhenta. As irmãs e os maridos tinham vindo de várias partes do país, e como a maioria deles não se via fazia muito tempo, a conversa durante o jantar bem depressa virou um falatório generalizado, com todo mundo conversando ao mesmo tempo. A qualquer momento que se olhasse, quatro ou cinco diálogos distintos transcorriam simultaneamente à mesa, mas como as pessoas não se dirigiam necessariamente a quem estava a seu lado, esses diálogos a todo instante se entrecruzavam, o que provocava trocas abruptas de interlocutor, de modo que todo mundo parecia tomar parte de todas as conversas a um só tempo, tagarelando simultaneamente sobre a sua vida e metendo o bedelho também na vida de todos os outros. Acrescente-se a isso as constantes interrupções causadas pelas crianças, o ir e vir dos vários pratos, o fluir do vinho, a louça que caía, os copos virados e o tempero derramado, e dá para imaginar como o jantar logo tomou o aspecto de uma cena de *vaudeville* improvisada às pressas.

Era uma família animada, pensei, um grupo de pessoas indisciplinadas e provocativas, que se preocupavam umas com as outras mas não se prendiam à vida que haviam compartilhado no passado. Era revigorante, para mim, ver como havia pouca animosidade entre eles, como as antigas rivalidades e mágoas pouco vinham à tona, mas ao mesmo tempo não havia muita intimidade, eles não pareciam tão ligados uns aos outros como são os integrantes de famílias mais bem-sucedidas. Sei que Sachs tinha grande afeição pelas irmãs, mas apenas de uma forma um tanto automática e distante, e não creio que fosse especialmente ligado a nenhuma delas durante sua vida de adulto. Talvez isso se relacionasse ao fato de ele ser o único filho homem, mas, toda vez que calhava de eu bater com os olhos em Sachs no decorrer daquele longo dia, ele parecia estar conversando com a mãe ou com Fanny e provavelmente demonstrava mais interesse pelo meu filho David do que por qualquer um de seus sobrinhos. Duvido que eu esteja tentando extrair disso algum significado especial. Observações parciais desse tipo estão sujeitas a inúmeros erros e interpretações deturpadas, mas o fato é que Sachs se comportou como um solitário em sua própria família, uma pessoa que se mantém ligeiramente separada do resto. Isto não quer dizer que ele evitasse alguém, mas houve momentos em que senti que não estava à vontade, quase aborrecido por ter de estar ali.

Com base no pouco que sei a respeito, sua infância parece ter transcorrido sem nada de muito importante. Não foi um aluno especialmente bom, e se mesmo assim ganhou certa reputação, foi apenas por haver se destacado nas travessuras. Era aparentemente destemido ao se defrontar com a autoridade e, a julgar pelo que ele contava, passou a vida, entre os seis e os doze anos de idade, em meio a uma contínua ebulição de sabotagem criativa. Era ele quem arquitetava as armadilhas para pegar os otários, quem prendia o cartaz de "chute-me" nas costas do professor, quem estourava bombinhas nas latas de lixo da cafeteria. Naqueles anos, passou centenas de horas preso no gabinete do diretor, mas o castigo era um preço barato para se pagar em troca da satisfação que aqueles triunfos lhe proporcionavam. Os outros meninos o respeitavam por sua coragem e imaginação, o que na certa era o que o estimulava, mais que tudo, a correr esses riscos. Vi algumas das fotos mais antigas de Sachs e não há dúvida de que era um pirralho bem feioso, um autêntico capeta: um desses magrelos espigados com orelhas grandes, dentes de coelho e um sorrisinho sonso, meio torto. O potencial para o ridículo devia ser enorme; Sachs provavelmente era um alvo móvel para tudo quanto era piada e alfinetada cruel. Se conseguiu evitar esse destino, foi porque se obrigou a ser um pouco mais bravio do que todos os outros. Não era, de jeito nenhum, o papel mais agradável para alguém representar, mas ele deu duro para dominar seu personagem e, depois de um tempo, havia alcançado um poder incontestável sobre o território.

Um aparelho alinhou seus dentes acavalados; seu corpo se tornou mais robusto; seus braços e pernas aos poucos aprenderam a lhe obedecer. Quando chegou à adolescência, Sachs começou a parecer a pessoa que viria a ser mais tarde. Sua altura o ajudava nos esportes, e quando começou a jogar basquete aos treze ou catorze anos, rapidamente se transformou em um atleta promissor. As brincadeiras e as estripulias de garoto rebelde se extinguiram então, e enquanto seu desempenho acadêmico na escola secundária nada tinha de sensacional (sempre se definia como um estudante preguiçoso, com um interesse ínfimo em tirar boas notas), Sachs lia constantemente e já começava a pensar em si mesmo como um futuro escritor. Conforme ele mesmo admitia, suas primeiras obras foram horrorosas — "sondagens da alma em um estilo romântico-absurdista", como as descreveu, certa vez —, uns continhos e uns poeminhas lamentáveis sobre os quais mantinha segredo absoluto. Mas Sachs persistiu e, como um sinal da sua seriedade crescente, um dia, quando tinha dezessete anos, foi a uma loja e comprou um cachimbo. Esse era o emblema de todo escritor de verdade, pensava ele, e, durante seu último ano na escola secundária, passava todas as noites sentado à sua escrivaninha, caneta em uma mão, cachimbo na outra, e enchia o quarto todo de fumaça.

Essas histórias vieram a mim direto do próprio Sachs. Elas me ajudaram a definir melhor minha idéia de como ele tinha sido antes de eu o conhecer, mas, quando repito agora os seus comentários, percebo que podiam ser totalmente falsas. A autodepreciação era um componente importante da sua personalidade, e muitas vezes ele usava a si mesmo como alvo das suas piadas. Em especial quando falava sobre o passado, Sachs gostava de se retratar das formas menos lisonjeiras possíveis. Era sempre o garoto ignorante, o tolo pretensioso, o pirralho que fazia brincadeiras de mau gosto, o palerma desajeitado. Talvez fosse assim que queria que eu o visse, ou talvez sentisse algum prazer perverso em me fazer de bobo. Pois o fato é que a pessoa precisa ter um bocado de autoconfiança para fazer pouco de si mesma, e alguém com esse tipo de autoconfiança raramente é um tolo ou um trapalhão.

Há apenas uma história daquela primeira fase na qual sinto alguma confiança. Eu a ouvi quase no fim da minha visita a Connecticut, em 1980, e, como foi contada tanto por sua mãe como pelo próprio Sachs, se encaixa em uma categoria distinta das demais. Em si mesma, essa anedota é menos dramática do que algumas das outras que Sachs me contava, mas, olhando para ela agora na perspectiva de toda a sua vida, ela adquire um relevo especial — como se fosse o anúncio de um tema, a apresentação de uma frase musical que continuaria a persegui-lo até seus últimos momentos sobre a terra.

Uma vez retirada a mesa, quem não tinha ajudado a preparar o jantar foi escalado para lavar a louça na cozinha. Éramos apenas quatro: Sachs, sua mãe, Fanny e eu. Era um trabalho colossal, louça suja e talheres espalhados por toda parte e, enquanto nos revezávamos esfregando, ensaboando, enxaguando e enxugando, conversávamos sobre várias coisas, saltando ao acaso de um assunto para o outro. Depois de um tempo, nos vimos conversando a respeito do Dia de Ação de Graças, o que nos levou a debater acerca de um outro feriado americano, o que por sua vez suscitou alguns comentários indiretos sobre os símbolos nacionais. A Estátua da Liberdade foi citada, e depois, quase como se a memória de repente tivesse voltado aos dois ao mesmo tempo, Sachs e a mãe começaram a recordar uma viagem que tinham feito à ilha Bedloes no início da década de 50. Fanny nunca tinha ouvido essa história, e assim ela e eu viramos a platéia, ali de pé, com panos de prato nas mãos, enquanto os dois representavam sua cena ligeira.

— Lembra aquele dia, Benjy? — começou a sra. Sachs.

— Claro que lembro — respondeu Sachs. — Foi um dos momentos decisivos da minha infância.

— Naquele tempo, você não passava de um pinguinho de gente. Tinha só uns seis ou sete anos.

— Era verão quando fiz seis anos. Mil novecentos e cinqüenta e um.

— Eu era uns poucos anos mais velha do que isso, mas nunca tinha ido à Estátua da Liberdade. Achei que já era hora de conhecer, e então, um dia, empurrei você para dentro do carro e lá fomos nós para Nova York. Não lembro onde estavam as meninas naquela manhã, mas tenho certeza de que fomos só nós dois.

— Só nós dois. E a senhora Não-sei-o-quê Stein e seus dois filhos. Nós os encontramos quando chegamos lá.

— Doris Saperstein, minha velha amiga do Bronx. Tinha dois filhos mais ou menos da sua idade. Uns molequinhos sem-vergonha, aqueles dois, uma dupla de índios selvagens.

— Simplesmente crianças normais. Foram eles que provocaram toda a briga.

— Que briga?

— Não se lembra dessa parte, não?

— Não, só me lembro do que aconteceu depois. Aquilo apagou todo o resto.

— Você me obrigou a vestir aquelas horrendas calças curtas, com meias brancas até os joelhos. Você sempre me vestia quando saíamos juntos e eu detestava isso. Sentia-me um mariquinhas naquelas roupas, um aristocratazinho embonecado em toda a sua pompa. Já era ruim à beça quando a família saía toda junta, mas a idéia de aparecer assim na frente dos filhos da senhora Saperstein era insuportável para mim. Eu sabia que estariam vestindo camisetas, calça de brim e tênis e não sabia como é que ia conseguir encará-los vestido daquele jeito.

— Mas você parecia um anjo naquela roupa — disse a mãe.

— Pode ser, mas eu não queria parecer um anjo. Queria parecer um menino americano normal. Implorei para vestir outra coisa, mas você não deu o braço a torcer. "Visitar a Estátua da Liberdade não é como ir brincar no quintal", disse você. "É o símbolo do nosso país e temos de mostrar o devido respeito." Mesmo então, a ironia da situação não me passou despercebida. Lá estávamos, prestes a render homenagem à idéia de liberdade, e eu mesmo escravizado. Eu vivia sob uma absoluta ditadura e, até onde minha memória alcançava, meus direitos sempre tinham sido pisados e esmagados. Tentei explicar a situação quanto aos outros garotos, mas você nem queria me ouvir. Que absurdo, disse você, eles também vão estar com suas melhores roupas de domingo. Você estava tão segura de si que eu, enfim, tomei coragem e propus um acordo. Tudo bem, falei, vou vestir essas roupas hoje. Mas se os outros meninos estiverem de camiseta e tênis, vai ser a última vez que terei de fazer isso. Daqui por diante, você vai me deixar vestir o que eu quiser.

— E eu concordei com isso? Será que tive a coragem de fazer um acordo com um menino de seis anos?

— Você estava só brincando comigo. A possibilidade de perder a aposta nem passava pela sua cabeça. Mas, quem diria, quando a senhora Saperstein chegou à Estátua da Liberdade com os dois filhos, os meninos se vestiam exatamente como eu tinha previsto. E, num piscar de olhos, virei o soberano absoluto do meu guarda-roupa. Foi a primeira vitória importante da minha vida. Tive a sensação de haver vencido uma grande batalha em defesa da democracia, como se eu tivesse erguido a voz em nome dos oprimidos do mundo inteiro.

— Agora eu entendo por que você se amarra tanto em calça jeans — disse Fanny. — Você descobriu o princípio da autodeterminação e naquele momento resolveu que seria, para o resto da vida, um sujeito malvestido.

— Exatamente — respondeu Sachs. — Ganhei o direito de ser um relaxado e desde então carrego essa bandeira com muito orgulho.

— E depois — prosseguiu a sra. Sachs, ansiosa para contar o resto da história —, começamos a subir.

— A escada em espiral — acrescentou o filho. — Achamos a escada e começamos a subir.

— No início, não foi tão ruim — disse a sra. Sachs. — Doris e eu deixamos os garotos irem na frente e subimos a escada devagar e com tranqüilidade, nos apoiando no corrimão. Chegamos até a coroa, olhamos para o porto lá embaixo durante alguns minutos e tudo estava mais ou menos bem. Pensei que era só isso, que íamos começar a descer e depois tomar um sorvete em algum lugar. Mas naquele tempo ainda deixavam a gente ir até a tocha, o que significava subir mais uma escada, direto pelo braço da Madame Mandachuva. Os garotos estavam doidos para subir até lá. Ficaram berrando e choramingando que queriam ver tudo, e aí Doris e eu cedemos à vontade deles. Aconteceu que essa escada não tinha corrimão, como a outra. Era a série de degrauzinhos de ferro mais estreita e mais intrincada do mundo, uma chaminé com umas saliências do lado e, quando a gente olhava para baixo entre os braços, tinha a impressão de estar a quinhentos quilômetros de altura, em pleno ar. Em volta, era o puro vazio, o grande vácuo do céu. Os meninos escalaram a galope sozinhos até a tocha, mas, quando completei dois terços do percurso, percebi que não ia conseguir. Sempre me vi como uma garota bem durona. Não era uma dessas dondocas histéricas que berravam quando viam um camundongo. Eu era uma mulher de fibra, sem frescuras, que já enfrentara poucas e boas, mas ali naquela escada, naquele dia, me deu uma fraqueza por dentro, suei frio, pensei que ia vomitar. Mas Doris também não estava em muito boa forma e, com isso, sentamos em um dos degraus na esperança de que nossos nervos serenassem. Ajudou um pouco, mas não muito, e, mesmo com minhas costas bem escoradas em algo sólido, eu ainda tinha a impressão de estar prestes a cair, de que a qualquer segundo ia começar a despencar de cabeça até lá embaixo. Foi o pior pânico que já senti na vida. Fiquei toda destrambelhada. Meu coração veio parar na boca, a cabeça estava nas minhas maos, o estômago foi parar nos pés. Fiquei tão apavorada ao pensar em Benjamin que comecei a gritar para ele descer. Foi medonho. Minha voz ecoava por dentro da Estátua da Liberdade inteira como os uivos de alguma alma penada. Os meninos, enfim, saíram da tocha e aí todos descemos a escada sentados, um degrau de cada vez. Doris e eu tentamos improvisar uma brincadeira com os meninos, fingindo que aquele era um jeito divertido de se descer. Mas nada neste mundo me faria ficar de pé naquela escada de novo. Eu preferia pular de uma vez a ter de aceitar essa idéia. A gente deve ter levado meia hora para chegar lá embaixo outra vez e, nessa altura, eu estava um bagaço, uma bolha de carne e ossos. Benjy e eu ficamos com os Saperstein no Grande Concurso naquela noite e, desde então, sinto um medo mortal de lugares altos. Prefiro estar morta a ter de pôr os pés em um avião e, quando passo do terceiro ou quarto andar de um edifício, viro gelatina por dentro. O que vocês acham disso? E tudo começou naquele dia, quando Benjamin era um garotinho e a gente se meteu a subir por dentro da tocha da Estátua da Liberdade.

— Foi minha primeira lição de teoria política — disse Sachs, desviando os olhos da mãe para olhar para mim e para Fanny. — Aprendi que a liberdade pode ser perigosa. Que, se a gente não prestar atenção, ela pode nos matar.

Não quero dar a essa história um significado grande demais, porém, ao mesmo tempo, não creio que deva ser inteiramente desdenhada. Em si mesma, não passa de um episódio trivial, um lance de folclore familiar, e a sra. Sachs a relatou com humor e auto-ironia suficientes para empurrar para debaixo do tapete suas implicações, sem dúvida aterradoras. Todos rimos quando ela terminou, e aí a conversa passou para outra coisa. Se não fosse o romance de Sachs (o mesmo livro que ele levou, através da neve, até o local da nossa leitura abortada, em 1975), eu teria esquecido tudo isso. Mas, uma vez que esse livro está repleto de referências à Estátua da Liberdade, é difícil ignorar a possibilidade de uma ligação — como se a experiência infantil de testemunhar o pânico da mãe esteja, de algum modo, no cerne daquilo que Sachs veio a escrever quando adulto, vinte anos depois. Indaguei Sachs a respeito disso enquanto voltávamos de carro para a cidade naquela noite, mas ele apenas riu da minha pergunta. Ele nem sequer se lembrava dessa parte da história, respondeu Sachs. Em seguida, abandonando o assunto de uma vez por todas, desatou uma diatribe cômica contra as arapucas da psicanálise. No fim, nada disso importa. Só porque Sachs negou haver alguma ligação não significa que ela não exista. Ninguém pode dizer com certeza de onde vem um livro, muito menos a pessoa que o escreveu. Os livros nascem da ignorância e, se continuam a viver depois de terem sido escritos, isso acontece apenas na medida em que não podem ser compreendidos.

O novo colosso era o único romance que Sachs tinha publicado. Foi também a primeira coisa que li dele, e não há dúvida de que teve um papel importante em fazer decolar nossa amizade. Uma coisa era ter gostado de Sachs em pessoa, mas, quando me dei conta de que eu também podia estimar a sua obra, fiquei ainda mais entusiasmado para conhecê-lo, com mais vontade ainda de encontrá-lo e de conversar de novo com ele. Isso instantaneamente o destacava de todas as pessoas que eu tinha conhecido desde que voltara para a América. Sachs era mais do que um potencial companheiro de copo, descobri, mais do que apenas mais um conhecido. Uma hora depois de abrir o livro de Sachs, quinze anos atrás, compreendi que seria possível ficarmos amigos.

Acabei de passar a manhã correndo os olhos pelo seu livro de novo (há vários exemplares aqui na cabana) e fico espantado de ver como meus sentimentos pouco se modificaram. Não creio que eu precise dizer mais do que isso. O livro continua a existir, está disponível nas livrarias e bibliotecas, e qualquer um que queira se dar ao trabalho de ler o romance pode fazê-lo sem dificuldade. Foi lançado em uma edição de capa mole alguns meses depois de Sachs e eu termos nos conhecido e desde então esteve sempre em catálogo, em uma existência silenciosa, mas saudável, às margens da literatura recente, um livro que é uma mixórdia maluca e que sempre conseguiu garantir o seu pequeno reduto nas prateleiras. Na primeira vez em que o li, contudo, comecei meio frio. Após ouvir Sachs no bar, supus que se tratasse de um romance de estréia convencional, uma dessas tentativas escassamente veladas de ficcionalizar a história da vida do próprio autor. Não pretendia me valer disso contra ele, mas Sachs falara de forma tão depreciativa acerca do livro que senti que devia me preparar para uma possível decepção. Sachs autografou um exemplar para mim naquele dia, no bar, mas a única coisa que notei na ocasião era que o livro era grande, um volume com mais de quatrocentas páginas. Comecei a ler na tarde seguinte, estirado sobre a cama, depois de beber seis xícaras de café para aplacar a ressaca da bebedeira do sábado. Conforme Sachs me advertira, era o livro de um jovem — mas nem de longe do jeito que eu esperava. O *novo colosso* nada tinha a ver com os anos 60, nada tinha a ver com o Vietnã ou com o movimento contra a guerra, nada tinha a ver com os dezessete meses que ele passara na prisão. Isso era o que eu temia encontrar, em virtude de uma deficiência de imaginação da minha parte. A idéia da prisão era tão terrível para mim que eu não conseguia imaginar como alguém que houvesse estado lá pudesse ficar sem escrever sobre o assunto.

Como todo leitor sabe, O *novo colosso* é um romance histórico, um livro cuidadosamente pesquisado, situado na América, entre 1876 e 1890, e inspirado em informações documentadas e comprovadas. A maioria dos personagens são pessoas que existiram de fato na época e, mesmo quando os personagens são imaginários, são menos invenções do que empréstimos, figuras roubadas de páginas de outros romances. Por outro lado, todos os acontecimentos são verdadeiros — verdadeiros no sentido de que obedecem ao registro histórico — e, nos pontos em que o registro é obscuro, não há qualquer deturpação das leis da probabilidade. Tudo é feito de modo a parecer plausível, razoável, até banal, nos pormenores da sua representação. E no entanto Sachs continuamente apanha o leitor desprevenido, mesclando tantos gêneros e estilos para contar sua história que o livro começa a tomar a feição de uma máquina de fliperama, uma prodigiosa engenhoca com luzes que piscam e mil efeitos sonoros diferentes. Conforme muda de capítulo, ele salta da narrativa tradicional na terceira pessoa para anotações de um diário e cartas na primeira pessoa, de quadros cronológicos para pequenas anedotas, de matérias de jornal para ensaios e diálogos dramáticos. É uma proeza arrojada, uma maratona da primeira à última linha e, o que quer que a pessoa ache do livro no conjunto, é impossível não respeitar a energia do autor, a desenfreada audácia das suas ambições.

Entre os personagens que aparecem no romance estão Emma Lazarus, Touro Sentado, Ralph Waldo Emerson, Joseph Pulitzer, Buffalo Bill Cody, Auguste Bartholdi, Catherine Weldon, Rose Hawthorne (filha de Nathaniel), Ellery Channing, Walt Whitman e William Tecumseh Sherman. Mas Raskolnikov também comparece (vindo direto do epílogo de *Crime e castigo* — libertado da prisão e recém-chegado aos Estados Unidos como imigrante, onde seu nome é anglicizado para Ruskin), assim como Huckleberry Finn (um biscateiro errante de meia-idade, que fica amigo de Ruskin), e Ismael, de *Moby Dick* (que tem uma rápida participação como garçom de bar em Nova York). *O novo colosso* começa no ano do centenário da independência americana e se desenrola em meio aos fatos mais importantes da década e meia seguinte: a derrota de Custer em Little Bighorn, a construção da Estátua da Liberdade, a greve geral de 1877, o êxodo dos judeus russos para a América em 1881, a invenção do telefone, a revolta da praça Haymarket em Chicago, a difusão da religião da Dança do Fantasma entre os índios sioux, o massacre de Wounded Knee. Mas fatos menores também se acham registrados e são esses, afinal, que conferem ao livro sua textura, aquilo que o torna algo mais do que um quebra-cabeça de fatos históricos. O capítulo inicial é um bom exemplo disso. Emma Lazarus vai para Concord, em Massachusetts, para se hospedar na casa de Emerson. Lá, é apresentada a Ellery Channing, o qual a acompanha em uma visita à lagoa Walden e fala sobre sua amizade com Thoreau (morto havia já catorze anos, nessa altura). Os dois se sentem atraídos e ficam amigos, mais uma dessas superposições esquisitas que Sachs tanto apreciava: o homem grisalho da Nova Inglaterra e a jovem poeta judia, oriunda da Alameda dos Milionários de Nova York. Em seu último encontro, Channing lhe dá um presente e diz para ela não abrir o embrulho senão no trem, no caminho de volta para casa. Quando desembrulha o presente, ela depara com um exemplar do livro de Channing sobre Thoreau, junto com uma das relíquias que o velho vinha amealhando desde a morte de seu amigo: a bússola de bolso de Thoreau. É um momento belíssimo, explorado por Sachs com muita sensibilidade, e implanta na mente do leitor uma imagem importante, que vai se repetir sob diversos disfarces no decorrer do livro. Embora isso não seja dito com todas as letras, a mensagem não poderia ser mais clara. A América perdeu o seu rumo. Thoreau era o único capaz de ler a bússola para nós e, agora que ele se foi, não temos nenhuma esperança de nos encontrarmos outra vez.

Há a estranha história de Catherine Weldon, a mulher de classe média, do Brooklyn, que parte para o Oeste a fim de tornar-se uma das esposas de Touro Sentado. Há um relato farsesco sobre a viagem do grão-duque russo Alexei pelos Estados Unidos — caça búfalos com Bill Cody, desce o rio Mississippi em companhia do general e da sra. George Armstrong Custer. Há o general Sherman, cujo segundo nome homenageia um guerreiro indígena, tendo sido indicado em 1876 (exatamente um mês depois da última batalha de Custer) "para assumir o controle militar sobre todas as reservas do território *sioux* e tratar os índios de lá como prisioneiros de guerra", e depois, um ano mais tarde, recebendo outra indicação da Comissão Americana para a Construção da Estátua da Liberdade "para resolver se a estátua deveria ficar na ilha Governors ou na ilha Bedloe". Há a morte de Emma Lazarus, de câncer, aos trinta e sete anos, presenciada por sua amiga Rose Hawthorne — que se transforma de tal modo com a experiência que se converte ao catolicismo, entra na ordem de São Domingos com o nome de Irmã Alphonsa e dedica os últimos trinta anos de vida a cuidar de doentes terminais. Há numerosos episódios desse tipo no livro. Todos são verdadeiros, todos apoiados na realidade, e contudo Sachs os concatena de tal maneira que se tornam decididamente mais fantásticos, quase como que delineando um pesadelo ou uma alucinação. À medida que o livro avança, adquire uma feição cada vez mais instável — repleta de associações e desvios imprevisíveis, assinalados por mudanças de tom cada vez mais abruptas — até chegar a um ponto em que se tem a impressão de que tudo começa a levitar, erguer-se pesadamente do solo, como um gigantesco balão de pesquisa atmosférica. No último capítulo, a gente já subiu tão alto que percebe não poder mais descer de novo sem cair, sem ser esmagado.

Há falhas inegáveis, entretanto. Embora Sachs trabalhe arduamente para mascará-las, há momentos em que o romance deixa a sensação de ser demasiado construído, demasiado mecânico na sua orquestração dos fatos, e só raramente algum personagem se torna plenamente vivo. No meio da minha primeira leitura, recordo-me de dizer a mim mesmo que Sachs era mais um pensador do que um artista, e a sua mão pesada muitas vezes me incomodava — o modo como martelava seus pontos de vista, manipulava seus personagens no intuito de enfatizar suas idéias, em vez de deixá-los criar a ação sozinhos. Contudo, apesar de Sachs não estar escrevendo a respeito de si mesmo, percebi o quanto o livro devia ser pessoal para ele. A emoção predominante era a raiva, uma raiva desenfreada, dilacerante, que irrompia em quase todas as páginas: raiva contra a América, raiva contra a hipocrisia política, raiva como arma para destruir os mitos nacionais. No entanto, uma vez que na época ainda se travava a guerra no Vietnã, e uma vez que Sachs tinha ido para a prisão por causa dessa guerra, não era difícil entender de onde provinha sua raiva. Isso dava ao livro um tom estridente, polêmico, mas creio também que era esse o segredo da sua força, o motor que impulsionava o livro adiante e fazia o leitor ter vontade de prosseguir a leitura. Sachs tinha apenas vinte e três anos quando começou *O novo colosso* e persistiu no seu projeto durante cinco anos, redigindo seis ou sete rascunhos nesse período. A versão publicada abrangia quatrocentas e trinta e seis páginas, e eu havia lido todas elas quando fui dormir na terça-feira à noite. Quaisquer reservas que eu possa ter tido se diluíram em face da minha admiração por aquilo que Sachs havia conseguido realizar. Quando voltei do trabalho para casa na quarta-feira de tarde, imediatamente me sentei e lhe escrevi uma carta. Disse que ele tinha escrito um grande romance. A qualquer momento que desejasse dividir comigo mais uma garrafa de *bourbon*, eu ficaria honrado de lhe fazer parceria, copo a copo.

Começamos a nos encontrar regularmente depois disso. Sachs não tinha um emprego fixo e isso o tornava mais disponível do que a maioria das pessoas que eu conhecia, mais flexível em suas rotinas. A vida social em Nova York tende a ser bastante rígida. Um mero jantar pode exigir um planejamento com semanas de antecedência, e os melhores amigos às vezes podem passar meses sem ter nenhum contato. Com Sachs, porém, encontros de improviso constituíam a norma. Ele trabalhava quando o espírito o induzia (em geral, tarde da noite), e o resto do tempo Sachs zanzava à toa, livremente, perambulava pelas ruas da cidade como um *flâneur* do século XIX, seguindo o seu nariz aonde quer que ele o levasse. Sachs caminhava, ia a museus e galerias de arte, via filmes no meio do dia, lia livros em bancos de praça. Não vivia escravizado pelo relógio como as demais pessoas e, em conseqüência, nunca tinha a sensação de estar perdendo tempo. Isso não significa que não era produtivo, mas o muro que separa o trabalho do ócio havia esboroado a tal ponto, para ele, que Sachs mal se dava conta de que esse muro existia. Isso o ajudava como escritor, acho, pois suas melhores idéias sempre pareciam vir quando ele estava longe da sua escrivaninha. Dessa forma, portanto, tudo para ele se enquadrava na categoria do trabalho. Comer era trabalho, ver partidas de basquete era trabalho, ficar com um amigo em um bar à meia-noite era trabalho. Apesar das aparências, não havia quase nenhum momento em que Sachs não estivesse trabalhando.

Meus dias não eram nem de longe desimpedidos como os dele. Eu tinha voltado de Paris no verão anterior com nove dólares no bolso e, em vez de pedir ao meu pai um empréstimo (que, de todo jeito, ele provavelmente não me daria), agarrei o primeiro trabalho que apareceu na minha frente. Na época em que conheci Sachs, eu trabalhava para um comerciante de livros raros na Alta Zona Leste da cidade e, na maior parte do tempo, ficava nos fundos da loja redigindo catálogos e respondendo cartas. Eu chegava toda manhã às nove horas e saía à uma hora. Durante a tarde, em casa, traduzia uma história da China escrita por um jornalista francês que ficou uma temporada em Pequim — um livro feito nas coxas, mal escrito, que exigia um esforço maior do que merecia. Minha esperança era largar o emprego na loja de livros raros e começar a ganhar a vida como tradutor, mas ainda não estava claro que o meu plano fosse dar certo. Nesse meio tempo, eu também escrevia contos e algumas resenhas de livros e assim, juntando uma coisa aqui e outra ali, acabava não dormindo muito. Porém eu via Sachs com mais freqüência do que parece possível, agora, levando em conta as circunstâncias. Uma vantagem era que morávamos no mesmo bairro e nossos apartamentos ficavam a uma distância que se podia facilmente percorrer a pé. Isso suscitava alguns encontros tarde da noite em bares pela Broadway e depois, quando descobrimos uma paixão comum por esportes, também nos víamos à tarde, uma vez que as partidas sempre ocorriam nesse horário e nem eu nem ele possuíamos televisão. Quase de uma hora para outra passei a ver Sachs duas vezes por semana, em média, muito mais do que eu via qualquer outra pessoa.

Não muito tempo depois de começarem esses encontros, Sachs me apresentou sua esposa. Fanny era estudante de pós-graduação no departamento de história da arte, em Columbia, dava aulas de estudos gerais e terminava de redigir sua dissertação sobre as pinturas paisagísticas americanas no século XIX. Ela e Sachs se haviam conhecido na universidade de Wisconsin, dez anos antes, literalmente esbarraram um no outro em um comício pela paz promovido dentro do *campus*. Na época em que Sachs foi preso, na primavera de 1967, já estavam casados fazia quase um ano. Moraram na casa dos pais de Ben, em New Canaan, no período do julgamento, e quando a sentença foi decretada e Ben foi levado para a prisão (no início de 1968), Fanny voltou a morar no apartamento dos pais dela, no Brooklyn. Em algum ponto no meio de tudo isso, ela se inscreveu no programa de pós-graduação de Columbia e foi admitida com direito a uma bolsa de estudos — que incluía matrícula grátis, uma verba de vários milhares de dólares para ela se sustentar e, em troca, o compromisso de lecionar alguns cursos. Fanny se manteve o resto daquele verão com um emprego temporário em um escritório em Manhattan, encontrou um apartamentozinho na rua Cento e Vinte e Dois, Oeste, no fim de agosto, e em seguida, em setembro, começou a assistir às aulas; enquanto isso, todo domingo pegava o trem até Danbury para visitar Ben. Menciono essas coisas agora porque calhou de eu estar com Fanny diversas vezes ao longo daquele ano — sem ter a menor idéia de quem era. Eu ainda era estudante de graduação, em Columbia, na época, e meu apartamento ficava apenas a cinco quarteirões do dela, na rua Cento e Sete, Oeste. Por obra do acaso, dois de meus amigos mais chegados moravam no mesmo prédio que ela e, em várias de minhas visitas, topei com Fanny no elevador ou na portaria do edifício. Além disso, havia as ocasiões em que a via caminhando pela Broadway, as ocasiões em que deparava com ela na minha frente junto ao balcão da loja que vendia cigarros com desconto, as ocasiões em que a via de relance quando ela entrava em um edifício do *campus*. Na primavera estivemos até juntos em uma aula, um curso em forma de palestras sobre a história da estética, apresentado por um professor do departamento de filosofia. Eu reparava em Fanny em todos esses locais porque a achava bonita, mas nunca consegui tomar coragem para me dirigir a ela. Havia uma coisa intimidadora em sua elegância, um ar de muro fortificado que parecia desencorajar estranhos que quisessem se aproximar. O anel de casamento na mão esquerda era em parte responsável, suponho, mas, mesmo que não fosse casada, não tenho certeza de que isso fosse fazer alguma diferença. No entanto, fiz um esforço consciente para me sentar atrás dela naquele curso de filosofia, de modo que pudesse passar uma hora por semana olhando para Fanny com o canto do olho. Sorrimos um para o outro uma ou duas vezes enquanto saíamos da sala de conferências, mas eu era tímido demais para ir além disso. Quando Sachs, enfim, me apresentou a ela em 1975, nos reconhecemos imediatamente. Foi uma experiência desconcertante, e levei vários minutos para recuperar meu autodomínio. Um mistério do passado fora de repente desvendado. Sachs era o marido ausente da mulher que eu observara com tanta atenção seis anos antes. Se eu tivesse ficado no bairro, é quase certo que o teria visto depois que saiu da prisão. Mas me formei na faculdade em junho e Sachs não veio para Nova York antes de agosto. Nessa altura, eu já tinha deixado meu apartamento e estava a caminho da Europa.

Não há dúvida de que era um casamento estranho. Em quase todos os aspectos que consigo pensar, Ben e Fanny pareciam existir em reinos mutuamente excludentes. Ben era todo desajeitado, uma torre de armar de brinquedo, todo feito de ângulos agudos e protuberâncias ossudas, ao passo que Fanny era baixa e arredondada, com o rosto suave e a pele cor de azeite. Ben, em contraste, era avermelhado, com cabelo crespo, malcuidado e uma pele que queimava facilmente com o sol. Ele ocupava um bocado de espaço, parecia estar constantemente em movimento, mudava de expressão facial a cada cinco ou seis segundos, ao passo que Fanny era estável, sedentária, felina no modo de habitar seu corpo. Para mim ela era menos linda do que exótica, embora essa palavra talvez seja forte demais para aquilo que quero exprimir. Uma capacidade de fascinar estaria provavelmente um pouco mais perto daquilo que procuro, um certo ar de auto-suficiência que fazia a gente ter vontade de olhar para ela, mesmo quando Fanny se limitava a ficar sentada em algum lugar, sem fazer nada. Ela não era engraçada como Ben sabia ser, não era rápida, nunca falava pelos cotovelos. E no entanto eu tinha a sensação de que, dos dois, ela era a mais articulada, a mais inteligente, quem possuía maior capacidade analítica. A mente de Ben era só intuição. Era impetuosa mas não especialmente sutil, um espírito que amava correr riscos, dar saltos no escuro, estabelecer nexos improváveis. Fanny, por outro lado, era meticulosa e ponderada, incansável na sua paciência, sem nenhuma propensão a formular julgamentos apressados ou comentários destituídos de fundamento. Ela era uma pesquisadora acadêmica e ele um sujeito vibrante; ela era uma esfinge e ele uma ferida aberta; ela era uma aristocrata e ele o povo. Estar com os dois era como contemplar um casamento entre uma pantera e um canguru. Fanny, sempre esplendidamente vestida, com toda elegância, caminhava ao lado de um homem quase trinta centímetros mais alto do que ela, um garoto que cresceu demais, de tênis preto All Star, calça jeans e um pulôver esportivo cinzento com capuz. À primeira vista, parecia não fazer nenhum sentido. A gente os via juntos e a primeira reação era pensar que se tratava de dois estranhos entre si.

Mas isso era só à primeira vista. Subjacente ao ar estabanado de Sachs, havia uma notável argúcia para entender as mulheres. Não só Fanny, mas quase todas as mulheres que encontrava, e vezes seguidas fiquei admirado com a naturalidade com que eram atraídas por ele. Ser criado com três irmãs deve estar relacionado a isso, como se as intimidades aprendidas no tempo de menino o tivessem imbuído de um conhecimento oculto, um acesso aos segredos femininos que outros homens passam a vida inteira tentando descobrir. Fanny tivera momentos difíceis, e não creio que alguma vez tenha sido uma pessoa fácil de se conviver. Sua serenidade exterior era, com freqüência, uma máscara da turbulência interior e, em diversas ocasiões, vi por mim mesmo com que rapidez ela podia recair em estados de ânimo sombrios, depressivos, dominada por alguma angústia indefinível que de repente a arrastaria à beira das lágrimas. Sachs a protegia nessas ocasiões, tratando-a com uma ternura e uma cautela que podiam ser muito comoventes, e creio que Fanny aprendeu a confiar nele por isso — se deu conta de que ninguém era capaz de compreendê-la tão profundamente quanto ele. No mais das vezes, essa compaixão era expressa de forma indireta, em uma linguagem que os que estavam de fora não conseguiam apreender. Na primeira vez em que fui ao apartamento deles, por exemplo, a conversa durante o jantar girou em torno do tema "filhos" — ter ou não ter filhos, qual o melhor momento para tê-los, quantas alterações eles provocavam na vida e assim por diante. Recordo de ter me pronunciado com energia em favor de ter filhos. Sachs, por sua vez, enveredou em uma longa divagação para mostrar por que discordava de mim. Os argumentos que empregou eram bastante convencionais (o mundo era um lugar horroroso demais, a população era demasiado numerosa, se perdia muita liberdade), mas Sachs os apresentava com tanta veemência e convicção que presumi que estivesse falando também por Fanny e que ambos eram ferrenhamente contrários à idéia de se tornarem pais. Anos depois, descobri que a verdade era exatamente o contrário. Eles queriam ardorosamente ter filhos, mas Fanny não podia conceber. Após numerosas tentativas de engravidar, consultaram médicos, experimentaram drogas fertilizantes, tentaram tudo quanto foi remédio à base de ervas, mas nada adiantou. Poucos dias antes daquele jantar, em 1975, eles haviam recebido um parecer categórico segundo o qual nada que fizessem poderia resolver o problema. Foi um golpe esmagador para Fanny. Como ela me confessou tempos depois, foi sua pior dor, uma perda da qual se lamentaria pelo resto da vida. Em lugar de levar Fanny a falar sobre o assunto na minha frente naquela noite, Sachs fez ferver uma poção de mentiras espontâneas, um caldeirão de vapor e ar quente, com o objetivo de toldar a questão posta sobre a mesa. Dei atenção apenas a um fragmento do que ele de fato disse, mas isso porque julguei que dirigia seus comentários a mim. Conforme vim a entender mais tarde, ele na verdade se dirigia a Fanny o tempo todo. Dizia a ela que não precisava lhe dar um filho para ele continuar a amá-la.

Eu via Ben mais vezes do que via Fanny e, nas vezes em que a via, Ben estava sempre junto, mas aos poucos conseguimos criar uma amizade por nossa conta. De certo modo, minha antiga paixão fazia aquela proximidade parecer inevitável, mas também se erguia como uma barreira entre nós, e vários meses se passaram antes que eu conseguisse olhar para ela sem me sentir constrangido. Fanny era uma fantasia antiga, o fantasma de um desejo secreto enterrado no meu passado, e agora que ela havia se materializado inesperadamente em um novo papel, admito que perdi um pouco o equilíbrio. Fui levado a dizer algumas besteiras quando a encontrei pela primeira vez, e essas tolices vieram apenas consolidar meu sentimento de culpa e confusão. Durante uma das primeiras noites em que estive no apartamento deles, cheguei a dizer a Fanny que eu não ouvia nenhuma palavra das aulas a que assistíamos juntos.

— Toda semana, eu passava uma hora inteira só olhando para você — falei. — A prática é mais importante do que a teoria, afinal de contas, e me perguntava por que eu deveria perder meu tempo prestando atenção a aulas sobre estética quando a beleza em pessoa estava sentada bem ali na minha frente.

Era uma tentativa de me desculpar pelo meu comportamento no passado, suponho, mas acabou pegando muito mal. Essas coisas nunca devem ser ditas, em nenhuma circunstância, muito menos em um tom de voz irreverente. Elas põem um peso terrível nos ombros da pessoa a quem são dirigidas e não há como sair daí nada que seja bom. No instante em que pronunciei aquelas palavras, pude notar como Fanny ficou chocada com a minha estupidez.

— Sim — disse ela, forçando um pequeno sorriso. — Eu me lembro dessa aula. Era um assunto muito árido.

— Os homens são monstros — falei, incapaz de me conter. — Têm formigas dentro das calças e suas cabeças vivem cheias de imundície. Sobretudo quando são jovens.

— Não é imundície — retrucou Fanny. — São apenas os hormônios.

— Isso também. Mas às vezes é difícil reconhecer a diferença.

— Você tinha sempre a cara mais séria do mundo — disse ela. — Lembro que eu pensei que você devia ser uma pessoa de grande seriedade. Um desses jovens que ou iam se matar ou iam transformar o mundo.

— Até agora, não fiz nem uma coisa nem outra. Acho que isso significa que renunciei às minhas antigas ambições.

— E significa também uma coisa boa. Você não quer ficar aferrado ao passado. A vida é interessante demais para isso.

No seu modo cifrado, Fanny estava me libertando daquela situação embaraçosa — e ao mesmo tempo me fazia uma advertência. Contanto que me comportasse direito, ela não usaria os meus pecados do passado contra mim. Isso me dava a sensação de ser o réu em um julgamento, mas o fato era que Fanny tinha todas as razões do mundo para desconfiar do novo amigo do seu marido, e não a censuro por me manter à distância. À proporção que passamos a nos conhecer melhor, o mal-estar começou a se desfazer. Entre outras coisas, descobrimos que fazíamos aniversário no mesmo dia e, embora nem eu nem ela ligássemos para astrologia, a coincidência ajudou a formar um vínculo entre nós. O fato de Fanny ser um ano mais velha do que eu me permitia tratá-la com uma reverência irônica toda vez que a questão vinha à tona, uma piada recorrente que nunca deixava de provocar o seu riso. Como Fanny não era uma pessoa que risse facilmente, eu tomava isso como um sinal de progresso da minha parte. Mais importante ainda, havia o trabalho dela, e minhas discussões com Fanny sobre os primórdios da pintura americana deram origem a uma paixão duradoura por artistas como Ryder, Church, Blakelock e Cole — dos quais eu mal tinha ouvido falar antes de conhecer Fanny. Ela defendeu sua tese em Columbia no outono de 1975 (uma das primeiras monografias publicadas sobre Albert Pinkham Ryder) e em seguida foi contratada como curadora assistente de arte americana no Museu do Brooklyn, onde tem trabalhado desde então. Agora, enquanto escrevo estas palavras (11 de julho), ela ainda não tem a menor idéia do que aconteceu com Ben. Fanny partiu para a Europa no mês passado e não deve voltar senão do Dia do Trabalho. Creio que eu poderia entrar em contato com ela, mas não vejo para que isso serviria. Não há coisa nenhuma que ela possa fazer por Ben a essa altura e, a menos que o FBI descubra a solução antes do seu regresso, provavelmente o melhor é que eu guarde a verdade para mim mesmo. A princípio pensei ser minha obrigação telefonar para Fanny, mas, agora que tive tempo para considerar melhor a questão, achei mais conveniente não estragar as férias dela. Fanny já teve de sofrer bastante, no pé em que estão as coisas, e o telefone não é de modo nenhum a maneira mais apropriada para dar esse tipo de notícia. Vou me conter até ela voltar e aí então farei Fanny sentar na minha frente e lhe contarei em pessoa aquilo que sei.

Ao recordar agora os primeiros tempos da nossa amizade, me espanto sobretudo do quanto eu admirava os dois, individualmente e como casal. O livro de Sachs provocara em mim uma impressão profunda e, além de simplesmente gostar dele por quem era, me sentia lisonjeado pelo interesse que manifestava por meu trabalho. Sachs era apenas dois anos mais velho do que eu e, no entanto, em comparação com o que ele já havia realizado, me sentia um mero iniciante. Eu não tinha lido as resenhas sobre *O novo colosso*, mas, ao que tudo indicava, o livro havia gerado uma boa dose de entusiasmo. Alguns críticos o espinafraram — em larga medida por razões políticas, condenando Sachs pelo que viram como o seu espalhafatoso "antiamericanismo" —, mas houve outros que deliraram, chamaram-no de um dos jovens romancistas mais promissores que surgiram em vários anos. Não aconteceu grande coisa no *front* comercial (as vendas foram modestas, a edição de capa mole demorou dois anos para sair), mas o nome de Sachs foi incluído no mapa literário. Era de se pensar que ele fosse ficar contente com tudo isso, mas, como depressa percebi, Sachs podia se mostrar enervantemente desatento quando se tratava desse tipo de coisa. Era raro ele conversar sobre si mesmo como fazem os outros escritores, e minha sensação era de que ele tinha pouco ou nenhum interesse por aquilo que as pessoas denominam de "carreira literária". Não era competitivo, não ligava para a sua reputação, não era vaidoso do seu talento. Isso era uma das coisas que mais me atraíam nele: a pureza da sua ambição, a absoluta simplicidade da maneira como encarava o seu trabalho. Isso às vezes o tornava teimoso e rabugento, mas também lhe dava a coragem para fazer exatamente aquilo que queria fazer. Após o sucesso do primeiro romance, Sachs imediatamente começou a escrever um outro, mas, depois de ter avançado umas cem páginas, rasgou o manuscrito e o queimou. Inventar histórias era uma impostura, disse, e assim, de uma hora para outra, resolveu abandonar a ficção. Isso foi em algum momento no final de 1973 ou no início de 1974, cerca de um ano antes de eu o conhecer. Depois disso, passou a escrever ensaios, todo tipo de ensaio e artigo sobre uma gama inumerável de assuntos: política, literatura, esporte, história, cultura popular, comida, o que quer que lhe agradasse pensar em determinada semana ou em determinado dia. Sua obra estava em alta, portanto nunca teve dificuldade de encontrar revistas nas quais publicar seus textos, mas havia algo de indiscriminado no seu jeito de agir. Escrevia com igual ardor para revistas de circulação nacional e para obscuros periódicos literários, sem se dar conta de que algumas publicações pagavam grandes somas de dinheiro pelos seus textos ao passo que outras nem sequer pagavam. Sachs se recusava a trabalhar com um agente, pois tinha a impressão de que isso iria corromper o processo, e por esse motivo ele ganhava muito menos do que deveria. Ponderei com ele a respeito disso durante muitos anos, mas só no início da década de 80 ele deu o braço a torcer e contratou alguém para cuidar dos seus negócios.

Sempre fiquei espantado de ver como ele trabalhava ligeiro, como era ágil para rodar a manivela e fabricar artigos sob a pressão dos curtos prazos de entrega, de produzir tanto, sem aparentemente se esgotar. Para Sachs, não significava nada escrever dez ou doze páginas de uma sentada só, começar e concluir um texto inteiro sem se levantar nem uma vez da mesinha da máquina de escrever. Trabalhar era, para ele, semelhante a uma prova de atletismo, uma corrida de resistência entre seu corpo e sua mente, mas, uma vez que era capaz de manter o domínio sobre seus pensamentos com tamanha concentração, pensar com tamanha coesão de propósitos, as palavras pareciam estar sempre à mão para ele, como se Sachs tivesse descoberto uma passagem secreta que ia direto da cabeça para a ponta dos dedos. "Datilografia em troca de dólares", certa vez ele chamou assim, mas isso era só porque não resistia ao impulso de caçoar de si mesmo. Seu trabalho, eu pensava, nunca era menos do que bom, e na maioria das vezes era genial. Quanto mais o conhecia, mais sua produtividade me assombrava. Eu sempre trabalhava árdua e lentamente, o tipo de pessoa que sofre e luta para arrancar uma frase e, mesmo em meus melhores dias, só consigo avançar a passos de tartaruga, me arrasto de bruços sobre o chão feito um homem perdido no deserto. Para mim, a menor palavra está cercada por acres de silêncio e, mesmo depois de eu conseguir pôr essa palavra no papel, ela parece ficar ali como uma miragem, um respingo de dúvida a brilhar na areia. A língua nunca foi acessível para mim da maneira como era para Sachs. Estou isolado de meus próprios pensamentos, aprisionado em uma terra de ninguém entre o sentimento e a articulação e, por mais que tente me exprimir, raramente alcanço mais do que um gaguejar confuso. Sachs nunca teve nenhuma dessas dificuldades. Palavras e coisas se casavam para ele, ao passo que para mim elas vivem se separando, e voam em mil direções diferentes. Passo a maior parte do tempo catando pedaços soltos e colando de novo no lugar, mas Sachs nunca teve de avançar aos tropeções desse jeito, nunca teve de vasculhar entulho e latas de lixo, na dúvida quanto a ter encaixado as peças no lugar. Suas inseguranças eram de outra natureza e, contudo, por mais que a vida tenha se tornado dura para ele em outros aspectos, as palavras nunca foram um problema. O ato de escrever era singularmente livre de sofrimento para Sachs e, quando trabalhava bem, conseguia pôr as palavras no papel na mesma velocidade com que as podia pronunciar. Era um talento curioso, e como o próprio Sachs mal tinha consciência disso, parecia viver em um estado de inocência perfeita. Quase como uma criança, às vezes eu pensava, como uma criança prodígio que se distrai com seus brinquedos.

2.

A fase inicial da nossa amizade durou aproximadamente um ano e meio. Depois, com um intervalo de vários meses entre mim e ele, ambos deixamos a Alta Zona Oeste, e então teve início um outro capítulo. Fanny e Ben partiram primeiro, mudaram para um apartamento no setor do Brooklyn onde fica o Park Slope. Era um apartamento mais amplo, mais confortável do que a antiga toca de estudante de Fanny, perto de Columbia, e a deixava em condições de ir a pé para o seu trabalho no museu. Era o outono de 1976. No tempo que transcorreu entre acharem o apartamento e mudarem para lá, minha esposa Delia descobriu que estava grávida. Quase no mesmo instante, começamos a fazer planos de mudar também. Nosso apartamento em Riverside Drive era muito apertado para abrigar uma criança, e como a situação já estava difícil para o nosso lado, resolvemos que teríamos melhores condições se saíssemos da cidade de uma vez. Eu traduzia livros em tempo integral, nessa altura, e no que diz respeito a trabalho, não fazia nenhuma diferença onde morássemos.

Não posso dizer que eu tenha alguma vontade de falar do meu primeiro casamento agora. Uma vez que ele cruza a história de Sachs, no entanto, não vejo como eu possa omitir inteiramente o assunto. Uma coisa acaba levando à outra e, goste eu ou não, sou parte do que aconteceu, tanto quanto os outros. Se não fosse o rompimento do meu casamento com Delia Bond, nunca teria conhecido Maria Turner, e se não tivesse conhecido Maria Turner, nunca teria sabido da existência de Lillian Stern, e se não soubesse de Lillian Stern, não estaria aqui escrevendo este livro. Cada um de nós está ligado de alguma maneira à morte de Sachs, e não poderei contar a sua história sem contar, ao mesmo tempo, a história de cada um de nós. Tudo está ligado a tudo, todas as histórias se encadeiam a todas as demais histórias. Por mais horrível para mim que seja dizer isso, compreendo agora que fui eu quem reuniu todos nós. Tanto quanto o próprio Sachs, sou o lugar onde tudo começa.

A seqüência se concatena da seguinte maneira: persegui Delia sem parar durante sete anos (1967-1974), convenci-a a casar-se comigo (1975). Mudamos para o interior (março de 1977), nosso filho David nasceu (junho de 1977), nos separamos (novembro de 1978). Durante os dezoito meses que fiquei fora de Nova York, estive em contato estreito com Sachs, mas nos víamos menos vezes do que antes. Cartões-postais e cartas substituíram as conversas em bares, tarde da noite, e nossos contatos eram forçosamente mais circunscritos e formais. Fanny e Ben, de vez em quando, vinham de carro para passar o fim de semana conosco, no interior, e Delia e eu visitamos a casa deles em Vermont, certo verão, por um breve tempo, mas essas reuniões não continham o teor anárquico e aleatório de nossos encontros no passado. Não que a amizade estivesse em declínio. De tempos em tempos eu tinha de ir a Nova York a trabalho: entregar manuscritos, assinar contratos, pegar mais trabalho, discutir projetos novos com editores. Isso acontecia duas ou três vezes por mês, e sempre que eu estava lá, passava a noite no apartamento de Fanny e Ben, no Brooklyn. A estabilidade do casamento deles produzia um efeito tranqüilizante sobre mim, e se consegui manter a aparência de alguma sanidade durante esse período, creio que eles foram pelo menos em parte responsáveis por isso. No entanto, voltar para Delia na manhã seguinte podia ser difícil. O espetáculo da felicidade doméstica que eu acabara de testemunhar me fazia perceber com que gravidade eu havia estragado as coisas para mim mesmo. Comecei a ter medo de mergulhar de volta no meu próprio tumulto, o espesso matagal de desordem que havia crescido a toda minha volta.

Não estou interessado em especular a respeito do que nos levou à crise. O dinheiro andou sempre curto durante nossos últimos anos juntos, mas não quero apontar isso como uma causa direta. Um bom casamento pode enfrentar qualquer volume de pressão externa; um mau casamento se desfaz. No nosso caso, o pesadelo começou apenas algumas horas depois de deixarmos a cidade, e qualquer que fosse a coisa frágil que nos mantinha unidos, ela se desintegrou para sempre.

Em vista da falta de dinheiro, nosso plano original era bastante cauteloso: alugar uma casa em algum lugar e ver se a vida no interior nos agradava ou não. Se agradasse, ficaríamos; se não, voltaríamos para Nova York depois que expirasse o prazo do contrato. Mas aí o pai de Delia se meteu e se ofereceu para nos emprestar dez mil dólares como entrada para a compra de uma casa própria. Como as casas no interior estavam à venda por apenas trinta ou quarenta mil dólares, na época, aquela soma representava muito mais do que vale hoje. Foi um gesto generoso do sr. Bond, mas no final isso agiu contra nós, nos aprisionou em uma situação que nenhum de nós estava preparado para enfrentar. Depois de procurarmos durante alguns meses, achamos uma casa barata no condado de Dutchess, uma casa meio velha e decadente, com muito espaço por dentro e um magnífico conjunto de arbustos de lilases no jardim. No dia seguinte à nossa mudança, uma tempestade furiosa desabou sobre a cidade. Um raio atingiu um galho de uma árvore ao lado da casa, o galho pegou fogo, o fogo passou para um fio de eletricidade que atravessava a árvore e ficamos sem luz. No instante em que isso aconteceu, a bomba da caixa d'água se calou e em menos de uma hora o porão ficou inundado. Passei a maior parte da noite com a água nos joelhos, debaixo da chuva fria, trabalhando sob a luz de uma lanterna, enquanto retirava a água com a ajuda de baldes. Quando o eletricista chegou na tarde seguinte para reparar os danos, soubemos que toda a rede elétrica da casa tinha de ser substituída. Isso ia custar várias centenas de dólares; quando a fossa sanitária rompeu no mês seguinte, gastamos mais de mil dólares para eliminar o cheiro de cocô do nosso quintal. Não tínhamos como cobrir nenhum desses consertos, e o assalto contra o nosso orçamento nos deixou tontos de preocupação. Acelerei o ritmo do meu trabalho de tradutor, aceitava qualquer serviço que aparecesse e, em meados da primavera, eu havia abandonado inteiramente o romance que vinha escrevendo nos últimos três anos. Delia estava enorme de grávida, a essa altura, mas continuava a dar duro no seu trabalho (era preparadora de originais autônoma), e na semana que precedeu sua entrada em trabalho de parto, ela ficou na escrivaninha da manhã à noite corrigindo um manuscrito de mais de novecentas páginas.

Depois que David nasceu, a situação só fez piorar. O dinheiro se tornou minha única e avassaladora obsessão, e no ano seguinte vivi em um estado de pânico contínuo. Com Delia sem condições de colaborar com grande coisa em termos de trabalho, nossa renda caiu no exato momento em que as despesas começaram a subir. Assumi a sério as responsabilidades paternas, e a idéia de não conseguir prover minha esposa e meu filho do necessário me enchia de vergonha. Certa vez, quando um editor demorou a pagar por um trabalho que eu lhe havia entregado, viajei até Nova York e entrei enfurecido no escritório dele, ameacei-o de violência física, a menos que ele preenchesse um cheque para mim naquele instante. A certa altura, cheguei de fato a agarrá-lo pelo colarinho e o empurrei de encontro à parede. Esse era um comportamento totalmente implausível para mim, uma traição a tudo aquilo em que acreditava. Não briguei com ninguém desde que era menino, e se deixei minhas emoções fugirem ao meu controle no escritório daquele sujeito, isso vem apenas provar o quanto estava transtornado. Eu escrevia o maior número de artigos que conseguia, pegava toda tradução que me ofereciam, mas isso ainda não era o bastante. Admitindo que o meu romance estava morto, que meus sonhos de me tornar escritor estavam encerrados, saí a campo em busca de um emprego fixo. Mas a situação, na época, andava difícil, e as oportunidades no interior eram escassas. Mesmo a faculdade local, que publicara um anúncio à procura de alguém que desse aulas de redação para um bando de calouros, com o salário aviltante de oito mil dólares por ano, recebeu a inscrição de mais de trezentos candidatos. Sem nenhuma experiência anterior no magistério, fui eliminado sem nem sequer uma entrevista. Depois disso, tentei me integrar à equipe de diversas revistas para as quais eu tinha escrito, imaginando que, se necessário, eu poderia ir e vir todo dia da cidade para o campo, mas os editores se limitavam a rir de mim e tratavam minhas cartas como uma piada. Isso não é trabalho para um escritor, me respondiam, aqui você vai perder o seu tempo e mais nada. Mas eu não era mais escritor, era um homem que se afoga. Um homem com a corda no pescoço.

Delia e eu estávamos exauridos, e com o correr do tempo, nossas brigas se tornaram automáticas, um reflexo que nenhum de nós conseguia controlar. Ela se irritava e eu ficava de cara fechada; ela esbravejava e eu ficava emburrado; passávamos dias sem ter coragem de falar um com o outro. David era a única coisa que ainda parecia nos proporcionar algum prazer, e conversávamos sobre ele como se nenhum outro assunto existisse, temerosos de cruzar a fronteira dessa zona neutra. No instante em que isso acontecia, os franco-atiradores pulavam de volta para as trincheiras, havia troca de tiros e a guerra de desgaste recomeçava como antes. Aquilo parecia se arrastar de forma interminável, um conflito sutil sem nenhum objetivo que se pudesse definir, travado por meio de silêncios, desentendimentos e olhares magoados, hostis. Por tudo isso, não creio que nenhum de nós estivesse disposto a se render. Ambos havíamos cavado fortificações para uma guerra de longa duração, e a idéia de ceder terreno nunca nos ocorreu.

Tudo isso mudou de repente no outono de 1978. Certa noite, enquanto estávamos sentados na sala com David, Delia me pediu para pegar seus óculos na estante do seu escritório no andar de cima e, quando entrei ali, vi o seu diário aberto sobre a escrivaninha. Delia escrevia um diário desde os treze ou catorze anos de idade e nessa altura ele já abrangia vários volumes, um caderno após o outro, cheios da saga ininterrupta da sua vida interior. Muitas vezes ela leu trechos do seu diário para mim, mas, até aquela noite, jamais me atrevera a pôr os olhos nele sem a sua permissão. Ali parado, naquele momento, porém, me vi dominado por uma ânsia tremenda de ler aquelas páginas. Em retrospecto, compreendo que isso significava que a nossa vida em comum havia terminado, que minha disposição de quebrar essa confiança era uma prova de que eu abandonara toda esperança com relação ao nosso casamento, mas na ocasião eu ainda não tinha consciência disso. A única coisa que senti, na hora, foi curiosidade. As páginas estavam abertas sobre a escrivaninha, e Delia acabara de me pedir para ir ao escritório para ela. Deve ter compreendido que eu notaria o diário. Admitindo que isso fosse verdade, era quase como se Delia estivesse me convidando a ler o que ela havia escrito. De um jeito ou de outro, essa foi a desculpa que dei a mim mesmo naquela noite, e mesmo agora não sei com certeza se eu estava errado. Seria bem do estilo dela agir de forma indireta, provocar uma crise pela qual nunca teria de se apresentar como responsável. Esse era o seu talento especial: tomar nas mãos o rumo das coisas, mesmo quando estava convencida de ter as mãos limpas.

Portanto me debrucei sobre o diário aberto e, uma vez cruzado esse limiar, não consegui voltar atrás. Vi que eu era o tema da anotação daquele dia e o que encontrei ali era um catálogo exaustivo de queixas e rancores, um pequeno e impiedoso documento cunhado na linguagem de um relatório de laboratorista. Delia abarcara tudo, do meu modo de vestir ao que eu comia, até a minha incorrigível falta de compreensão humana. Eu era mórbido e egocêntrico, frívolo e autoritário, vingativo, preguiçoso e desatinado. Mesmo que tudo isso fosse verdade, o retrato que ela pintava de mim era tão carente de generosidade, tinha um tom tão malévolo, que não consegui nem sequer ficar irritado. Senti-me triste, esvaziado, pasmo. Quando cheguei ao último parágrafo, a conclusão de Delia já estava óbvia, uma coisa que nem precisava ser dita. "Nunca amei Peter", escreveu ela. "Foi um erro pensar que eu poderia amá-lo. Nossa vida juntos é uma fraude, e quanto mais insistirmos nisso, mais próximo estaremos de nos destruir mutuamente. Nunca deveríamos ter casado. Deixei que Peter me convencesse e, desde então, venho pagando por esse erro. Eu não o amava então e não o amo agora. Por mais tempo que eu fique com Peter, nunca vou amá-lo."

Foi tão repentino, tão categórico, que quase me senti aliviado. Compreender que se é desprezado dessa maneira elimina todo pretexto para a autopiedade. Eu não podia ter mais dúvida alguma quanto à nossa verdadeira situação e, por mais abalado que eu pudesse estar naqueles primeiros momentos, soube que havia chamado sobre mim mesmo aquela desgraça. Jogara fora onze anos da minha vida em busca de uma ficção. Toda minha juventude tinha sido sacrificada por uma ilusão e, no entanto, em lugar de cair em desespero e me lamentar por aquilo que eu perdera, me senti estranhamente revigorado, libertado pela crueza e brutalidade das palavras de Delia. Tudo isso me parece inexplicável agora. Mas o fato é que não hesitei. Desci com os óculos de Delia na mão, disse a ela que tinha lido seu diário e que na manhã seguinte eu iria embora. Delia ficou atônita com a firmeza da minha decisão, creio, mas, em vista de como sempre nos equivocávamos um com o outro, isso na certa já era de esperar. No que me diz respeito, nada mais havia para conversar. O passo corajoso fora dado e não havia a menor condição de voltar atrás.

Fanny me ajudou a encontrar uma sublocação na baixa Manhattan e, no Natal, eu já estava morando outra vez em Nova York. Um amigo dela que era pintor estava de partida para a Itália, onde ia passar um ano, e Fanny o convenceu a me alugar o quarto vago do seu apartamento por apenas cinqüenta dólares mensais — que era o máximo que eu podia pagar. O quarto ficava do outro lado do corredor do seu sótão (o qual estava ocupado por outros locatários), e, até eu me mudar para lá, servira como um imenso depósito. Todo tipo de tralha e entulho estava enfurnado lá dentro: bicicletas quebradas, pinturas abandonadas, uma velha máquina de lavar roupa, latas vazias de terebintina, jornais, revistas e incontáveis pedaços de fios de cobre. Empurrei tudo isso para um canto do quarto, o que me deixou metade do espaço necessário para morar, mas, depois de um breve período de adaptação, constatei que era amplo o bastante. Meus únicos bens domésticos naquele ano foram um colchão, uma mesinha, duas cadeiras, um fogão portátil, utensílios elementares de cozinha e uma caixa de papelão com livros. Era apenas o básico para a sobrevivência, o estritamente necessário, mas a verdade é que fui feliz naquele quarto. Como disse Sachs na primeira vez em que foi me visitar, ali era um refúgio para a introspecção, um quarto onde a única atividade possível era o pensamento. Tinha uma pia e uma privada, mas não tinha banheira, e o piso de madeira estava em condições tão ruins que entravam farpas no meu pé sempre que eu andava descalço. Mas naquele quarto comecei de novo a trabalhar no meu romance e aos poucos minha sorte foi mudando. Um mês depois de me mudar para lá, ganhei uma bolsa de dez mil dólares. Eu enviara a proposta tanto tempo antes que tinha esquecido completamente que era candidato. Então, apenas algumas semanas depois disso, ganhei uma outra bolsa de sete mil dólares, que eu havia solicitado no mesmo ímpeto de desespero da primeira. De uma hora para outra, milagres viraram um fato normal na minha vida. Mandei mais da metade do dinheiro para Delia e ainda sobrou o suficiente para me sustentar em condições de relativo fausto. Toda semana me deslocava para o interior para passar um ou dois dias com David, dormia na casa de um vizinho, adiante na estrada. Essa situação perdurou por mais ou menos nove meses, e quando Delia e eu enfim vendemos nossa casa no mês de setembro, ela se mudou para um apartamento em South Brooklyn e eu pude ficar com David por intervalos de tempo maiores. Ambos tínhamos advogados nessa ocasião, e nosso divórcio já estava em fase adiantada.

Fanny e Ben se interessaram ativamente pela minha nova carreira de homem solteiro. A ponto de eu falar apenas com os dois sobre o que andava pensando; eles eram os meus confidentes, as únicas pessoas que eu mantinha a par de meus movimentos. Ambos ficaram preocupados com minha separação de Delia, mas Fanny menos do que Ben, creio, embora fosse ela quem mais se preocupasse com David, concentrando-se nesse aspecto da questão tão logo se deu conta que não existia a menor chance de eu e Delia voltarmos a viver juntos. Sachs, por sua vez, fez todo o possível para eu tentar voltar para Delia. Isso se estendeu por várias semanas, mas, depois que me mudei de volta para a cidade e comecei minha vida nova, ele parou de insistir. Delia e eu nunca deixamos nossas divergências se manifestarem em público, e nossa separação foi um choque para a maioria das pessoas que nos conheciam, sobretudo para os amigos mais chegados, como Sachs. Fanny, porém, parece ter tido certa desconfiança o tempo todo. Quando dei a notícia no apartamento deles na primeira noite que passei longe de Delia, Fanny ficou em silêncio por um tempo depois de ouvir minha história e então disse:

— É uma coisa difícil de aceitar, Peter, mas de certo modo isso provavelmente vai ser bom para vocês. Com o tempo, acho que vocês vão ser muito mais felizes assim.

Eles promoveram uma porção de jantares naquele ano e fui convidado a quase todos. Fanny e Ben conheciam uma quantidade assombrosa de gente, e tinha-se a impressão de que, mais cedo ou mais tarde, metade de Nova York ia acabar tomando seu assento em torno da grande mesa oval na sala de jantar da casa deles. Artistas, escritores, professores, críticos, editores, galeristas — todos trilhavam rumo ao Brooklyn e se empanturravam com a comida de Fanny, bebiam e conversavam noite adentro. Sachs era sempre o mestre-de-cerimônias, um doido expansivo que mantinha as conversas ressoando mediante piadas que vinham na hora certa e comentários provocadores, e eu, cada vez mais, tinha nesses jantares minha principal fonte de entretenimento. Meus amigos cuidavam de mim, faziam tudo a seu alcance para mostrar ao mundo que eu tinha voltado a campo. Nunca falavam diretamente sobre namoradas, mas, naquelas noites, mulheres solteiras compareciam à casa deles em número suficiente para eu entender que Fanny e Ben zelavam a fundo pela minha felicidade.

No início de 1979, três ou quatro meses depois que voltei para Nova York, conheci uma pessoa que veio a ter um papel fundamental na morte de Sachs. Maria Turner tinha vinte e sete ou vinte e oito anos na época, uma mulher alta, senhora de si, de cabelo louro cortado bem rente, rosto magro e anguloso. Estava longe de ser linda, mas havia em seus olhos cinzentos uma intensidade que me atraía, e eu gostava do seu jeito de se vestir, com uma espécie de encanto sensual e empertigado, um recato que se desmascarava em pequenos lampejos de descuido erótico — deixar a saia correr um pouco para cima sobre as coxas quando cruzava e descruzava as pernas, por exemplo, ou o jeito que tocava minha mão toda vez que eu acendia um cigarro para ela. Não que fosse uma sedutora ou tentasse abertamente me provocar. Maria Turner me parecia uma boa moça burguesa que conseguira dominar as regras do comportamento social, mas ao mesmo tempo era como se já não acreditasse mais nelas, como se andasse de posse de um segredo que ela podia estar ou não disposta a partilhar, conforme se sentisse no momento.

Maria Turner morava em um sótão na rua Duane, não muito distante de minha casa, na rua Varick, e, depois que a festa terminou naquela noite, dividimos um táxi do Brooklyn até

Manhattan. Foi o início do que se revelou uma aliança sexual que durou quase dois anos. Emprego essa frase como uma descrição precisa, clínica, mas isso não significa que nossa relação fosse meramente física, que não tivéssemos nenhum interesse um no outro, além dos prazeres que encontrávamos na cama. Entretanto o que se passava entre nós era destituído de ornamentos românticos ou ilusões sentimentais, e a natureza da nossa convivência não se alterou de forma significativa depois daquela primeira noite. Maria não vivia sedenta do tipo de vínculo que a maioria das pessoas parece desejar, e amor, no sentido tradicional, era uma coisa estranha a ela, uma paixão fora da esfera daquilo de que era capaz. Em vista do meu próprio estado interior na época, me senti perfeitamente à vontade para aceitar as condições que ela me impunha. Não fazíamos nenhuma exigência um para o outro, só nos víamos de forma intermitente, levávamos vidas rigorosamente independentes. E contudo existia uma afeição sólida entre nós, uma intimidade que eu jamais conseguira alcançar com pessoa alguma. Mas demorei certo tempo para entender isso. No começo, achei-a um pouco arisca e até intratável (o que deu um toque instigante aos nossos primeiros contatos), mas, à medida que o tempo corria, compreendi que era simplesmente excêntrica, uma pessoa heterodoxa, que levava sua vida segundo um conjunto refinado de rituais bizarros e peculiares. Cada experiência, para ela, era sistematizada, uma aventura auto-suficiente que engendrava seus próprios riscos e limitações, e cada um de seus projetos se enquadrava em uma categoria distinta, separada de todas as demais. No meu caso, eu pertencia à categoria do sexo. Ela me designou como seu parceiro de cama naquela primeira noite e foi essa a função que continuei a exercer até o fim. No universo das compulsões de Maria, eu não passava de um ritual entre muitos outros, mas tomei gosto pelo papel que ela escolheu para mim e nunca encontrei motivo de queixa.

Maria era uma artista, mas seu trabalho nada tinha a ver com a criação de objetos comumente definidos como arte. Alguns a chamavam de fotógrafa, outros se referiam a ela como uma conceitualista, outros ainda a consideravam uma escritora, mas nenhuma dessas definições era exata e, no fim, não creio que possa ser catalogada de alguma maneira. Seu trabalho era extravagante demais para isso, idiossincrático demais, pessoal demais para ser visto como pertencente a qualquer veículo ou disciplina particular. As idéias se apossavam dela, Maria se dedicava aos projetos, havia resultados concretos que se podia expor em galerias, mas essa atividade provinha menos de um desejo de fazer arte do que de uma necessidade de se entregar a suas obsessões, viver sua vida exatamente como ela queria. Viver sempre vinha em primeiro lugar, e vários dos projetos a que Maria dedicava mais tempo eram criados apenas e especificamente para ela e nunca eram apresentados para mais ninguém.

Desde os catorze anos, ela guardava todos os presentes de aniversário que lhe tinham dado — ainda embrulhados, devidamente arrumados em prateleiras conforme o ano. Já adulta, promovia um jantar anual de aniversário em sua própria homenagem e sempre convidava um número de pessoas igual à sua idade. Durante algumas semanas, se entregava ao que denominava "dieta cromática", restringindo-se a alimentos de uma só cor em dias determinados. Segunda, cor laranja: cenoura, melão, camarão cozido. Terça, vermelho: tomate, caqui, quibe cru. Quarta, branco: linguado, batata, queijo *cottage*. Quinta, verde: pepino, brócolis, espinafre — e assim por diante, até a última refeição de domingo. Em outras ocasiões, ela criava divisões semelhantes com base nas letras do alfabeto. Dias inteiros transcorriam em torno da pronúncia do B, ou do C, ou do W, e aí, tão repentinamente quanto havia começado, ela abandonava o jogo e dava início a alguma outra coisa. Tudo isso não passava de caprichos, creio, minúsculas experiências com as noções de classificação e hábito, mas jogos como esses poderiam perfeitamente prolongar-se durante muitos anos. Havia o projeto de longo prazo de vestir o sr. L., por exemplo, um estranho que Maria conhecera em uma festa. Maria o achava um dos homens mais bonitos que já vira, mas suas roupas eram uma catástrofe, pensava ela, e assim, sem declarar suas intenções para ninguém, tomou a si a responsabilidade de aprimorar o guarda-roupa dele. Todo ano, no Natal, Maria lhe mandava um presente anônimo — uma gravata, um suéter, uma camisa chique — e, como o sr. L. freqüentava mais ou menos os mesmos círculos sociais que Maria, ela o encontrava a toda hora e notava, com prazer, as mudanças drásticas na sua indumentária. Pois o fato era que o sr. L. sempre vestia as roupas que Maria lhe enviava. Ela ia a ponto de se aproximar dele, nessas reuniões, e cumprimentá-lo pela roupa que usava, mas isso era o máximo a que Maria chegava, e o sr. L. nunca desconfiou que ela fosse a responsável por aqueles presentes de Natal.

Maria foi criada em Holyoke, Massachusetts, filha única de pais que se divorciaram quando tinha seis anos. Depois que se formou na escola secundária, em 1970, partiu para Nova York com a idéia de freqüentar a escola de arte e se tornar pintora, mas se desinteressou após o primeiro período e abandonou o curso. Comprou uma perua Dodge de segunda mão e partiu numa viagem pelo continente americano; permanecia exatamente duas semanas em cada estado, sempre que possível arranjava um emprego temporário pelo caminho — garçonete, empregada de fazenda, operária de fábrica; ganhava nada mais do que o necessário para continuar sua viagem de um lugar para o outro. Esse foi o primeiro de seus projetos compulsivos e insanos e, de certo modo, permanece como a coisa mais extraordinária que Maria já realizou: um ato completamente sem sentido e arbitrário, ao qual devotou quase dois anos da sua vida. Sua única ambição era passar catorze dias em cada estado e, afora isso, estava livre para fazer o que bem entendesse. Com tenacidade e abnegação, sem nunca questionar o caráter absurdo da sua tarefa, Maria insistiu na idéia até o fim. Tinha apenas dezenove anos quando começou, uma garota completamente só e, no entanto, conseguiu se sustentar e evitar as catástrofes mais sérias, enquanto vivia o tipo de aventura com que rapazes da sua idade se limitam a sonhar. A certa altura em suas viagens, um colega de trabalho lhe deu uma câmera velha de trinta e cinco milímetros e, sem nenhuma instrução ou prática anterior, Maria começou a tirar fotos. Quando viu seu pai em Chicago alguns meses depois disso, ela lhe disse que havia afinal encontrado uma coisa de que gostava. Maria lhe mostrou algumas de suas fotos e, ante a força dessas primeiras tentativas, ele lhe propôs um acordo. Se Maria continuasse a tirar fotos, disse o pai, ele cobriria as despesas até ela estar em condições de se sustentar sozinha. Não importava o quanto demorasse, mas ela não poderia abandonar a fotografia. Pelo menos foi essa a história que Maria me contou e nunca tive razão para não acreditar. Ao longo de todos os anos do nosso caso, no dia primeiro de cada mês aparecia um depósito de mil dólares na conta de Maria, remetido diretamente de um banco de Chicago.

Ela voltou para Nova York, vendeu sua perua e se mudou para o sótão da rua Duane, um aposento amplo e vazio situado no andar de cima de um atacadista de laticínios e ovos. Os primeiros meses foram solitários e desorientadores para ela. Não tinha amigos, nenhuma vida digna de se comentar, e a cidade parecia ameaçadora e estranha, como se Maria nunca tivesse estado ali antes. Sem nenhum motivo consciente, começou a seguir desconhecidos pela rua; escolhia alguém ao acaso, quando saía de casa, de manhã, e permitia que essa escolha determinasse aonde ela iria pelo resto do dia. Tornou-se um método de ter acesso a novas idéias, de preencher o vazio que parecia haver tragado Maria. Por fim, começou a sair com sua câmera e tirava fotos das pessoas a quem seguia. Quando voltava para casa, de noite, sentava-se e escrevia sobre os lugares aonde tinha ido e sobre o que havia feito e, a partir dos itinerários daqueles desconhecidos, conjeturava acerca de suas vidas e, em certos casos, compunha breves biografias imaginárias. Foi mais ou menos assim que Maria começou, meio que por acaso, a sua carreira de artista. Outras obras se seguiram, todas guiadas pelo mesmo espírito de investigação, a mesma paixão de correr riscos. Seu tema era o olho, o drama de olhar e ser olhada, e suas obras ostentavam os mesmos traços que se podia encontrar na própria Maria: atenção minuciosa ao detalhe, confiança em estruturas arbitrárias, paciência que beirava o intolerável. Em uma de suas obras, ela contratou um detetive particular para segui-la pela cidade. Por vários dias, esse homem tirou fotos de Maria enquanto ela fazia suas rondas, registrou seus movimentos em um caderninho sem omitir nada do relato, nem mesmo os fatos mais banais e passageiros: atravessar a rua, comprar o jornal, parar para tomar um café. Era um exercício completamente artificial e, contudo, Maria achava estimulante que alguém demonstrasse um interesse tão minucioso por ela. Ações microscópicas se tornaram carregadas de um significado novo, as rotinas mais áridas se impregnavam de uma emoção extraordinária. Após várias horas, Maria ficou tão ligada ao detetive que quase se esqueceu de que estava pagando para ele. Quando o detetive lhe entregou seu relatório no final da semana e Maria examinou as fotos dela mesma e leu a cronologia exaustiva de seus movimentos, sentiu-se como se tivesse se tornado uma estranha, como se tivesse virado um ser imaginário.

Para seu projeto seguinte, Maria arranjou um emprego temporário de camareira em um grande hotel na parte central da cidade. A idéia era reunir informações sobre os hóspedes, mas sem nada de invasivo ou comprometedor. Na verdade, ela intencionalmente os evitava, restringia-se ao que se podia deduzir com base nos objetos espalhados em seus quartos. Mais uma vez, tirou fotos; mais uma vez, inventou histórias de vida para eles, à luz dos indícios disponíveis. Tratava-se de uma arqueologia do presente, por assim dizer, uma tentativa de reconstituir a essência de alguma coisa a partir dos fragmentos mais elementares: o canhoto de uma passagem, uma meia rasgada, uma mancha de sangue no colarinho de uma camisa. Algum tempo depois, um homem tentou passar uma cantada em Maria, na rua. Ela o achou clamorosamente feio e o repeliu. Na mesma noite, por pura coincidência, topou com ele em um *vernissage* numa galeria do SoHo. Assim, os dois conversaram de novo, e dessa vez Maria soube que ele ia partir na manhã seguinte para Nova Orleans com a sua namorada. Maria resolveu que também iria para lá e o seguiria com sua câmera durante todo o tempo da sua visita. Ela não tinha absolutamente nenhum interesse no sujeito e a última coisa que desejava era uma aventura amorosa. Sua intenção era ficar escondida, resistir a todo contato com ele, investigar o comportamento exterior do homem e não fazer nenhum esforço para interpretar o que via. Na manhã seguinte, pegou um avião do aeroporto de La Guardia até Nova Orleans, hospedou-se em um hotel e comprou uma peruca preta. Durante três dias, indagou em uma porção de hotéis, no intuito de descobrir o paradeiro do homem. Por fim o encontrou e, durante o resto da semana, caminhou atrás dele como uma sombra, tirou centenas de fotos, documentou todos os lugares por que ele passou. Maria mantinha também um diário escrito, e quando chegou a hora de o homem regressar para

Nova York, ela voltou em um avião que partia um pouco mais cedo — para estar à espera dele no aeroporto, para uma última seqüência de fotos enquanto ele desembarcava do avião. Foi uma experiência complexa e perturbadora para ela, deixando-a com a sensação de ter abandonado sua vida em troca de uma espécie de nulidade, como se tivesse tirado fotos de coisas que não existiam. A câmera não era mais um instrumento que registrava presenças, era um modo de fazer o mundo desaparecer, uma técnica para ir ao encontro do invisível. Aflita para desarmar o mecanismo que havia posto em movimento, Maria deu início a um novo projeto, poucos dias depois de voltar a Nova York. Caminhando pelo Times Square com sua câmera, certa tarde entabulou uma conversa com o porteiro de um bar onde garotas dançavam de *topless*. Fazia calor e Maria estava de camiseta e *short*, uma indumentária incomumente escassa para ela. Mas acontece que ela, nesse dia, tinha saído a fim de ser notada. Queria afirmar a realidade do seu corpo, fazer as cabeças se voltarem para ela, provar a si mesma que ainda existia aos olhos dos outros. Maria era bem-feita de corpo, pernas compridas, seios atraentes, e os assobios e os comentários safados que recebeu nesse dia ajudaram-na a recuperar o ânimo. O porteiro lhe disse que ela era bonita, tão bonita quanto as garotas lá dentro, e, no decorrer da conversa, Maria de repente recebeu uma proposta de trabalho. Uma das dançarinas ligara avisando que estava doente, disse o porteiro, e se Maria quisesse ocupar o seu lugar, ele a apresentaria ao patrão e lhe pediria que arranjasse uma vaga. Sem nem sequer parar para refletir, Maria aceitou logo. Foi assim que nasceu sua nova obra, uma criação que veio a ser conhecida como "A dama nua". Maria pediu a uma amiga que fosse lá naquela noite e tirasse fotos enquanto ela representava o seu papel — não com o intuito de mostrar a alguém, só para ela mesma, para satisfazer sua própria curiosidade acerca da sua aparência. Maria, conscientemente, se convertia em um objeto, uma imagem anônima do desejo, e era fundamental para ela entender exatamente que objeto era esse. Só fez isso uma vez, trabalhou em turnos de vinte minutos, das oito horas da noite até de manhã, mas não fraquejou nem por um instante, e o tempo todo em que esteve em cena, empoleirada atrás da barreira que a separava do público, com luzes estroboscópicas coloridas saltando sobre sua pele nua, Maria dançou com todo o empenho. Vestida com uma tanguinha de amarrar meio transparente e sapatos de salto de cinco centímetros de altura, sacudia o corpo ao som ensurdecedor do rock e via os homens olharem fixamente para ela. Maria requebrava a bunda na direção deles, corria a língua pelos lábios, piscava com ar provocante enquanto eles deslizavam dólares para ela e a incentivavam a prosseguir. Como tudo o mais que Maria tentava fazer, ela se saiu muito bem. Depois que pegava embalo, não havia nada que a pudesse deter.

Até onde sei, Maria só foi longe demais uma vez. Aconteceu na primavera de 1976, e os derradeiros efeitos do seu erro de cálculo se revelaram catastróficos. Pelo menos duas vidas se perderam e, muito embora haja demorado vários anos para isso se consumar, a ligação entre o passado e o presente é inelutável. Maria foi o vínculo entre Sachs e Lillian Stern, e se não fosse o costume de Maria cortejar a encrenca sob todas as formas que podia encontrar, Lillian Stern jamais haveria entrado nessa história. Depois que Maria apareceu no apartamento de Sachs em 1979, tornou-se possível o encontro entre Sachs e Lillian Stern. Ainda foram necessários muitos desvios insólitos até que essa possibilidade viesse a se concretizar, mas todos esses caminhos tortuosos podem ser rastreados e levam direto até Maria. Muito antes de qualquer um de nós a conhecer, ela saiu certa manhã para comprar filme para sua máquina fotográfica, viu um caderninho preto de telefone caído no chão e pegou-o. Foi esse fato que desencadeou toda a história funesta. Maria abriu o caderninho e de dentro dele escapou o demônio, escapou um flagelo de violência, destruição e morte.

Era um desses caderninhos de telefone comuns, fabricado pela Schaeffer Eaton Company, de uns quinze centímetros de altura e dez de largura, com uma capa flexível que imitava couro, folhas presas por uma espiral e aberturas em meia-lua, dispostas na margem, para todas as letras do alfabeto. Tratava-se de um objeto muito manuseado, repleto por mais de duas centenas de nomes, endereços e números de telefone. O fato de muitas anotações terem sido riscadas e reescritas, de uma diversidade de canetas e lápis haver sido usada em quase todas as páginas (esferográficas azuis, hidrográficas pretas, lápis verdes) sugeria que seu dono o havia possuído durante um longo tempo. O primeiro pensamento de Maria foi devolvê-lo, mas, como é o caso muitas vezes em se tratando de objetos pessoais, o dono não se deu ao trabalho de escrever o nome dele no caderninho. Maria procurou em todos os lugares prováveis — na face interna da capa, na primeira página, nas costas —, mas não havia nenhum nome. Sem saber o que fazer com o caderninho depois disso, jogou-o dentro da bolsa e o levou para casa.

A maioria das pessoas teria esquecido o assunto, creio, mas Maria não era de se esquivar das oportunidades inesperadas, não era de ignorar os apelos do acaso. Quando foi se deitar naquela noite, ela já havia elaborado um plano para o seu novo projeto. Seria um trabalho sofisticado, muito mais difícil e complexo do que tudo o que tentara antes, mas o mero alcance da idéia já a impelia a um estado de intensa agitação. Estava quase segura de que o dono do caderninho de endereços era um homem. A letra tinha um aspecto masculino; havia mais nomes de homens do que de mulheres; o caderninho estava em farrapos, como se tivesse sido tratado com rudeza. Em um desses lampejos repentinos e ridículos a que todo mundo está sujeito, Maria imaginou que estava destinada a se apaixonar pelo dono do caderninho. Durou só um ou dois segundos, mas, nesse intervalo, ela o viu como o homem dos seus sonhos: lindo, inteligente, afetuoso; um homem melhor do que todos os que havia amado antes. A visão se dissipou, mas aí já era tarde demais. O caderninho se transformou em um objeto mágico para ela, um armazém de paixões obscuras e desejos mudos. O acaso a havia conduzido ao caderninho, mas, agora que ele estava em suas mãos, Maria o tratava como um instrumento do destino.

Examinou o caderninho atentamente naquela primeira noite e não achou nenhum nome que lhe fosse familiar. Era um ponto de partida perfeito, pensou ela. Começaria no escuro, sem saber absolutamente nada e, uma a uma, ela falaria com todas as pessoas anotadas no caderninho de endereços. Ao descobrir quem eram, Maria começaria a formar alguma idéia a respeito do homem que perdera o caderninho. Seria um retrato falado, um contorno traçado em volta de um espaço vazio e, aos poucos, a figura viria à tona, montada a partir de tudo o que ela não era. Maria tinha esperança de, mais cedo ou mais tarde, vir a encontrar o homem desse modo, mas, mesmo que não conseguisse, o esforço representaria a sua própria recompensa. Queria estimular as pessoas a se abrirem quando estivessem com ela, queria que lhe contassem histórias sobre sedução, luxúria e amor, que confiassem a ela seus segredos mais profundos. Pretendia sinceramente se dedicar a essas entrevistas durante vários meses, ou até anos. Haveria milhares de fotografias para tirar, centenas de declarações para transcrever, um universo inteiro a ser explorado. Ou pelo menos era o que ela pensava. Mas aconteceu que o projeto inteiro descarrilou depois de um só dia.

Com apenas uma exceção, todas as pessoas do caderninho

estavam registradas pelo sobrenome. Entre os nomes da letra L, porém, havia uma entrada para alguém chamado Lilli. Maria supôs ser o prenome de uma mulher. Se fosse verdade, esse único desvio do estilo geral de catalogação podia ser significativo, o sinal de uma intimidade especial. E se Lilli fosse a namorada do homem que perdera o caderninho de endereços? Ou sua irmã, ou até sua mãe? Em lugar de investigar os nomes em ordem alfabética, como havia planejado a princípio, Maria resolveu pular para a letra L e ligar primeiro para a misteriosa Lilli. Se o seu palpite estivesse certo, Maria talvez se visse de repente em condições de saber quem era o tal homem.

Ela não podia abordar Lilli diretamente. Muita coisa dependia desse encontro, e Maria tinha medo de aniquilar suas chances se entrasse de cabeça sem estar preparada. Era preciso ter uma idéia de quem era aquela mulher, antes de tentar conversar com ela, ver qual a sua aparência, segui-la um pouco pela rua e descobrir quais os seus hábitos. Na primeira manhã, deslocou-se para a parte alta da cidade, até a região entre as ruas Oitenta e Noventa, para sondar o ambiente do apartamento de Lilli. Entrou na portaria do pequeno prédio para verificar as campainhas e as caixas de correio e, nesse instante, quando Maria começava a examinar a lista de nomes na parede, uma mulher saiu do elevador e abriu a porta interna. Maria virou-se para olhar para ela, mas, antes de ver seu rosto, ouviu a voz da mulher dizer seu nome.

— Maria? — disse ela. A palavra foi pronunciada em forma de pergunta e, um segundo depois, Maria entendeu que estava diante de Lillian Stern, sua velha amiga de Massachusetts. — Nem posso acreditar — exclamou Lillian. — É você mesma, é?

Elas não se viam fazia mais de cinco anos. Depois que Maria pôs o pé na estrada em sua viagem ao redor da América, as duas perderam contato, mas até então tinham sido muito ligadas uma à outra, e sua amizade remontava até a infância. Na escola secundária eram quase inseparáveis, duas garotas fora do comum que lutavam juntas para vencer a adolescência e planejavam fugir da vidinha de cidade do interior. Maria era a mais séria, a intelectual caladona, aquela que tinha dificuldade de fazer amigos, ao passo que Lillian era uma garota muito falada na cidade, a rebelde que dormia fora de casa, tomava drogas e matava aulas. Por tudo isso, as duas eram aliadas inabaláveis e, apesar das diferenças, havia muito mais que as atraía uma para a outra do que as repelia. Maria certa vez me confessou que Lillian tinha sido um grande exemplo para ela e foi apenas por tê-la conhecido que Maria aprendeu a ser ela mesma. Mas a influência parecia se exercer nas duas direções. Foi Maria quem convenceu Lillian a se mudar para Nova York depois de concluírem a escola secundária e, durante os vários meses que se seguiram, as duas dividiram um apartamento espremido e infestado por baratas, na Baixa Zona Leste. Enquanto Maria ia assistir às aulas de arte, Lillian estudava teatro e trabalhava como garçonete. Passou também a conviver com um baterista de rock chamado Tom, e quando Maria partiu de Nova York na sua perua, Tom já se tornara um acessório permanente no apartamento. Maria mandou vários cartões-postais para Lillian durante os dois anos em que esteve na estrada, mas, sem um endereço fixo, não havia como Lillian responder. Quando Maria voltou para a cidade, fez tudo o que pôde para encontrar sua amiga, mas outra pessoa ocupava o velho apartamento, e no catálogo de telefones não havia registro do nome dela. Tentou telefonar para os pais de Lillian em Holyoke, mas parece que tinham mudado para outra cidade, e de repente Maria se viu sem nenhuma alternativa. Quando topou com Lillian na portaria do prédio naquele dia, já abandonara toda esperança de vê-la de novo.

Foi um encontro extraordinário para as duas. Maria me

contou que ambas deram um grito, caíram nos braços uma da outra, depois se deixaram dominar pela emoção e choraram. Quando ficaram de novo em condições de falar, subiram no elevador e passaram o resto do dia no apartamento de Lillian. Havia tanta conversa para pôr em dia, contou Maria, que as histórias jorravam delas sem parar. Almoçaram juntas, depois jantaram, e quando Maria foi para casa e se arrastou para a cama, já eram quase três horas da madrugada.

Coisas curiosas tinham acontecido com Lillian naqueles anos, coisas que Maria nunca poderia imaginar. Minhas informações a respeito são apenas de segunda mão, mas, depois de conversar com Sachs no verão passado, creio que a história que Maria me contou era, em essência, exata. Ela podia estar enganada acerca de alguns detalhes secundários (como Sachs também poderia estar errado), mas no fim das contas isso não tem importância. Mesmo que Lillian não fosse uma pessoa em quem se pudesse acreditar o tempo todo, mesmo que sua tendência ao exagero fosse tão acentuada como me haviam dito, os fatos fundamentais não estão em questão. Na época do seu encontro acidental com Maria em 1976, Lillian passara os três anos anteriores ganhando a vida como prostituta. Recebia os clientes em seu apartamento na rua Oitenta e Sete, leste, e trabalhava por conta própria — um michê de meio expediente, um negócio próspero e independente. Tudo isso é certo. O que permanece duvidoso é como exatamente começou. O seu namorado Tom parece ter tido algum papel na história, mas a extensão total da sua responsabilidade não está clara. Em ambas as versões da história, Lillian o descreveu como um viciado em drogas em estado grave, com uma dependência de heroína que no fim o levou a ser expulso da sua banda. Segundo a história que Maria ouviu, Lillian continuou loucamente apaixonada por Tom. Foi ela mesma quem concebeu aquela idéia, ela mesma se apresentou como voluntária para dormir com outros homens para fornecer dinheiro a Tom. Era rápido e indolor, Lillian descobriu, e contanto que ela mantivesse o traficante satisfeito, sabia que Tom nunca iria deixá-la. Nessa altura da vida, disse ela, Lillian estava disposta a fazer qualquer coisa para manter Tom a seu lado, mesmo que isso significasse a própria ruína. Onze anos depois, ela contou a Sachs uma coisa completamente diferente. Foi Tom quem a convenceu a começar aquilo, disse ela, e como tinha medo dele, como Tom ameaçasse matá-la se ela não lhe obedecesse, Lillian não teve outra escolha senão ceder. Nessa segunda versão, era Tom quem arranjava os clientes para ela, trabalhando literalmente como o cafetão da própria namorada, como um meio de bancar o seu vício. No fim, não creio que importe qual das duas versões é a verdadeira. Eram igualmente sórdidas e ambas levavam ao mesmo resultado. Após seis ou sete meses, Tom sumiu. Na história de Maria, ele fugiu com alguém; na história de Sachs, morreu de uma overdose. De um jeito ou de outro, Lillian ficou sozinha outra vez. De um jeito ou de outro, ela continuou a dormir com homens para pagar suas contas. O que espantou Maria foi a naturalidade com que Lillian falou a respeito disso — sem nenhuma vergonha ou constrangimento. Era só um trabalho como qualquer outro, disse ela, e se você pensasse bem, era um jeito infinitamente melhor de ganhar a vida do que servir bebidas ou ser garçonete. Os homens iam mesmo ficar babando em todo canto aonde ela fosse e não havia nada que ela pudesse fazer para detê-los. Fazia muito mais sentido ser paga para isso do que brigar para eles irem embora — além do mais, uma trepadinha extra não ia fazer mal a ninguém. A rigor, Lillian se sentia orgulhosa de como tinha conseguido se dar bem na vida. Só encontrava seus clientes três vezes por semana, tinha dinheiro no banco, morava em um apartamento confortável em um bairro bom. Dois anos antes, entrara de novo na escola de teatro. Agora tinha a sensação de estar progredindo como atriz, e nas últimas semanas começara a fazer testes para alguns papéis, em geral em teatros pequenos do centro da cidade. Não ia demorar muito para que alguma coisa boa pintasse em seu caminho, disse ela. Assim que conseguisse juntar mais uns dez ou quinze mil dólares, planejava fechar as portas do seu negócio e se dedicar em tempo integral à carreira de atriz. Tinha apenas vinte e quatro anos, afinal, e estava com a vida inteira pela frente.

Nesse dia, Maria havia levado sua câmera e tirou várias fotos de Lillian durante o tempo em que ficaram juntas. Quando me contou a história, três anos depois, ela espalhou essas fotografias na minha frente enquanto conversávamos. Devia haver umas trinta ou quarenta fotos, em preto e branco, tamanho grande, que mostravam Lillian em uma variedade de ângulos e distâncias — algumas eram posadas, outras não. Esses retratos foram o meu único encontro com Lillian Stern. Mais de dez anos se passaram desde esse dia, mas nunca esqueci a experiência de olhar aquelas fotos, tão forte e tão duradoura foi a impressão que produziram em mim.

— Ela é linda, não é? — disse Maria.

— É, extremamente — respondi.

— Ela ia sair para fazer compras no mercado quando esbarramos uma com a outra. Olhe só o que ela está vestindo. Um suéter, calça jeans, tênis velhos. Estava vestida para dar uma saidinha rápida até o mercado na esquina e voltar logo depois. Nada de maquiagem, nada de jóias, nada para enfeitar. E mesmo assim ela está linda. O bastante para tirar o fôlego.

— É o seu tom escuro — respondi, em busca de uma explicação. — Mulheres com feições escuras não precisam de maquiagem. Dá para ver como os olhos dela são redondos. Os cílios compridos destacam bem os olhos. E seus ossos também são bons, não se pode esquecer isso. Os ossos são muito importantes.

— É mais do que isso, Peter. Há certa qualidade interior que está sempre vindo à tona em Lillian. Não sei como denominar isso. Felicidade, graça, vitalidade animal. Faz Lillian parecer mais viva do que os outros. Quando nossa atenção cai sobre ela, é difícil parar de olhar.

— Dá a impressão de que Lillian ficou bem à vontade diante da câmera.

—Ela está sempre muito à vontade. Ela se sente perfeitamente confortável na própria pele.

Passei os olhos em mais algumas fotos e topei com uma seqüência que mostrava Lillian de pé diante de um armário aberto, em vários estágios do processo de se despir. Em uma foto, ela tirava a calça jeans; em outra, tirava o suéter; na foto seguinte, ela só vestia uma minúscula calcinha branca e uma camiseta branca sem manga; na outra, a calcinha tinha ido embora; na seguinte, a camiseta também se fora. Seguiam-se várias fotos de Lillian nua. Na primeira, ela encarava a câmera, a cabeça pendida para trás, rindo, os seios pequenos quase achatados contra o peito, mamilos tensos, projetados acima da linha do horizonte; a pélvis empurrada para a frente enquanto ela agarrava a carne da face interna das coxas com as duas mãos, seu colmo de pêlos púbicos escuros emoldurado pela brancura dos dedos em arco. Na foto seguinte, Lillian tinha virado de costas, a bunda de frente, jogava o quadril para um lado e olhava sobre o ombro, do outro lado, na direção da câmera, ainda rindo, estampando a pose clássica das modelos sensuais. Era evidente que estava se divertindo, era evidente que se deliciava com aquela oportunidade de se exibir.

— Isto aqui é muito provocativo — falei. — Eu não sabia que você tirava fotos de mulheres nuas.

— A gente estava se preparando para sair para jantar e Lillian quis trocar de roupa. Fui atrás dela até o quarto para a gente não ter de interromper a conversa. Eu ainda estava com a câmera e, quando ela começou a se despir, tirei umas fotos. Aconteceu. Eu não planejei nada disso, até que a vi tirando a roupa.

— E ela não se importou?

— Não parece ter se importado, não acha?

— E você ficou excitada?

— Claro que fiquei. Não sou de ferro, você sabe.

— E o que aconteceu depois? Vocês não foram para a cama, foram?

— Ah, não. Sou muito recatada para isso.

— Não quero forçar você a fazer uma confissão. Para mim, a sua amiga parece simplesmente irresistível. Tanto para mulheres quanto para homens, creio.

— Admito que fiquei excitada. Se Lillian houvesse feito algum gesto na hora, talvez algo tivesse rolado. Nunca fui para a cama com outra mulher, mas, nesse dia, com ela, poderia ter acontecido. A coisa passou pela minha cabeça, pelo menos, e foi a única vez que me senti assim. Mas Lillian estava só brincando diante da câmera, e tudo não passou de um mero *strip-tease*. Foi divertido e nós duas rimos o tempo todo.

— Você chegou a mostrar a ela o caderninho de endereços?

— No final. Acho que foi depois de voltarmos do restaurante. Lillian passou um longo tempo examinando o caderninho, mas não conseguiu adivinhar a quem pertencia. Tinha de ser um cliente, é claro. Lilli era o nome que ela usava a trabalho, mas afora isso ela não tinha certeza de nada.

— Mas a lista de possibilidades se restringiu.

— Certo, só que podia ser alguém que ela não conhecia.

Um cliente potencial, por exemplo. Talvez um freguês satisfeito houvesse passado o nome dela para alguém. Um amigo, um sócio nos negócios, quem sabe? Era assim que Lillian arranjava clientes novos, de boca em boca. O homem anotou o nome dela no caderninho, mas isso não significa que já tivesse telefonado para ela. Talvez o homem que lhe deu o telefone também não tivesse ligado. É assim que as piranhas se tornam conhecidas: seus nomes se espalham em ondas concêntricas, uma estranha rede de informações. Para alguns homens, basta levar um ou dois nomes no caderninho de endereços. Para uma consulta futura, por assim dizer. No caso de a esposa os deixar ou de repentinos acessos de tesão ou de frustração.

— Ou quando calhar de estarem de passagem pela cidade.

— Exatamente.

— No entanto, você conseguiu suas primeiras pistas. Até Lillian aparecer, o dono do caderninho poderia ser qualquer um. Pelo menos você agora tinha alguma chance de descobrir.

— Acho que sim. Mas as coisas não correram desse jeito. Depois que comecei a conversar com Lillian, o projeto inteiro se alterou.

— Quer dizer que Lillian não lhe daria a lista dos clientes dela?

— Não, nada disso. Ela daria, se eu tivesse pedido.

— Então, o que foi?

— Não tenho certeza de como começou, mas, quanto mais conversávamos, mais bem definido ficava o nosso plano. Não partiu de nenhuma de nós. A idéia simplesmente pairava à nossa volta, uma coisa que parecia já existir. Termos esbarrado uma com a outra por acaso tem muito a ver com isso, acho. A coisa toda foi tão inesperada e bonita que ficamos meio fora de órbita. Você tem de entender como éramos ligadas uma à outra. Amigas do peito, irmãs, companheiras para o resto da vida. A gente se preocupava muito uma com a outra, e eu achava que conhecia Lillian tão bem quanto a mim mesma. E então, o que aconteceu? Depois de cinco anos, descobri que minha melhor amiga virou prostituta. Isso me deixou abalada. Tive uma sensação horrível, quase como se tivesse sido traída. Mas ao mesmo tempo, e é aqui que as coisas começam a ficar obscuras, entendi que sentia também inveja dela. Lillian não havia mudado. Era a mesma menina fantástica que eu sempre havia conhecido. Louca, cheia de malandragens, uma companhia estimulante. Ela não pensava em si mesma como uma sem-vergonha ou uma mulher indigna de respeito. Sua consciência estava limpa. Foi isso que me impressionou tanto: sua absoluta liberdade interior, o jeito como vivia segundo suas próprias regras, sem dar a menor bola para o que os outros pensavam. Eu mesma já cometera alguns excessos tremendos naquela altura. O projeto Nova Orleans, o projeto "A dama nua", a cada vez eu forçava um pouco mais a barra para mim mesma, punha à prova os limites do que eu era capaz. Porém, em comparação com Lillian, eu me sentia uma bibliotecária solteirona, uma virgem patética que não tinha feito quase nada na vida. Pensei comigo mesma: se ela pode, por que não eu?

— Está brincando.

— Espere, deixe-me terminar. Era mais complicado. Quando contei a Lillian a respeito do caderninho de endereços e das pessoas com quem eu ia falar, ela achou aquilo incrível, a coisa mais sensacional que já tinha ouvido. Quis me ajudar. Quis ir para a rua e falar com as pessoas que estavam no caderninho, exatamente como eu ia fazer. Ela era uma atriz, lembre-se disso, e a idéia de fingir ser eu a deixou toda alvoroçada. Lillian ficou positivamente inspirada.

— E então vocês trocaram de posição. É o que está tentando me dizer? Lillian convenceu você a trocar de lugar com ela?

— Ninguém convenceu ninguém a nada. Resolvemos isso juntas.

— Porém...

— Porém, nada. Fomos sócias do projeto, meio a meio, do início ao fim. E o fato é que a vida de Lillian mudou por causa disso. Se apaixonou por um dos caras do caderninho e acabou se casando com ele.

— Está cada vez mais esquisito.

— Foi esquisito mesmo, está certo. Lillian saiu com uma de minhas câmeras e o caderninho de endereços, e a quinta ou sexta pessoa que procurou era o homem que veio a se tornar seu marido. Eu sabia que havia uma história oculta naquele caderninho, mas era a história de Lillian e não a minha.

— E você conheceu de fato esse homem? Ela não estava inventando tudo isso?

— Servi de testemunha do casamento deles no cartório. Até onde sei, Lillian nunca contou ao marido como ganhava a vida, mas por que ele teria de saber? Agora moram em Berkeley, Califórnia. Ele é professor universitário, um sujeito incrivelmente bonito.

— E como as coisas correram para o seu lado?

— Não muito bem. Nada bem, na verdade. No mesmo dia em que Lillian saiu com a minha câmera extra, tinha um encontro à tarde com um de seus clientes habituais. Quando ele telefonou naquela manhã para confirmar, Lillian explicou que a mãe estava doente e ela teria de viajar. Pedira a uma amiga que a substituísse e, caso ele não se importasse em ficar com uma pessoa diferente dessa vez, Lillian garantia que ele não ia se arrepender. Não me lembro das palavras exatas de Lillian, mas era esse o sentido geral. Ela encheu um bocado a minha bola e, depois de uma persuasão ardilosa, o sujeito acabou concordando. Portanto, lá estava eu, sozinha no apartamento de

Lillian, naquela tarde, à espera do toque da campainha, me preparando para trepar com um homem que eu nunca tinha visto na minha vida. Seu nome era Jerome, um baixinho troncudo, de uns quarenta anos, com pêlos nos nós dos dedos e dentes amarelados. Era uma espécie de vendedor. Atacadista de bebidas, acho que era isso, mas podia muito bem se tratar de lápis ou de computadores. Não faz diferença nenhuma. Ele tocou a campainha às três em ponto e, no instante em que entrou no apartamento, compreendi logo que eu não conseguiria levar aquilo adiante. Se ele fosse incrivelmente bonito, talvez eu fosse capaz de tomar coragem, mas, diante de um poder de sedução como o de Jerome, isso era simplesmente impossível. Ele estava com pressa e ficava olhando toda hora para o relógio de pulso, aflito para começar, para terminar e ir embora. Fiquei enrolando, sem saber o que fazer, e tentei imaginar alguma coisa enquanto entrávamos no quarto e tirávamos a roupa. Dançar nua em um bar onde garotas ficavam de *topless* era uma coisa, mas ficar sozinha com aquele vendedor gorducho e peludo era uma situação de tanta intimidade que eu nem conseguia olhar nos olhos dele. Eu tinha escondido minha câmera no banheiro e refleti que, se eu pretendia tirar alguma foto daquele fiasco, era melhor começar a agir logo. Portanto pedi desculpas e saí correndo para a privada, deixando a porta entreaberta. Abri as duas torneiras da pia, peguei minha câmera com filme e comecei a tirar fotos do quarto. Eu estava em um ângulo ótimo. Podia ver Jerome esparramado sobre a cama. Ele olhava para o teto e sacudia o pau na mão, tentando ficar com ereção. Era nojento, mas também era cômico, de certo modo, e eu estava contente de registrar aquilo no filme. Calculei ter tempo para tirar dez ou doze fotos, mas, depois de tirar seis ou sete, Jerome de repente se levantou da cama de um pulo, veio para o banheiro e abriu a porta antes que eu pudesse trancá-la. Quando ele me viu ali com a câmera na mão, ficou maluco. Quer dizer, ele enlouqueceu de verdade, perdeu totalmente o controle. Começou a berrar, me acusar de tirar fotos para chantageá-lo e arruinar seu casamento e, antes que eu percebesse, arrancou a câmera da minha mão e a esmagou de encontro à banheira. Tentei fugir, mas ele agarrou meu braço antes que eu conseguisse escapar e aí começou a me bater com os punhos cerrados. Foi um pesadelo. Dois estranhos, nus, se esmurrando dentro de um banheiro de ladrilhos cor-de-rosa. Ele não parava de grunhir e berrar enquanto me batia, esbravejando com toda a força dos pulmões, e aí acertou um murro que me deixou desacordada. Até fraturou minha mandíbula, você acredita? Mas isso foi só uma parte do desastre. Também quebrei o pulso, duas costelas e tive contusões por todo o corpo. Passei dez dias no hospital, e depois minha mandíbula ficou imobilizada com fios de aço durante seis semanas. O baixinho do Jerome me surrou até moer meus ossos. Ele fez picadinho de mim.

Quando conheci Maria no apartamento de Sachs em 1979, ela não ia para a cama com um homem fazia quase três anos. Foi o tempo que levou para se recuperar do choque daquela surra, e a abstinência não era uma escolha, mas sim uma necessidade, a única cura possível. Tanto quanto a humilhação física que havia sofrido, o incidente com Jerome representara uma derrota espiritual. Pela primeira vez na vida, Maria foi castigada. Havia cruzado a fronteira de si mesma, e a brutalidade dessa experiência alterou sua noção de quem ela era. Até aí, Maria se imaginava capaz de qualquer coisa: qualquer aventura, qualquer transgressão, qualquer ousadia. Sentia-se mais forte do que os outros, imune aos desastres e fracassos que afligiam o resto da humanidade. Depois da troca de papéis entre ela e Lillian, Maria aprendeu o quanto se havia enganado. Ela era fraca, descobriu, uma pessoa enclausurada por seus próprios temores e constrangimentos internos, tão mortal e confusa quanto qualquer um.

Levou três anos para se recuperar dos estragos (naquilo que era possível recuperar), e quando nossos caminhos se cruzaram no apartamento de Sachs naquela noite, Maria estava mais ou menos pronta para emergir da sua concha. Se fui eu o homem a quem ela ofereceu seu corpo, foi só porque calhou de eu estar lá na hora certa. Maria sempre zombou dessa interpretação, insistia que eu era o único homem por quem poderia se sentir atraída, mas era preciso que eu estivesse louco para acreditar que possuía algum charme sobrenatural. Eu não passava de um homem entre muitos outros homens possíveis, sem nada que me destacasse dos demais, e se eu por acaso correspondesse àquilo que Maria andava procurando exatamente na ocasião, tanto melhor para mim. Foi ela quem estabeleceu as regras da nossa amizade, e eu obedecia da melhor forma possível, era um cúmplice dócil aos caprichos e às exigências prementes de Maria. A pedido dela, concordei em nunca dormirmos juntos duas noites seguidas. Concordei em nunca falar com ela sobre outra mulher. Concordei em nunca lhe pedir para me apresentar a alguma amiga sua. Concordei em agir como se o nosso caso fosse um drama secreto, clandestino, que devia ser mantido oculto do resto do mundo. Nenhuma dessas restrições me aborrecia. Vestia as roupas que ela queria que eu usasse, me sujeitava ao seu desejo de ter encontros em locais estranhos (cabines telefônicas no metrô, lojas de apostas de turfe, banheiros de restaurantes), eu comia as mesmas refeições de cores programadas que ela comia. Tudo para Maria era um jogo, um apelo à invenção constante, e nenhuma idéia parecia bizarra demais para não ser experimentada pelo menos uma vez. Fazíamos amor com e sem roupa, de luz acesa e de luz apagada, dentro de casa e ao ar livre, em cima da sua cama e debaixo dela. Vestíamos togas, roupas de homem das cavernas, alugávamos *smokings*. Fingíamos ser desconhecidos um do outro, fingíamos ser casados. Representávamos as cenas tradicionais de médico e enfermeira, garçom e freguês, professor e aluno. Tudo era muito infantil, acho, mas Maria levava a sério essas brincadeiras — não como meras diversões, mas sim como experimentos, estudos sobre a natureza cambiante da personalidade. Se ela não fosse tão compenetrada, duvido que eu conseguisse levar aquilo adiante, como fiz. Eu via outras mulheres nesse período, mas Maria era a única que significava alguma coisa para mim, a única que hoje ainda faz parte da minha vida.

Em setembro daquele ano (1979), alguém enfim comprou a nossa casa no condado de Dutchess, e Delia e David se mudaram de volta para Nova York e foram morar em um apartamento em um prédio de arenito pardo na região de Cobble Hill, no Brooklyn. Isso tornou as coisas tanto piores como melhores para mim. Eu podia ver meu filho mais vezes, porém isso também significava contatos mais freqüentes com a minha futura ex-esposa. Nosso divórcio estava bem encaminhado a essa altura, mas Delia começou a ter certas hesitações, e naqueles últimos meses antes de os documentos ficarem prontos, ela fez uma obscura e desalentadora tentativa de reatar comigo. Se não existisse nenhum David em cena eu teria sido capaz de resistir à campanha sem o menor problema. Mas o garoto obviamente sofria com a minha ausência, e eu me julgava responsável por seus pesadelos, seus ataques de asma, suas lágrimas. A culpa é um persuasor poderoso, e Delia instintivamente puxava os cordões certos sempre que eu me achava por perto. Certa vez, por exemplo, quando um conhecido foi à casa dela para jantar, Delia me contou que David engatinhara para o colo do sujeito e perguntara se ele seria o seu novo pai. Delia não estava atirando esse incidente na minha cara, simplesmente estava partilhando comigo a sua preocupação, mas, toda vez que eu ouvia uma dessas histórias, afundava um pouco mais na areia movediça dos meus remorsos. Não que eu quisesse viver de novo com Delia, mas me perguntava se não seria melhor resignar-me a isso, se não seria meu destino, afinal, ficar casado com ela. Eu considerava o bem-estar de David mais importante do que o meu mesmo e, no entanto, durante quase um ano fiquei rodando feito um idiota com Maria Turner e com as outras mulheres, ignorando todo pensamento que se referisse ao futuro. Era difícil justificar aquela vida para mim mesmo. A felicidade não é a única coisa que importa, eu argumentava. Quando a gente vira pai, há obrigações que não podem ser descuidadas, deveres que precisam ser cumpridos, não importa o quanto custem.

Foi Fanny quem me salvou do que teria sido uma decisão terrível. Posso afirmar isso agora, à luz do que aconteceu depois, mas na época nada estava claro para mim. Quando o prazo da minha sublocação na rua Varick expirou, aluguei um apartamento a seis ou sete quarteirões do apartamento de Delia, no Brooklyn. Não pretendia me mudar para tão perto de Delia, mas os preços em Manhattan estavam salgados demais para mim e, assim que comecei a procurar do outro lado do rio, parecia que todo apartamento que me mostravam ficava perto do dela. Acabei pegando um apartamento meio ferrado que ocupava todo o andar térreo de um prédio, em Carroll Gardens, mas o aluguel era razoável e o quarto de dormir era amplo o bastante para duas camas — uma para mim e outra para David. Ele passou a ficar duas ou três noites por semana comigo, o que foi uma mudança boa em si mesma, mas acabou me deixando em uma situação frágil diante de Delia. Eu me permitira escorregar de novo para a sua órbita e podia sentir como minha determinação começava a fraquejar. Por uma coincidência infeliz,

Maria viajara para passar uns meses fora da cidade na ocasião da minha mudança e Sachs também tinha partido — rumo à Califórnia, para trabalhar em um roteiro de cinema de O *novo colosso*. Um produtor independente comprara os direitos para filmar seu romance, e Sachs fora contratado para escrever o roteiro em colaboração com um roteirista profissional que morava em Hollywood. Voltarei a essa história mais adiante, mas por enquanto a questão é que eu estava sozinho, encalhado em Nova York, sem meus companheiros habituais. Todo o meu futuro era posto de novo em questão, e eu precisava de alguém com quem conversar, alguém para me ouvir pensar em voz alta.

Certa noite, Fanny telefonou para o meu novo apartamento e me convidou para jantar. Supus que fosse mais uma daquelas festinhas de sempre, com cinco ou seis convidados além de mim, mas, quando entrei na casa dela na noite seguinte, descobri que era o único que ela havia convidado. Isso me pegou de surpresa. No decorrer de todos os anos em que nos conhecíamos, Fanny e eu nunca havíamos ficado a sós. Ben sempre andava por perto, e salvo nos raros momentos em que ele saía da sala para atender o telefone, quase não tínhamos conversado sem que outra pessoa nos ouvisse. Eu me habituara de tal modo a essa situação que nem me dava ao trabalho de questioná-la. Fanny sempre fora, para mim, uma pessoa distante e idealizada, e parecia justo que nossas relações se dessem de forma indireta, perpetuamente mediadas por outros. Apesar da afeição que se desenvolveu entre nós, eu ainda ficava um pouco nervoso quando estava com ela. Minha timidez me deixava propenso a tiradas um tanto esdrúxulas, e muitas vezes eu me desviava da conversa só para fazê-la rir, contava piadas ruins e cometia trocadilhos pavorosos, traduzia meu constrangimento na forma de uma conversa-fiada jocosa e pueril. Tudo isso me perturbava, uma vez que eu jamais agira desse modo com ninguém. Não sou uma pessoa dada a pilhérias e sabia estar criando nela uma impressão falsa a respeito de quem eu era, mas só naquela noite vim a compreender por que sempre me escondera de Fanny. Alguns pensamentos são perigosos demais, e a gente não deve se permitir chegar muito perto deles.

Recordo a blusa de seda branca que Fanny vestia naquela noite e as pérolas brancas em volta do seu pescoço moreno. Creio que ela percebeu como eu estava intrigado com o seu convite, mas não se manifestou a respeito, agindo como se fosse perfeitamente natural que dois amigos se encontrassem para jantar daquele modo. Provavelmente era mesmo, mas não do meu ponto de vista, não com o histórico de subterfúgios que existia entre nós. Perguntei se havia algum assunto especial sobre o qual ela queria conversar comigo. Não, respondeu Fanny, simplesmente sentiu vontade de me ver. Ela vinha trabalhando muito desde que Ben saíra da cidade e, quando acordara na manhã anterior, de repente notou que estava com saudades de mim. Só isso. Sentiu saudades de mim e quis saber como eu estava.

Começamos com bebidas na sala, conversamos principalmente sobre Ben durante os primeiros minutos. Mencionei uma carta que ele me escrevera na semana anterior, e em seguida Fanny relatou uma conversa que tivera com ele por telefone naquele mesmo dia. Fanny não acreditava que o filme sairia do papel, disse ela, mas Ben estava ganhando bastante dinheiro pelo roteiro e isso ia ser de grande ajuda. A casa em Vermont precisava de um telhado novo, e talvez eles conseguissem construí-lo antes que o velho desabasse. Talvez tenhamos conversado sobre Vermont depois disso, ou quem sabe sobre o seu trabalho no museu, não consigo lembrar. Quando nos sentamos à mesa para jantar, tínhamos passado, não sei como, a falar sobre o meu livro. Contei a Fanny que eu ainda estava avançando, porém menos do que antes, pois vários dias por semana eram agora dedicados integralmente a David. Vivíamos como dois velhos solteirões, disse eu, arrastando os pés pelo apartamento em nossos chinelos, fumando cachimbo de noite, conversando sobre filosofia diante de um copo de conhaque, enquanto vigiávamos os tições na lareira.

— Um pouco como Holmes e Watson — disse Fanny.

— Estamos chegando lá. A defecação foi um tema candente nos últimos dias, mas, tão logo meu parceiro se livre das fraldas, tenho certeza de que vamos atacar outros assuntos.

— Podia ser pior.

— Claro que sim. Você não me ouviu fazer nenhuma queixa, ouviu?

— Você o apresentou a alguma das suas amigas?

— Maria, por exemplo?

— Por exemplo.

— Pensei nisso, mas parece que nunca é o momento adequado. Na certa é porque não quero fazer isso. Receio que ele fique confuso.

— E quanto a Delia? Ela anda com outros homens?

— Acho que sim, mas ela não é lá muito expansiva sobre seus assuntos particulares.

— E está indo bem, eu imagino.

— Isso não posso jurar. Pelo jeito que estão as coisas, ela parece bastante contente por eu ter me mudado para perto da casa dela.

— Meu Deus. Mas você não está encorajando nada disso, está?

— Não tenho certeza. Não parece que eu esteja pensando em me casar com outra pessoa.

— David não é um motivo suficiente, Peter. Se você voltar para Delia agora, vai sentir ódio de si mesmo por causa disso. Vai se transformar em um velho amargo.

— Talvez eu já seja.

— Bobagem.

— Tento não ser, mas fica cada vez mais difícil olhar para todo o estrago que fiz sem me sentir um verdadeiro imbecil.

— Você se sente responsável, nada mais. E isso impele você em direções opostas.

— Toda vez que saio, digo a mim mesmo que deveria ter ficado. Toda vez que fico, digo a mim mesmo que deveria ter saído.

— Isso se chama ambivalência.

— Entre outras coisas. Se esse é o termo que você quer usar, eu o aceito.

— Ou, como minha avó disse certa vez para minha mãe: "O seu pai seria um homem maravilhoso se ele fosse diferente".

— Ha.

— Pois é, ha. Uma epopéia inteira de dor e sofrimento resumida em uma única frase.

— O casamento é um pântano, um exercício de desilusão que dura a vida inteira.

— É que você ainda não encontrou a pessoa certa, Peter. Você precisa dar tempo ao tempo.

— Você está dizendo que não sei o que é o amor de verdade. E, quando eu souber, meus sentimentos vão mudar. É gentileza sua pensar assim, mas e se isso nunca acontecer? E se isso não estiver escrito na minha sorte?

— Está sim, eu garanto.

— E o que leva você a ter tanta certeza?

Fanny fez uma pausa, baixou o garfo e a faca, estendeu o braço sobre a mesa e segurou minha mão.

— Você me ama, não é?

— Claro que amo você — respondi.

— Sempre me amou, não foi? Desde o primeiro momento em que seus olhos bateram em mim. É verdade, não é? Você me amou durante todos esses anos, e agora ainda me ama.

Puxei minha mão e baixei os olhos para a mesa, dominado pelo constrangimento.

— O que é isso? — perguntei. — Uma confissão à força?

— Não, só estou tentando provar que você casou com a mulher errada.

— Você é casada com outra pessoa, lembra? Sempre julguei que isso mantinha você fora da lista de candidatas.

— Não estou dizendo que você devia ter casado comigo. Mas que não devia ter casado com quem casou.

— Você está falando em círculos, Fanny.

— Está tudo perfeitamente claro. Só que você não quer entender o que estou dizendo.

— Não, há uma falha no seu raciocínio. Concordo que casar com Delia foi um erro. Mas amar você não prova que posso amar outra pessoa. E se você for a única mulher do mundo que eu poderia amar? Formulo essa pergunta em termos hipotéticos, é claro, mas se trata de uma questão crucial. Se isso for verdade, o seu raciocínio não faz nenhum sentido.

— As coisas não funcionam desse jeito, Peter.

— É desse jeito que elas funcionam para você e Ben. Por que abrir uma exceção para você mesma?

— Não estou abrindo nenhuma exceção.

— Mas então o que isso quer dizer?

— Não preciso soletrar tudo para você, preciso?

— Vai ter de me desculpar, mas começo a me sentir um pouco confuso. Se eu não soubesse que é você que está falando, juraria que está me passando uma cantada.

— Você quer dizer que rejeitaria?

— Meu Deus, Fanny, você é casada com o meu melhor amigo.

— Ben não tem nada a ver com o assunto. É estritamente entre nós dois.

— Não é, não. Tem tudo a ver com ele.

— E o que você pensa que Ben está fazendo lá na Califórnia?

— Escrevendo um roteiro de cinema.

— Sim, está escrevendo um roteiro. Também está trepando com uma garota chamada Cynthia.

— Não acredito.

— Por que não telefona para ele e descobre por si mesmo? É só perguntar. Ele vai lhe contar a verdade. Diga assim: Fanny me contou que você anda comendo uma garota chamada Cynthia. É mesmo, meu velho? Ele vai lhe dar uma resposta bem direta, sei que vai.

— Acho que a gente não devia estar aqui conversando sobre essas coisas.

— E depois pergunte a ele sobre as outras mulheres, antes de Cynthia. Grace, por exemplo. E Nora, e Marine, e Val. Esses são os primeiros nomes que vêm à minha lembrança, mas, se me der um minuto, pensarei em mais alguns. Seu amigo é um perdigueiro de bocetas, Peter. Nunca soube disso, não é?

— Não fale desse jeito. É nojento.

— Só estou lhe transmitindo os fatos. Não é que Ben esconda tudo isso de mim. Ele tem a minha permissão, veja bem. Pode fazer o que bem entender. E eu posso fazer o que bem entender.

— Mas então por que ficar casado? Se tudo isso é verdade, não há nenhuma razão para vocês estarem juntos.

— Nós nos amamos, essa é a razão.

— Não é o que parece, absolutamente.

— Mas nos amamos, sim. Foi desse jeito que organizamos nossa vida. Se eu não desse liberdade a Ben, jamais conseguiria mantê-lo comigo.

— Então ele sai por aí à vontade enquanto você fica quietinha, à espera de que o seu marido pródigo volte para casa. Não me parece um acordo muito justo.

— É justo. É justo porque eu o aceito, porque sou feliz com isso. Mesmo que eu tenha usado minha liberdade apenas frugalmente, ela ainda é minha, ainda pertence a mim. É um direito que posso exercitar no momento em que escolher.

— Como agora.

— É isso mesmo, Peter. Você afinal vai conseguir aquilo que sempre desejou. E não precisa ficar com a sensação de que traiu Ben. O que acontecer esta noite é estritamente entre mim e você.

— Você já disse isso antes.

— Talvez você entenda um pouco melhor agora. Não precisa se manter amarrado a laços. Se me quiser, pode me possuir.

— Sem nenhum problema.

— Sim, sem nenhum problema.

Achei sua segurança intimidadora, incompreensível. Se eu não estivesse tão desconcertado, na certa teria levantado da mesa e ido embora, mas, nas condições em que me achava, me limitei a ficar quieto na minha cadeira sem falar nada. É claro que queria ir para cama com ela. Fanny entendera isso desde muito tempo, e agora que eu ficara totalmente exposto, que ela convertera o meu segredo em uma proposta crua e vulgar, eu mal conseguia reconhecer quem ela era. Fanny tinha virado outra pessoa. Ben tinha virado outra pessoa. No intervalo de tempo de uma breve conversa, todas as minhas certezas a respeito do mundo desmoronaram.

Fanny segurou de novo minha mão e, em vez de eu tentar tirar essa idéia da sua cabeça, reagi com um sorriso frouxo e constrangido. Fanny deve ter entendido isso como uma capitulação, pois, no momento seguinte, ela se levantou, contornou a mesa e veio até onde eu estava. Abri meus braços para Fanny e, sem dizer nada, ela se acomodou no meu colo, apoiou bem firme o quadril sobre as minhas coxas e tomou o meu rosto nas mãos. Começamos a nos beijar. Bocas abertas, línguas se revolvendo, a saliva a escorrer pelo queixo um do outro, começamos a nos beijar como um casal de adolescentes no banco de trás de um carro.

Continuamos assim durante as três semanas seguintes. Quase instantaneamente, Fanny se tornou de novo reconhecível para mim, um ponto de serenidade familiar e enigmático. Fanny não era mais a mesma, é claro, mas nada tinha da estranheza que me havia desconcertado na primeira noite, e a agressividade que ela demonstrou naquela ocasião nunca mais se repetiu. Comecei a esquecer tudo aquilo, me acostumei às nossas relações modificadas, ao ímpeto ininterrupto do desejo. Ben ainda estava fora e, salvo as noites em que David ficava comigo, eu passava todas as demais na casa de Ben, dormia na cama dele e fazia amor com a mulher dele. Eu tinha por certo que ia acabar casando com Fanny. Mesmo que isso significasse destruir minha amizade com Sachs, estava plenamente preparado para levar aquilo adiante. Por ora, no entanto, guardava essas idéias para mim mesmo. Ainda estava muito espantado com a força dos meus sentimentos e não queria oprimi-la falando do assunto cedo demais. Era assim, em todo caso, que eu justificava o meu silêncio, mas a verdade era que Fanny mostrava pouca inclinação para conversar sobre qualquer outra coisa que não o dia-a-dia, a logística do nosso encontro seguinte. Fazíamos amor em silêncio e com intensidade, um esvair-se nos abismos da imobilidade. Fanny era só languidez e submissão, e me apaixonei pela maciez da sua pele, pelo seu jeito de fechar os olhos toda vez que eu me esgueirava às suas costas e beijava sua nuca.

Nas duas primeiras semanas, eu não queria mais nada além disso. Tocá-la era o bastante, e eu vivia para ouvir o quase imperceptível ronronar que subia da sua garganta, para sentir suas costas se arquearem lentamente em contato com a palma das minhas mãos.

Imaginei Fanny como madrasta de David. Imaginei nós dois montando nossa casa em um outro bairro e morando lá pelo resto da vida. Imaginei tempestades, cenas dramáticas, vastas batalhas verbais contra Sachs, antes que uma coisa assim pudesse acontecer. Talvez acabasse em pancadaria, pensei. Sentia-me pronto para o que desse e viesse, e mesmo a idéia de trocar murros com meu melhor amigo não me chocava mais. Forcei Fanny a falar sobre ele, ansioso para ouvir suas mágoas e assim me justificar a meus próprios olhos. Se eu pudesse deixar consolidada a idéia de que Ben era um marido ruim, meu plano de roubar Fanny dele ganharia o valor e a santidade de um propósito moral elevado. Não roubaria Fanny, eu a resgataria, e minha consciência continuaria limpa. Eu era ingênuo demais para entender que a inimizade também pode ser uma dimensão do amor. Fanny sofria por causa da conduta sexual de Ben; suas escapulidas e seus pecadilhos representavam uma fonte constante de dor para ela, mas, tão logo passou a me confidenciar essas coisas, a amargura que eu esperava ouvir na voz de Fanny nunca ia além de uma espécie de branda repreensão. Abrir-se para mim parecia ter aliviado alguma pressão interna em Fanny, e agora que ela mesma havia cometido um pecado, talvez estivesse apta a perdoar Ben pelos que ele cometera contra ela. Essa era a economia da justiça, por assim dizer, o qüiproquó que transforma a vítima em carrasco, o gesto que põe os dois pratos da balança em equilíbrio. No fim, Fanny me contou muita coisa a respeito de Sachs, mas nada que me fornecesse a munição que eu procurava. Quando muito, suas revelações tiveram o efeito exatamente oposto. Certa noite, por exemplo, quando começamos a conversar sobre o tempo que Ben ficou na prisão, soube que aqueles dezessete meses tinham sido muito mais terríveis do que ele me permitira saber. Não creio que Fanny estivesse especialmente interessada em defendê-lo, mas quando eu soube de tudo o que ele havia passado (surras aleatórias, ameaças e maus-tratos contínuos, um possível episódio de estupro homossexual), achei difícil alimentar qualquer ressentimento contra ele. Sachs, visto pelos olhos de Fanny, era uma pessoa mais complexa e atormentada do que o homem que eu pensava conhecer. Não era apenas o extrovertido entusiasmado e talentoso que se tornara meu amigo, era também um homem que se escondia dos outros, um homem que carregava o peso de segredos nunca partilhados com ninguém. Eu buscava um pretexto para me voltar contra ele, mas, ao longo daquelas semanas que passei com Fanny, me senti tão ligado a Sachs quanto antes. Estranhamente, nada disso interferia em meus sentimentos por ela. Amar Fanny era simples, embora tudo o que rodeava aquele amor estivesse impregnado de ambigüidade. Afinal, foi ela quem se atirou em cima de mim, e quanto mais firme eu a apertava, menos seguro me sentia quanto ao que tinha preso nos braços.

Nosso caso coincidiu exatamente com a ausência de Ben. Alguns dias antes da data marcada para o seu retorno, levantei enfim a questão do que iríamos fazer depois que ele voltasse para Nova York. Fanny propôs que continuássemos do mesmo jeito, nos encontrando sempre que tivéssemos vontade. Respondi que isso não era possível, que ela teria de romper com Ben e se mudar para a minha casa se fôssemos continuar. Não havia lugar para a duplicidade, falei. Devíamos contar a ele o que tinha acontecido, resolver tudo o mais rápido possível e depois planejar nosso casamento. Nunca passou pela minha cabeça que não era o que Fanny queria, mas isso só vem provar o quanto eu era ignorante, como interpretei erradamente as intenções dela desde o início. Fanny não ia largar Ben, me explicou ela. Nunca tinha pensado em fazer isso. Por mais que me amasse, não era uma coisa para a qual estivesse preparada.

Aquilo degenerou em uma conversa torturante que se estendeu por várias horas, um remoinho de argumentos circulares que jamais nos levavam a parte alguma. Ambos choramos muito, cada um implorou ao outro para ter bom senso, para ceder, para encarar a situação de uma perspectiva nova, mas não deu certo. Talvez nunca pudesse dar certo, mas, do jeito que aconteceu, fiquei com a sensação de que foi a pior conversa que tive em toda minha vida, um momento de derrocada completa. Fanny não ia largar Ben e eu não ia continuar com ela, a menos que ela o deixasse. Tinha de ser tudo ou nada, eu não parava de repetir para Fanny. Eu a amava demais para me conformar só com uma parte dela. No que me dizia respeito, qualquer coisa menos do que tudo seria igual a nada, uma infelicidade que eu nunca conseguiria me persuadir a aceitar. Então fiquei com a minha infelicidade e com o meu nada, e o caso se encerrou com a nossa conversa naquela noite. No decorrer dos meses que se seguiram, não houve quase nenhum momento em que não me arrependesse disso, em que não me mortificasse por causa da minha teimosia, porém não existia a mínima chance de anular o teor irrevogável das minhas palavras.

Mesmo agora, não consigo entender a atitude de Fanny. Outra pessoa poderia fazer pouco-caso de tudo aquilo, imagino, e dizer que Fanny simplesmente se distraiu com uma breve travessura enquanto o marido estava fora da cidade. Mas se ela estava apenas atrás de sexo, não fazia sentido nenhum escolher a mim como a pessoa que lhe daria isso. Em vista da minha amizade com Ben, eu era a última pessoa a quem Fanny devia procurar. Ela podia ter agido apenas por vingança, é claro, podia ter se aproveitado de mim como uma forma de ajustar contas com Ben, mas a rigor não acho que essa explicação vá fundo o bastante. Pressupõe uma espécie de cinismo que Fanny, na verdade, nunca possuiu e deixa sem resposta um número grande demais de perguntas. É possível também que ela pensasse saber o que estava fazendo e depois tenha começado a perder o sangue-frio. Um caso clássico de fuga com o rabo entre as pernas, por assim dizer; mas então como entender o fato de que ela jamais hesitou, jamais demonstrou o mais leve vislumbre de arrependimento ou de indecisão? Até o último instante, nunca passou pela minha cabeça que Fanny tivesse a menor dúvida sobre mim. Se o caso veio a terminar dessa forma tão abrupta, tinha de ser porque ela já esperava isso, já sabia desde o início que ia acontecer assim. Isso parece perfeitamente plausível. O único problema é que contradiz tudo o que ela falou e fez durante as três semanas que passamos juntos. O que parece um pensamento elucidativo não passa, no final, de mais um embaraço. No momento em que a gente o admite, a charada recomeça outra vez.

Para mim, porém, não foi tão mau assim. Apesar do jeito que terminou, o episódio teve várias conseqüências positivas, e agora o recordo como uma encruzilhada decisiva na minha história particular. Para começar, desisti da idéia de retomar o meu casamento. Amar Fanny me mostrou como aquilo seria vão e sepultei esses pensamentos de uma vez por todas. Não tenho a menor dúvida de que Fanny foi a responsável direta por essa mudança de ânimo. Não fosse por ela, eu jamais teria a possibilidade de conhecer Iris e, daí para a frente, minha vida teria evoluído por um caminho totalmente distinto. Um caminho pior, estou convencido disso; um caminho que me conduziria rumo à amargura contra a qual Fanny me havia advertido na primeira noite que passamos juntos. Ao me apaixonar por Iris, cumpri a profecia que Fanny fizera sobre mim naquela mesma noite —

porém, antes de eu poder acreditar nessa profecia, precisava me apaixonar por Fanny. Era isso o que ela estava tentando me provar? Era esse o motivo oculto por trás de todo aquele nosso caso louco? Parece absurdo até sugerir tal coisa e, no entanto, isso condiz com os fatos de forma mais acurada do que qualquer outra explicação. O que estou afirmando é que Fanny se atirou para cima de mim com o objetivo de me salvar de mim mesmo, que ela fez o que fez para impedir que eu voltasse para Delia. É possível uma coisa dessas? Pode alguém de fato ir tão longe pelo bem de uma outra pessoa? Se é assim, as ações de Fanny se tornam nada menos do que extraordinárias, um gesto puro e luminoso de auto-sacrifício. Entre todas as interpretações que concebi ao longo dos anos, essa é a que prefiro. Isto não significa que seja verdadeira, mas, como pode ser, me agrada imaginar que seja verdadeira. Depois de onze anos, é a única resposta que ainda faz algum sentido.

Quando Sachs voltou para Nova York, resolvi evitá-lo. Eu não tinha como saber se Fanny ia ou não lhe contar o que havíamos feito, mas, mesmo que ela guardasse segredo, a perspectiva de ter eu mesmo de esconder aquilo tudo de Ben me parecia intolerável. Nossa relação sempre fora franca e honesta demais para isso, e eu não tinha a mínima vontade de começar a mentir para ele, então. Eu previa, em todo caso, que Sachs ia enxergar através de mim, e se Fanny por acaso lhe contasse o que tínhamos feito, eu estaria me expondo a toda sorte de calamidades. De um jeito ou de outro, não estava preparado para ver Sachs. Se ele soubesse, agir como se não soubesse seria um insulto. E se não soubesse, cada minuto que eu estivesse com ele se tornaria uma tortura.

Eu trabalhava em meu romance, cuidava de David, esperava a volta de Maria para a cidade. Em circunstâncias normais, Sachs teria me telefonado em dois ou três dias. Raramente ficávamos mais do que isso sem nos falar, e agora que ele estava de volta de sua aventura em Hollywood, eu contava como certo receber logo notícias dele. Mas três dias se passaram, e depois outros três dias, e aos poucos compreendi que Fanny lhe contara o segredo. Não era possível nenhuma outra explicação. Julguei que isso significava que nossa amizade estava encerrada e que eu nunca mais o veria. Justamente quando eu começava a me confrontar com essa idéia (no sétimo ou oitavo dia), o telefone tocou e lá estava Sachs, do outro lado da linha; parecia em grande forma, fazia eclodir piadas com o mesmo entusiasmo de sempre. Tentei fazer eco à sua alegria, mas eu estava abalado demais para representar direito esse papel. Minha voz tremia e eu só conseguia falar as coisas erradas. Quando Sachs me convidou para jantar com ele naquela noite, dei uma desculpa e disse que telefonaria no dia seguinte para combinar alguma coisa. Não liguei. Passaram-se mais um ou dois dias e então Sachs telefonou de novo, ainda efusivo, como se nada tivesse mudado entre nós. Fiz o melhor que pude para escapar dele, mas dessa vez Sachs não queria aceitar um não como resposta. Propôs me pagar um almoço naquela mesma tarde, e antes que eu pudesse imaginar um jeito de me desvencilhar, ouvi minha voz aceitar o convite. Em menos de duas horas, devíamos nos encontrar no Costello's Restaurant, um lugarzinho na Court Street, a poucos quarteirões da minha casa. Se eu não aparecesse, Sachs simplesmente viria a pé até onde eu morava e tocaria a campainha. Não reagi com a presteza suficiente e agora ia ter de agüentar as conseqüências.

Ele já estava lá quando cheguei, sentado em um compartimento no fundo do restaurante. O *New York Times* estava aberto sobre a mesa de fórmica à sua frente e Sachs parecia absorvido no que lia, fumava um cigarro e, distraidamente, batia as cinzas sobre o chão após cada baforada. Isso foi no início de

1980, a época da crise dos reféns no Irã, das atrocidades do Khmer Vermelho no Camboja, da guerra no Afeganistão. O cabelo de Sachs se tornara mais claro sob o sol da Califórnia e seu rosto bronzeado estava tingido de sardas. Parecia bem, pensei, mais descansado do que da última vez em que o vira. Enquanto eu caminhava na direção da mesa, imaginei o quanto teria de me aproximar antes de Sachs notar que eu estava ali. Quanto antes acontecesse, tanto pior havia de ser a nossa conversa, pensei comigo mesmo. Se ele erguesse os olhos, significaria que estava ansioso — o que provaria que Fanny já tinha contado para ele. Por outro lado, se mantivesse o nariz enfiado no jornal, isso mostraria que estava calmo, o que poderia significar que Fanny não tinha contado nada. Cada passo que eu dava através do restaurante lotado representava um sinal a meu favor, achava eu, um pequeno indício de que Sachs ainda estava na ignorância, ainda não sabia que eu o havia traído. Aconteceu que percorri todo o caminho até o compartimento da mesa de Sachs sem receber dele um único olhar.

— Está com um bonito bronzeado, senhor Hollywood — disse eu.

Quando deslizei sobre o banco à sua frente, Sachs ergueu bruscamente a cabeça, me fitou com um olhar vazio por alguns instantes e depois sorriu. Era como se não esperasse me ver, como se eu tivesse aparecido de repente, por acaso, no compartimento do restaurante. Isso seria forçar demais as coisas, pensei, e no pequeno silêncio que precedeu sua resposta me ocorreu que Sachs apenas fingia estar distraído. Nesse caso, o jornal não passava de um disfarce. O tempo todo ele estivera ali à espera da minha chegada, simplesmente virava as páginas, percorria as palavras às cegas sem se dar ao trabalho de lê-las.

— Você também não parece nada mal — disse ele. — O tempo frio deve combinar com você.

— Não ligo para o frio. Depois de ficar o inverno passado no interior, isto aqui parece o trópico.

— E o que andou fazendo desde que me mandei para lá, para trucidar o meu livro?

— Fiquei aqui trucidando o meu próprio livro — respondi. — Todo dia acrescento alguns parágrafos à catástrofe.

— Você deve estar com um bocado de coisa escrita a esta altura.

— Onze capítulos, de um total de treze. Creio que isso significa que o fim já está à vista.

— Alguma idéia de quando vai terminar?

— Na verdade, não. Três ou quatro meses, talvez. Mas podem ser doze. E também podem ser dois. Fica cada vez mais difícil fazer qualquer previsão.

— Espero que você me deixe dar uma lida quando terminar.

— Claro que você pode ler meu livro. Vai ser a primeira pessoa a quem vou mostrar.

Nesse momento, a garçonete chegou e anotou nossos pedidos. Pelo menos, é o que lembro: uma interrupção prematura, uma pausa breve no fluxo da nossa conversa. Desde que me mudara para o bairro, eu costumava ir ao Costello duas vezes por semana para almoçar e a garçonete me conhecia. Era uma mulher imensamente gorda e simpática que gingava entre as mesas em um uniforme verde-claro e trazia sempre um lápis amarelo enfiado no meio do cabelo cinzento. Ela nunca escrevia com esse lápis, usava um outro que guardava no bolso do avental, mas gostava de ter aquele lápis à mão para o caso de alguma emergência. Não lembro agora o nome dessa mulher, mas ela costumava me chamar de "fofinho" e ficava sempre por perto, papeava um pouco comigo toda vez que eu ia lá — nunca sobre um assunto em especial, mas sempre de um modo que me fazia sentir bem-vindo. Mesmo com Sachs presente, naquela tarde, eu e ela batemos um de nossos papos tipicamente prolixos. Não importa do que falamos, menciono isso apenas para mostrar qual o estado de ânimo de Sachs naquele dia. Não só não falou com a garçonete (coisa extremamente incomum nele) como, no momento em que ela se afastou com os nossos pedidos, ele retomou a conversa exatamente no ponto em que havíamos parado, como se nunca tivéssemos sido interrompidos. Foi só então que comecei a entender como Sachs devia estar agitado. Mais tarde, quando os pratos foram servidos, não creio que ele tenha comido mais de duas ou três garfadas. Fumou e tomou café, apagando seus cigarros nos pires inundados.

— O trabalho é o que conta — disse ele, fechando o jornal e o jogando sobre o banco a seu lado. — Eu só queria que você soubesse disso.

— Acho que não acompanhei direito o seu raciocínio — respondi, me dando conta de que tinha acompanhado muito bem o raciocínio dele.

— Estou dizendo que você não precisa se preocupar, só isso.

— Me preocupar? Por que eu deveria me preocupar?

— Não deveria — respondeu Sachs, abrindo um sorriso afetuoso, assombrosamente radiante. Por alguns instantes, ele pareceu quase beatífico. — Mas eu o conheço há bastante tempo para saber com certeza que vai ficar preocupado.

— Será que perdi alguma parte da história ou a gente hoje resolveu falar em círculos?

— Está tudo bem, Peter. É só isso que eu queria deixar claro. Fanny me contou, e você não precisa andar por aí se sentindo mal por causa disso.

— Contou o quê? — Era uma pergunta ridícula, mas eu estava atônito demais com a frieza dele para falar qualquer outra coisa.

— O que aconteceu enquanto eu estava fora. Os raios e os trovões. As trepadas e as chupadas. A porra toda.

— Sei. Não deixou muito espaço para a imaginação.

— Não, nem uma brechinha.

— E então, o que vai acontecer agora? É esta a hora em que você me entrega o seu cartão e me manda escolher os padrinhos para o duelo? Teremos de nos encontrar ao nascer do dia, é claro. Em algum lugar bom, algum lugar com os devidos atributos cenográficos. A calçada da ponte do Brooklyn, por exemplo, ou quem sabe o monumento à Guerra Civil na Grand Army Plaza. Algo majestoso. Um lugar onde o céu possa nos tornar minúsculos, onde a luz do sol possa cintilar nas nossas pistolas erguidas. O que você acha, Ben? É assim que você quer? Ou prefere resolver tudo agora mesmo? No estilo americano. Você se debruça sobre a mesa, me dá um murro no nariz e depois sai batido pela porta. De um jeito ou de outro, por mim está tudo bem. Deixo por sua conta.

— Há também uma terceira possibilidade.

— Ah, a terceira via — falei, cheio de raiva e sarcasmo. — Eu não tinha percebido que existiam tantas opções à nossa disposição.

— Claro que existem. Mais do que podemos calcular. Aquela em que estou pensando é bem simples. Esperamos a comida chegar, comemos, depois eu pago a conta e vamos embora.

— Essa não serve. Não tem drama nenhum, nenhum confronto. Temos de pôr tudo em pratos limpos de uma vez por todas. Se a gente vacilar agora, não vou me sentir satisfeito.

— Não há nenhum motivo para brigar, Peter.

— Há, sim. Temos todos os motivos do mundo para brigar. Pedi à sua mulher para se casar comigo. Se isso não serve de motivo para uma briga, então nenhum de nós merece viver com ela.

— Se você está a fim de desabafar, vá em frente. Estou mais do que disposto a ouvir. Mas não precisa falar sobre esse assunto, se não quiser.

— Ninguém pode se importar tão pouco com a própria esposa. É quase criminoso ser tão indiferente.

— Não sou indiferente. Só que isso tinha mesmo de acontecer, mais cedo ou mais tarde. Não sou nenhum imbecil, afinal de contas. Sei o que você sente por Fanny. Sempre sentiu isso. Aparece escrito com todas as letras na sua cara, toda vez que fica perto dela.

— Foi Fanny quem tomou a iniciativa. Se ela não tivesse desejado isso, nada teria acontecido.

— Não estou pondo a culpa em você. Se eu estivesse no seu lugar, teria feito a mesma coisa.

— Mas isso não torna certo o que eu fiz.

— Não é uma questão de certo ou errado. É assim que o mundo gira. Todo homem é escravo da sua piroca, e não existe nada que se possa fazer a respeito. A gente tenta resistir, às vezes, mas é sempre uma batalha perdida.

— Isso é uma confissão, ou você está tentando me dizer que é inocente?

— Inocente de quê?

— Do que Fanny me contou. Suas aventuras. Suas atividades extracurriculares.

— Ela lhe contou o quê?

— Tudo, por extenso. Acabou me deixando muito bem informado. Nomes, datas, descrições das vítimas, as obras completas. Isso produziu um certo impacto. Desde então, minha noção de quem você é mudou completamente.

— Não tenho certeza de que a gente precise acreditar em tudo o que ouve dizer por aí.

— Está chamando Fanny de mentirosa?

— Claro que não. Só que nem sempre ela tem uma visão precisa da realidade.

— Para mim, parece a mesma a coisa. Você está só falando de um jeito diferente, e nada mais.

— Não. Estou dizendo a você que Fanny não consegue controlar o que pensa. Ela se convenceu de que sou infiel, e não existem no mundo palavras capazes de dissuadi-la.

— E você está me dizendo que não é infiel?

— Dei os meus escorregões, mas nunca na proporção que ela imagina. Em vista do tempo que estamos juntos, até que não é um folha corrida muito ruim. Fanny e eu tivemos nossos altos e baixos, mas nunca houve um momento em que eu não quisesse estar casado com ela.

— Então, de onde ela foi tirar os nomes de todas aquelas mulheres?

— Invento umas histórias para ela. Faz parte do nosso jogo. Invento umas histórias sobre minhas conquistas imaginárias, e Fanny escuta. Isso a excita. As palavras têm força, afinal de contas. Para certas mulheres, não existe afrodisíaco mais poderoso. Você deve ter aprendido isso a respeito de Fanny, a essa altura. Ela adora ouvir sacanagem. E quanto mais vívida for a descrição, mais tesão ela sente.

— Não foi essa a impressão que eu tive. Toda vez que Fanny falava a seu respeito, demonstrava a maior seriedade. Nenhuma palavra sobre "conquistas imaginárias". Elas eram todas muito reais, para Fanny.

— É porque Fanny é ciumenta, e uma parte dela insiste em acreditar no pior. Já aconteceu muitas vezes. A todo momento, Fanny imagina que estou tendo um caso ardente com alguma outra mulher. É sempre a mesma história, desde muitos anos, e a lista de mulheres com quem fui para a cama não pára de crescer. Depois de um tempo, entendi que não adiantava nada negar. Isso só servia para deixá-la mais desconfiada de mim, e assim, em vez de lhe contar a verdade, eu conto aquilo que ela deseja ouvir. Minto para deixá-la feliz.

— Felicidade não é de modo algum a palavra que eu usaria, no caso.

— Para nos manter juntos, então. Para nos manter em uma espécie de equilíbrio. As histórias ajudam. Não me pergunte por quê, mas, tão logo começo a contar essas histórias para Fanny, as coisas se desanuviam entre nós, de novo. Você pensou que eu tinha parado de escrever ficção, mas ainda estou na ativa. Meu público se reduziu, agora, a uma só pessoa, mas ela é a única que interessa, na verdade.

— E você espera que eu acredite nisso?

— Não pense que estou aqui me divertindo. Não é nada fácil falar sobre esse assunto. Mas acho que você tem o direito de saber, e faço o melhor que posso.

— E Valerie Maas? Vai me dizer que nunca houve nada com ela?

— Esse é um nome citado muitas vezes. Ela é editora de uma das revistas para as quais escrevi. Um ou dois anos atrás, almoçamos juntos algumas vezes. Só negócios. Conversamos sobre meus artigos, sobre projetos futuros, esse tipo de coisa. No fim, Fanny meteu na cabeça que Val e eu estávamos tendo um caso. Não nego que eu tenha me sentido atraído por ela. Se as circunstâncias fossem outras, eu podia ter feito alguma besteira. Fanny pressentia tudo isso, acho. Na certa, mencionei o nome de Val com freqüência excessiva, dentro de nossa casa, ou então fiz muitos comentários elogiosos sobre suas qualidades como editora. Mas a verdade é que Val não se interessa por homens. Ela já morava com outra mulher havia cinco ou seis anos e eu não conseguiria nada com ela, se tivesse tentado.

— Não contou isso para Fanny?

— Não adiantaria nada. Depois que ela enfia uma coisa na cabeça, não há como convencê-la do contrário.

— Você pinta o retrato de uma Fanny muito insegura. Mas ela não é assim. É uma pessoa sólida, uma das pessoas menos iludidas que jamais conheci.

— E é mesmo. Em vários aspectos, ela é forte pra burro. Mas também sofreu demais, e os últimos anos foram duros para ela. Fanny nem sempre foi desse jeito, veja bem. Até quatro ou cinco anos atrás, não havia uma célula de ciúme no corpo dela.

— Cinco anos atrás foi quando a conheci. Oficialmente, quer dizer.

— Também foi quando o médico disse a Fanny que ela nunca poderia ter filhos. As coisas mudaram para ela depois disso. Tem ido a um terapeuta nos últimos anos, mas não acho que isso tenha trazido um grande benefício. Ela não se sente desejável. Tem a impressão de que homem nenhum poderá amá-la. É por isso que imagina que eu ando por aí metido com outras mulheres. Porque acha que fracassou comigo. Porque acha que devo castigá-la por ela haver me decepcionado. Quando uma pessoa se volta contra si mesma, é difícil não acreditar que todo mundo também está contra ela.

— Nada disso é visível.

— Isso é uma parte do problema. Fanny não fala o bastante. Arrolha as coisas dentro de si e, quando vêm para fora, é sempre de uma forma oblíqua. Isso só serve para piorar a situação. Metade do tempo, ela sofre sem ter consciência de que sofre.

— Até o mês passado, sempre imaginei que vocês tinham um casamento perfeito.

— Nunca sabemos nada sobre os outros. Eu também pensava a mesma coisa sobre o seu casamento, e olhe o que aconteceu entre você e a Delia. É difícil à beça seguir nossas próprias pegadas. Quando se trata dos outros, então, não temos nenhuma pista.

— Mas Fanny sabe que eu a amo. Devo ter dito isso mil vezes e tenho certeza de que ela acredita em mim. Não consigo imaginar que não acredite.

— Acredita, sim. E é por isso que acho bom o que aconteceu. Você a ajudou, Peter. Fez por ela mais do que qualquer outra pessoa.

— Quer dizer que você está me agradecendo por ter ido para a cama com a sua mulher?

— Por que não? Por sua causa, há uma chance de Fanny voltar a acreditar em si mesma.

— É só chamar o Doutor Sabe-Tudo, não é? Ele conserta casamentos estremecidos, faz remendos em almas feridas, salva casais em apuros. Não é preciso marcar consulta, atendimento domiciliar vinte e quatro horas por dia. Disque agora mesmo para o nosso telefone gratuito. É o Doutor Sabe-Tudo. Ele dá o coração e não pede nada em troca.

— Não o culpo por se sentir magoado. Você não deve estar passando por momentos muito bons, mas, para o que quer que isto sirva, o fato é que Fanny acha você o maior homem que jamais existiu. Ela ama você. Nunca vai deixar de amar você.

— O que não altera o fato de que deseja continuar casada com você.

— Isso vem de muito tempo atrás, Peter. Já enfrentamos muita coisa juntos. Nossas vidas inteiras estão amarradas por isso.

— E onde é que eu fico nessa história?

— Onde sempre esteve. Como meu amigo. Como amigo de Fanny. Como a pessoa a quem nós mais estimamos no mundo.

— Então vai tudo recomeçar como era antes.

— Se você quiser, sim. Até onde você conseguir suportar; é como se nada tivesse mudado.

De repente, me vi à beira das lágrimas.

— Então, não faça nenhuma besteira — falei. — É só o que tenho a dizer a você. Não faça nenhuma besteira. Trate de cuidar muito bem dela. Tem de me prometer isso. Se não mantiver sua palavra, sou capaz de matá-lo. Vou caçar você onde estiver e o estrangular com minhas próprias mãos.

Baixei os olhos para o meu prato, lutando para me manter sob controle. Quando enfim ergui o rosto, vi que Sachs me olhava fixamente. Seus olhos estavam lúgubres; suas feições, fixas em uma atitude de dor. Antes que eu pudesse me levantar da mesa para sair, ele estendeu a mão direita e a susteve no ar, resolvido a não baixá-la até que eu a tivesse apertado.

— Prometo — disse ele, apertando com força e aumentando resolutamente a pressão. — Dou a minha palavra.

Depois daquele almoço, eu não soube mais em que acreditar. Fanny me contara uma coisa, Sachs me contara outra, e se eu aceitasse uma história, teria de rejeitar a outra. Não havia alternativa. Eles me ofereceram duas versões da verdade, duas realidades distintas e separadas, e nada no mundo poderia uni-las. Compreendi isso e, todavia, ao mesmo tempo, percebi que as duas histórias me haviam convencido. No pântano de dor e confusão em que me atolei durante os vários meses que se seguiram, relutei em optar entre as duas. Não creio que fosse uma questão de lealdade dividida (embora isso pudesse ser parte do problema), mas sim a certeza de que tanto Fanny como Ben me haviam contado a verdade. A verdade tal como a viam, talvez, mas, mesmo assim, a verdade. Nenhum dos dois tinha a intenção de me enganar; nenhum dos dois mentiu deliberadamente. Em outras palavras, não existia uma verdade universal. Nem para eles, nem para ninguém. Não havia a quem culpar ou proteger, e a única reação justificável era a compaixão. Eu os tinha venerado, aos dois, por anos demais para não me sentir decepcionado com aquilo que soube, mas não fiquei decepcionado só com eles. Fiquei decepcionado comigo mesmo, fiquei decepcionado com o mundo. Até o mais forte era um fraco, disse para mim mesmo; até o mais destemido não tinha coragem; até o mais sábio era ignorante.

Achei impossível repelir Sachs de novo. Ele se mostrara tão franco durante a nossa conversa naquele almoço, tão claro em seu desejo de nossa amizade prosseguir como antes, que não consegui me obrigar a dar-lhe as costas. Mas Sachs estava errado ao supor que nada iria mudar entre nós. Tudo tinha mudado, e, quiséssemos ou não, nossa amizade havia perdido sua inocência. Por causa de Fanny, eu e ele atravessamos mutuamente a fronteira de nossas vidas, cada um de nós cravou uma estaca na história interna do outro, e o que antes tinha sido puro e simples entre nós, agora era infinitamente turvo e complicado. Pouco a pouco, começamos a nos adaptar a essas condições novas, mas com Fanny a história era outra. Eu mantinha minha distância com relação a ela, sempre encontrava Sachs sozinho, sempre me esquivava quando me convidavam para ir à casa deles. Admiti o fato de que Fanny pertencia a Ben, mas isso não significava que eu estava pronto para vê-la. Fanny entendia minha relutância, penso, e embora ela continuasse a me mandar cumprimentos afetuosos por intermédio de Sachs, nunca me pressionou a nada que eu não quisesse fazer. Só em novembro é que ela enfim me telefonou, uns bons seis ou sete meses depois. Foi aí que me convidou para o jantar do Dia de Ação de Graças na casa da mãe do Ben, em Connecticut. Nesse intervalo de meio ano, eu conseguira me convencer de que não existia nenhuma esperança para nós, de que, mesmo se Fanny tivesse deixado Ben para viver comigo, não teria dado certo. Isso era uma ficção, é claro, e não tenho como saber o que teria acontecido, não tenho como saber coisa alguma. Mas isso me ajudou a suportar aqueles meses sem enlouquecer, e quando de repente ouvi de novo a voz de Fanny no telefone, achei que havia chegado a hora de me pôr à prova em uma situação real. Portanto eu e David fomos de carro até Connecticut e passei um dia inteiro na companhia dela. Não foi o dia mais feliz da minha vida, mas consegui sobreviver. Velhas feridas reabriram, sangrei um pouco, mas quando voltei para casa naquela noite com o sonolento David nos braços, descobri que ainda estava mais ou menos incólume.

Não quero sugerir que eu tenha levado a efeito essa cura sozinho. Depois que Maria voltou para Nova York, ela desempenhou um papel enorme no que tange a me manter inteiro, e mergulhei nas nossas aventuras particulares com o mesmo ardor de antes. E ela não foi a única. Quando Maria não estava à mão, eu encontrava outras mulheres para me distrair do meu coração partido. Uma dançarina chamada Dawn, uma escritora chamada Laura, uma estudante de medicina chamada Dorothy. Em um momento ou outro, cada uma delas ocupava um lugar especial nas minhas afeições. Toda vez que me detinha e examinava com mais atenção o meu comportamento, concluía que não era talhado para casar, que meus sonhos de me unir a Fanny tinham sido, desde o início, equivocados. Eu não era um homem monógamo, disse a mim mesmo. Deixava-me seduzir em demasia pelo mistério do primeiro encontro, me deslumbrava demais com o teatro da sedução, era sequioso demais da excitação de novos corpos, e não se poderia confiar em mim a longo prazo. Pelo menos era essa a lógica que eu aplicava a mim mesmo e que agia como uma eficaz cortina de fumaça entre a minha cabeça e o meu coração, entre as minhas entranhas e a minha razão. Pois a verdade era que eu não tinha a menor idéia do que estava fazendo. Estava fora de controle e trepava pelo mesmo motivo que outros homens bebiam: para afogar as mágoas, embotar a sensibilidade, me esquecer de mim mesmo. Tornei-me *Homo erectus*, um falo pagão em um transe frenético. Em pouco tempo, me vi enredado em vários casos simultâneos, fazia malabarismos com minhas namoradas feito um acrobata enlouquecido, saltava de uma cama para outra com a presteza com que a lua muda de feitio. Uma vez que esse frenesi me mantinha ocupado, suponho que tenha sido um remédio eficiente. Mas era a vida de um louco e na certa acabaria por me matar, se tivesse durado muito mais tempo do que durou.

Mas havia nisso mais do que sexo. Eu também trabalhava bastante e meu livro finalmente estava chegando ao fim. Por mais calamidades que criasse para mim mesmo, eu conseguia ir em frente através delas, tocava o barco sem afrouxar meu passo. Minha escrivaninha virou um refúgio inviolável, e, enquanto eu me mantinha ali sentado, lutando para encontrar a palavra seguinte, nada mais conseguia me abalar: nem Fanny, nem Sachs, nem eu mesmo. Pela primeira vez em todos os anos em que me dedicava a escrever, tive a sensação de estar em chamas. Não sabia dizer se o livro era bom ou ruim, mas isso parecia já não ter importância. Parei de me questionar. Eu fazia o que tinha de ser feito, e o fazia do único jeito que me era possível. Tudo o mais decorria daí. Não que eu tivesse passado a acreditar muito em mim mesmo; o fato é que estava possuído por uma sublime indiferença. Eu e a minha obra nos tornamos permutáveis e eu agora aceitava essa obra nos seus próprios termos, compreendia que nada seria capaz de me eximir do desejo de fazê-la. Era a epifania do substrato mais profundo, a iluminação em que a dúvida gradualmente se dissipava. Mesmo que minha vida desmoronasse, ainda restaria algo por que viver.

Terminei *Luna* em meados de abril, dois meses depois da

minha conversa com Sachs no restaurante. Mantive minha palavra e lhe entreguei o manuscrito; quatro dias depois, ele me telefonou para dizer que tinha acabado de ler. Para ser mais exato, ele se pôs a esbravejar no telefone, me soterrou com elogios tão bizarros que me senti ruborizar do outro lado da linha. Não me atrevera a sonhar com uma reação daquele tipo. Aquilo me deixou tão animado que pude fazer pouco-caso das frustrações que se seguiram e, mesmo enquanto o livro fazia a ronda das editoras de Nova York e recebia uma recusa depois da outra, não permiti que isso interferisse no meu trabalho. O estímulo de Sachs era o mais importante. Ele não parava de me assegurar de que eu não tinha com que me preocupar, que no final tudo ia dar certo, e, apesar de todos os sinais contrários, continuei a acreditar nele. Comecei a escrever um segundo romance. Quando *Luna* foi por fim aceito (sete meses e dezesseis recusas depois), eu já andava bem adiantado no meu novo projeto. Isso aconteceu no fim de novembro, exatamente dois dias depois de Fanny me convidar para o Dia de Ação de Graças em Connecticut. Sem dúvida, isso contribuiu para a minha decisão de ir lá. Aceitei o convite de Fanny porque tinha acabado de saber da sorte do meu livro. O sucesso me fazia sentir invulnerável, e eu sabia que não podia haver um momento mais propício para encarar Fanny.

Então aconteceu de eu conhecer Iris e a loucura daqueles dois anos chegou abruptamente ao fim. Isso foi no dia 23 de fevereiro de 1981: três meses depois do Dia de Ação de Graças, um ano depois de Fanny e eu terminarmos nosso caso, seis anos depois do começo da minha amizade com Sachs. Para mim, parece tanto estranho quanto conveniente que tenha sido Maria Turner a pessoa que tornou possível o encontro entre mim e Iris. Mais uma vez, nada tinha a ver com intencionalidade, nada tinha a ver com um desejo consciente de fazer as coisas acontecerem. Mas elas aconteceram, e se não fosse o fato de a noite de 23 de fevereiro ser a do *vernissage* da segunda exposição de Maria Turner, em uma galeriazinha na rua Wooster, tenho certeza de que Iris e eu nunca nos conheceríamos. Décadas teriam passado antes que viéssemos a nos encontrar de novo naquela mesma sala e, nessa altura, a oportunidade se haveria perdido. Não é que Maria tenha efetivamente nos apresentado um ao outro, mas nosso encontro se deu sob a influência dela, por assim dizer, e me sinto em dívida com Maria por causa disso. Talvez não a Maria vista como uma mulher de carne e osso, mas a Maria como o espírito soberano do acaso, a deusa do imprevisível.

Como o nosso caso continuava a ser um segredo, não havia motivo nenhum para eu fazer o papel de acompanhante de Maria naquela noite. Fui à galeria como um convidado comum, dei em Maria um ligeiro beijo de parabéns e depois me deixei ficar no meio da multidão, com um copinho de plástico na mão, bebericando vinho branco barato enquanto esquadrinhava a sala à cata de rostos conhecidos. Não vi ninguém que eu conhecesse. A certa altura, Maria voltou os olhos para mim e piscou, mas, afora o breve sorriso que lancei em resposta, mantive a minha parte do trato e evitei qualquer contato com ela. Menos de cinco minutos depois desse piscar de olhos alguém se aproximou por trás de mim e bateu de leve no meu ombro. Era John Johnston, um homem que eu conhecera de passagem e a quem fazia vários anos que não via. Iris estava ao lado dele, e depois que eu e John nos cumprimentamos, ele nos apresentou um ao outro. Em vista da sua aparência, julguei que Iris fosse uma modelo — um erro que a maioria das pessoas ainda comete quando a vê pela primeira vez. Iris tinha apenas vinte e quatro anos na ocasião, uma figura loura deslumbrante, um metro e oitenta de altura, com exóticas feições escandinavas e os olhos azuis mais penetrantes e mais alegres que existem entre o céu e o inferno. Como eu poderia ter adivinhado que era uma estudante de pós-graduação de literatura inglesa na Universidade de Columbia? Como poderia saber que ela havia lido mais livros do que eu e estava para começar uma dissertação de seiscentas páginas sobre a obra de Charles Dickens?

Como supus que ela e Johnston fossem amigos íntimos, apertei a mão de Iris educadamente e fiz o melhor que pude para não ficar com os olhos pregados nela. Johnston estava casado na última vez em que o tinha visto, mas imaginei que se divorciara e não lhe perguntei nada a respeito. Na verdade, ele e Iris mal se conheciam. Nós três conversamos durante vários minutos e então, de repente, Johnston deu as costas e começou a conversar com outra pessoa, deixando-me sozinho com Iris. Foi só aí que comecei a desconfiar de que a relação entre eles era circunstancial. Sem nenhuma justificativa, tirei minha carteira do bolso e mostrei a Iris algumas fotos de David, fiquei me gabando do meu filho como se ele fosse uma figura pública muito conhecida. A crer na forma como Iris, agora, se recorda dessa noite, foi nesse instante que ela se deu conta de que estava apaixonada por mim, foi nesse instante que compreendeu que eu era o homem com quem iria casar. Demorei um pouco mais para entender o que sentia por ela, mas só algumas horas a mais. Continuamos a conversar durante o jantar em um restaurante ali perto e depois enquanto tomamos alguns drinques e ainda em um outro lugar. Devia passar das onze horas quando terminamos. Com um aceno de mão, chamei um táxi para ela na rua, mas, antes que eu abrisse a porta para Iris entrar, estendi o braço, a segurei, puxei-a para perto de mim e a beijei bem fundo na boca. Foi uma das coisas mais impetuosas que já fiz, um momento de ardor insano e desenfreado. O táxi partiu, e Iris e eu continuamos de pé, no meio da rua, envoltos nos braços um do outro. Era como se fôssemos os primeiros no mundo a se beijar, como se nós dois tivéssemos inventado a arte de beijar naquela noite. Na manhã seguinte, Iris tornou-se o meu final feliz, o milagre que caiu do céu quando eu menos esperava. Tomamos um ao outro em um arrebatamento e daí em diante, para mim, nada mais foi o mesmo.

Sachs foi o meu padrinho de casamento, em junho. Um jantar foi servido depois da cerimônia, e, no meio da refeição, ele se pôs de pé, junto à mesa, para erguer um brinde. Na verdade foi um brinde muito breve, e como Sachs disse tão pouca coisa, sou capaz de lembrar todas as palavras:

— Vou usar as palavras de William Tecumseh Sherman — disse ele. — Espero que o general não se importe, mas ele chegou lá antes de mim e não consigo imaginar um modo melhor de me exprimir. — Em seguida, virando-se para mim, Sachs ergueu sua taça e disse: — Grant ficou do meu lado quando eu estava louco. Eu fiquei do seu lado quando ele estava bêbado, e agora ficaremos para sempre um do lado do outro.

3.

Começou a era Ronald Reagan. Sachs continuou a fazer o que sempre tinha feito, mas, na nova ordem americana da década de 80, sua posição se tornou cada vez mais marginalizada. Não é que não tivesse público, mas o público estava cada vez menor, e as revistas que publicavam seus textos se tornaram cada vez mais obscuras. De forma quase imperceptível, Sachs passou a ser considerado alguém anacrônico, em descompasso com o espírito da época. O mundo havia mudado à sua volta e, no clima vigente, de egoísmo e intolerância, de americanismo retumbante e debilóide, suas opiniões soavam curiosamente severas e moralistas. Já era bastante ruim que a direita estivesse em ascensão em toda parte, porém ainda mais perturbador para ele era o colapso de toda e qualquer oposição efetiva. O Partido Democrata metera o rabo entre as pernas; a esquerda havia praticamente desaparecido; a imprensa estava muda. De repente, todos os argumentos tinham sido apropriados pelo outro lado, e erguer a voz contra isso era visto como maus modos. Sachs continuou a fazer o papel de um inconveniente, a bradar com todas as letras aquilo em que sempre tinha acreditado, mas cada vez menos gente se dava ao trabalho de ouvi-lo. Sachs fingia não se importar, mas eu percebia como a batalha o estava esgotando, percebia que, mesmo quando tentava se consolar com o fato de que tinha razão, estava gradualmente perdendo a fé em si mesmo.

Se o filme tivesse sido feito, a situação para ele poderia ter mudado inteiramente. Mas a previsão de Fanny se mostrou correta, e após seis ou oito meses de revisões, renegociações e confusas reviravoltas, o produtor por fim resolveu abandonar o projeto. É difícil avaliar o alcance total da frustração de Sachs. Por fora, simulava uma atitude jocosa quanto a toda a história do filme, inventava piadas, contava casos de Hollywood, ria das enormes quantias de dinheiro que havia ganhado. Tudo isso podia ser ou não um blefe, mas estou convencido de que uma parte de Sachs dava grande importância à possibilidade de ver seu livro convertido em filme. Ao contrário de outros escritores, Sachs não nutria nenhum rancor com relação à cultura popular e jamais sentira nenhum conflito quanto ao projeto. Não se tratava de fazer concessões contra si mesmo; tratava-se, isto sim, de uma oportunidade de alcançar um grande número de pessoas, e ele não hesitou quando a oportunidade surgiu. Embora Sachs nunca o tenha dito abertamente, percebi que o convite de Hollywood lisonjeou sua vaidade, atordoou-o com uma breve e intoxicante baforada de poder. Era uma reação perfeitamente normal, mas Sachs nunca foi complacente consigo mesmo, e o mais provável é que, mais tarde, tenha se arrependido desses pretensiosos sonhos de glória e sucesso. Isso tornaria ainda mais difícil para ele falar sobre seus sentimentos verdadeiros, depois que o projeto do filme foi por água abaixo. Sachs se voltara para Hollywood como um modo de escapar da crise iminente que crescia dentro dele, e, assim que ficou claro que não havia escapatória, creio que sofreu muito mais do que deixava transparecer.

Tudo isso é especulação. Que eu saiba, não houve nenhuma mudança abrupta ou radical na conduta de Sachs. Seu cronograma de trabalho era a mesma louca mixórdia de compromissos excessivos e prazos exíguos, e tão logo o episódio de Hollywood ficou para trás, Sachs voltou a produzir tanto quanto antes, se não mais ainda. Artigos, ensaios e resenhas continuaram a jorrar dele em um ritmo vertiginoso, e creio que se possa argumentar que, longe de perder seu rumo, ele na verdade seguia em frente com o pé bem fundo no acelerador. Se contesto esse retrato otimista de Sachs durante aqueles anos, é apenas porque sei o que aconteceu depois. Mudanças enormes tiveram lugar dentro dele, e se é bastante fácil localizar com precisão o ponto em que essas mudanças tiveram início — centrar a mira exatamente na noite do seu acidente e pôr nesse acontecimento estapafúrdio a culpa de tudo —, já não creio mais que essa explicação seja adequada. É possível alguém mudar do dia para a noite? Pode um homem ir dormir como uma pessoa e acordar outra diferente? Talvez, mas não estou muito propenso a apostar nisso. Não que o acidente não tenha sido grave, mas existem mil formas de uma pessoa reagir a um choque de raspão com a morte. O fato de Sachs ter reagido da maneira como reagiu não significa que eu ache que ele tivesse alguma opção. Ao contrário, encaro isso como um reflexo do seu estado de ânimo antes mesmo de o acidente acontecer. Em outras palavras, ainda que Sachs parecesse mais ou menos bem na época, ainda que só tivesse uma pálida consciência de sua própria infelicidade durante os meses e os anos que precederam aquela noite, estou convencido de que não andava nada bem. Não tenho provas para oferecer em apoio a essa afirmação — salvo a prova da constatação após o fato consumado. A maioria dos homens se consideraria felizarda de ter vivido o que se passou com Sachs naquela noite e depois conseguir fazer pouco-caso de tudo aquilo. Mas

Sachs não, e o fato de não fazer isso — ou, para ser mais exato, o fato de não poder fazer isso — sugere que o acidente tanto o modificou quanto tornou visível aquilo que anteriormente se mantinha oculto. Se estou enganado acerca disso, tudo o que escrevi até aqui é besteira, um monte de elucubrações irrelevantes. Talvez a vida de Ben tenha mesmo se rompido em duas naquela noite, dividiu-se em um antes e um depois distintos um do outro — e, nesse caso, tudo o que veio de antes pode ser apagado dos registros. Mas, se isso for verdade, significa que o comportamento humano não faz nenhum sentido. Significa que nada a respeito de coisa alguma pode ser compreendido.

Não testemunhei o acidente, mas estava lá na noite em que aconteceu. Devíamos ser uns quarenta ou cinqüenta na festa, uma massa de gente amontoada nos cantos de um apartamento apertado, em Brooklyn Heights, suando, bebendo, erguendo um alarido no ar quente do verão. O acidente ocorreu por volta das dez horas, mas, àquela altura, a maioria de nós tinha ido para o telhado para ver os fogos de artifício. Só duas pessoas viram, de fato, Sachs cair: Maria Turner, que estava de pé a seu lado, junto à escada de incêndio, e uma mulher chamada Agnes Darwin, que inadvertidamente fez Sachs se desequilibrar ao esbarrar em Maria, por trás. Não há dúvida de que Sachs podia ter morrido. Uma vez que estava a quatro andares do chão, parece quase um milagre que não tenha morrido. Se não fossem as cordas do varal que apararam sua queda a mais ou menos um metro e meio do chão, não haveria como escapar sem alguma lesão permanente: coluna quebrada, crânio fraturado, qualquer uma entre inúmeras desgraças. Aconteceu que a corda estalou sob o peso da queda do seu corpo e, em vez de ele cair de cabeça direto sobre o cimento, aterrissou em cima de um bolo amortecedor formado por tapetinhos de banheiro, toalhas e mantas. Mesmo assim, o impacto foi tremendo, mas nada semelhante ao que poderia ter sido. Sachs não só sobreviveu como emergiu do acidente relativamente ileso: algumas costelas quebradas, um estado de choque moderado, um ombro fraturado, algumas escoriações e contusões feias. Qualquer pessoa poderia se consolar com isso, creio, mas no fundo o verdadeiro estrago teve pouco a ver com o corpo de Sachs. É isso que ainda não consegui assimilar, é esse o mistério que ainda tento resolver. Seu corpo se curou, mas Sachs nunca mais foi o mesmo depois da queda. Naqueles poucos segundos que precederam seu choque contra o chão, foi como se tivesse perdido tudo. Sua vida inteira se desmantelou em pleno ar, e, desse momento até sua morte, quatro anos depois, ele jamais conseguiu recompô-la.

Era o dia 4 de julho de 1986, o centésimo aniversário da Estátua da Liberdade. Iris estava fora, em uma viagem de seis semanas pela China, em companhia de suas três irmãs (uma das quais morava em Taipé), David estava passando duas semanas em um acampamento de verão no condado de Bucks e eu vivia enfurnado no meu apartamento, trabalhava em meu novo livro e não via ninguém. Em geral, Sachs estaria em Vermont nessa época do ano, mas fora contratado pelo *Village Voice* para escrever uma matéria sobre as festividades, e ele não pretendia deixar a cidade antes de haver entregado o trabalho à revista. Três anos antes, Sachs por fim cedera aos meus conselhos e fizera um acordo com um agente literário (Patricia Clegg, que também vinha a ser a minha agente), e foi Patricia quem promoveu a festa naquela noite. Como o Brooklyn ficava em uma posição ideal para ver os fogos de artifício, Ben e Fanny aceitaram o convite de Patricia. Também fui convidado, mas não pensava em ir lá. Andava absorvido demais pelo meu trabalho para querer sair de casa, porém quando Fanny me telefonou naquela tarde e disse que Ben iria à festa, mudei de idéia. Fazia quase um mês que eu não via Ben e Fanny e, como todo mundo estava à beira de se dispersar para as férias de verão, calculei que seria minha última chance de conversar com eles até o outono.

Aconteceu que mal pude conversar com Ben. A festa estava no ápice quando cheguei, e três minutos depois de nos cumprimentarmos, fomos empurrados para cantos opostos da sala. Por puro acaso, fui puxado para junto de Fanny, e em pouco tempo ficamos tão absortos na conversa que perdemos a noção de onde Ben estava. Maria Turner também estava lá, mas não a vi na multidão. Só depois do acidente soube que ela viera à festa — na verdade, estava ao lado de Sachs, junto à escada de incêndio, antes de ele cair —, mas nessa altura a confusão era tamanha (convidados aos gritos, sirenes, ambulâncias, paramédicos afobados) que o impacto pleno da presença dela ali não deixou nenhuma marca em mim. Nas horas que precederam esse momento, me diverti muito mais do que esperava. Não foi tanto a festa, mas sim estar ao lado de Fanny, o prazer de conversar de novo com ela, de saber que ainda éramos amigos apesar de todos os anos e de todos os desastres que se interpunham entre nós. Para dizer a verdade, eu me sentia um bocado sentimental naquela noite, dominado por pensamentos estranhamente patéticos, e me lembro de olhar para o rosto de Fanny e me dar conta — muito bruscamente, como que pela primeira vez — de que nós dois já não éramos jovens, de que nossa vida passava rapidamente por nós. Podia ser o álcool que havia bebido, mas esse pensamento me atingiu com toda a força de uma revelação. Todos estávamos ficando velhos, e a única coisa em que ainda podíamos confiar era em nós mesmos, uns nos outros. Fanny e Ben, Iris e David: essa era a minha família. Eram eles as pessoas a quem eu amava e era a sua alma que eu trazia dentro de mim.

Subimos para o telhado com os demais e, apesar de minha relutância inicial, fiquei contente por não perder o espetáculo dos fogos. As explosões transformaram Nova York em uma cidade espectral, uma metrópole sitiada, e saboreei a flagrante violência de tudo aquilo: o barulho incessante, as corolas luminosas das explosões, as cores a flutuar em imensos dirigíveis de fumaça. A Estátua da Liberdade se erguia à nossa esquerda, no porto, incandescente na sua glória banhada por holofotes, e a todo instante eu tinha a sensação de que os prédios de Manhattan estavam prestes a se projetar do solo, com raiz e tudo, para sair voando e nunca mais voltar. Fanny e eu nos sentamos um pouco atrás dos outros, os calcanhares bem firmes no chão para nos equilibrarmos sobre o piche do telhado, nossos ombros se tocavam, não conversávamos sobre nada em especial. Reminiscências, as cartas que Iris mandava da China, David, o artigo de Ben, o museu. Não quero dar muita importância a isso, mas, pouco antes de Sachs cair, recordamos a história que a mãe dele contara sobre sua visita à Estátua da Liberdade, em 1951. Nas circunstâncias, era natural que a história viesse ao pensamento, mas mesmo assim foi uma coisa macabra, pois, mal havíamos rido da idéia de despencar por dentro da Estátua da Liberdade, Ben despencou pela escada de incêndio. Um instante depois, Maria e Agnes começaram a gritar para nós. Foi como se a palavra queda precipitasse uma queda real, e mesmo que não tenha havido nenhuma ligação entre os dois fatos, ainda engasgo toda vez que penso no que aconteceu. Ainda ouço aqueles gritos das duas mulheres e ainda vejo a expressão do rosto de Fanny quando o nome de Ben foi pronunciado, a expressão de medo que invadiu seus olhos, enquanto as luzes coloridas das explosões continuavam a ricochetear na sua pele.

Ben foi levado para o hospital do Long Island College ainda inconsciente. Embora tenha acordado uma hora depois, mantiveram-no no hospital durante quase duas semanas, submeteram-no a uma série de exames cerebrais para medir meticulosamente o alcance da lesão. Teriam liberado Sachs mais cedo, creio, mas acontece que ele não falou uma palavra durante os dez primeiros dias, não pronunciou uma única sílaba para ninguém — nem para Fanny, nem para mim, nem para Maria Turner (que o visitava todas as tardes), nem para os médicos, nem para as enfermeiras. O falante, o irrefreável Sachs ficara em silêncio, e parecia lógico supor que havia perdido a faculdade da fala, que o tranco na cabeça causara uma grave lesão interna.

Foi um período infernal para Fanny. Tirou folga do trabalho e passava o dia inteiro sentada no quarto ao lado de Ben, mas ele não lhe respondia, muitas vezes fechava os olhos e fingia dormir quando Fanny entrava, reagia aos sorrisos de Fanny com olhares embotados, dava a impressão de não encontrar nenhum consolo na sua presença. Isso tornava quase intolerável para Fanny uma situação já bem difícil em si mesma, e não creio que eu jamais a tenha visto tão preocupada, tão atormentada, tão perto da mais absoluta infelicidade como esteve nessa ocasião. Também não trazia benefício nenhum a presença constante de Maria. Fanny atribuía toda sorte de motivos a essas visitas, mas a verdade é que isso não tinha nenhum fundamento. Maria mal conhecia Ben, e muitos anos tinham passado desde o último encontro entre os dois. Sete anos, para ser exato — a última vez fora no jantar, no Brooklyn, em que eu e Maria nos conhecemos. O convite de Maria para a festa da Estátua da Liberdade nada tinha a ver com o fato de ela conhecer Ben, Fanny ou a mim. Agnes Darwin, uma editora que estava organizando um livro sobre a obra de Maria, por acaso era amiga de Patricia Clegg e foi ela a responsável pela presença de Maria na festa daquela noite. Ver Ben cair foi uma experiência aterradora para Maria, e ela veio ao hospital movida pelo choque, pela preocupação, porque não lhe parecia direito não ir até lá. Eu sabia disso, mas Fanny não e, como eu observava a sua angústia toda vez que ela e Maria se cruzavam (ciente de que ela suspeitava do pior, ciente de que Fanny se convencera de que Maria e Ben tinham um caso secreto), convidei as duas para almoçar na cafeteria do hospital, certa tarde, para desanuviar o ambiente.

Segundo Maria, ela e Ben conversaram um pouco na cozinha. Ele se mostrou animado e cativante, regalou-a com anedotas obscuras sobre a Estátua da Liberdade. Quando começaram os fogos de artifício, ele sugeriu que saíssem pela janela da cozinha e fossem ver o espetáculo da escada de incêndio, em vez de subir para o telhado. Maria não achou que Ben tivesse bebido demais, porém, a certa altura, e sem mais nem menos, ele saltou, se balançou agarrado na grade e sentou-se na beirada do balaústre de ferro, as pernas oscilando abaixo dele, nas trevas. Isso a deixou assustada, disse Maria, e ela se aproximou às pressas, abraçou-o por trás, segurou o seu tronco para impedir que ele caísse. Maria tentou convencê-lo a descer dali, mas Ben apenas riu e lhe disse para não se preocupar. Só então Agnes Darwin entrou na cozinha e viu Maria e Ben através da janela aberta. Estavam de costas e, com todo o barulho e o tumulto lá fora, eles não tinham a mínima idéia de que Agnes estava ali. Mulher gordinha e alegre, que sempre bebia mais do que devia, Agnes meteu na cabeça que devia ir lá fora e se juntar a eles na escada de incêndio. Com um copo de vinho na mão, manobrou seu corpo volumoso para atravessar a janela, pousou na platibanda com o salto da sapato esquerdo preso entre dois frisos de ferro, tentou se equilibrar e de repente tombou para a frente. Não havia muito espaço livre ali e, meio passo adiante, ela esbarrou em Maria por trás, trombou de cara nas costas da sua amiga com toda a força do seu peso. O encontrão fez Maria abrir os braços e, quando ela soltou o corpo de Sachs, ele despencou direto pela beirada da grade. Foi de repente, disse ela, sem nenhum aviso. Agnes trombou contra Maria, Maria trombou contra Sachs e, logo depois, ele caiu de cabeça dentro da noite.

Fanny ficou aliviada ao saber que suas suspeitas eram infundadas, mas, ao mesmo tempo, a rigor nada tinha sido explicado. Para começo de conversa, por que Sachs foi subir na grade? Ele sempre teve pavor de altura e aquilo parecia a última coisa que faria, nas circunstâncias. Mas se tudo estava bem entre ele e Fanny antes do acidente, por que Sachs se voltara contra ela agora, por que ele a rechaçava toda vez que Fanny entrava no quarto? Alguma coisa tinha acontecido, uma coisa que ia além dos danos físicos causados pelo acidente, e até Sachs estar em condições de falar, ou até ele resolver que queria falar, Fanny nunca ia saber o que era.

Passou quase um mês antes de Sachs me contar o seu lado da história. Ele estava em casa, ainda se recuperando, mas já não era mais obrigado a ficar na cama, e fui até o seu apartamento certa tarde enquanto Fanny estava no trabalho. Era um dia escaldante no início de agosto. Bebemos cerveja na sala, eu me lembro, assistindo a um jogo de beisebol na tevê, sem som, e agora toda vez que recordo essa conversa vejo os jogadores silenciosos na telinha de luz trêmula, saltitando em um desfile de movimentos vistos de forma turva, um contraponto insólito às confidências dolorosas que meu amigo despejava sobre mim.

A princípio, disse Sachs, ele tinha apenas uma vaga noção de quem era Maria Turner. Reconheceu-a quando a viu na festa, mas não conseguia lembrar o contexto em que a conhecera. Eu nunca esqueço um rosto, disse ele para Maria, mas estou com dificuldade de associar um nome ao seu rosto. Evasiva como sempre, Maria apenas sorriu, disse que na certa o nome viria a ele após algum tempo. Estive na sua casa certa vez, acrescentou ela, como quem dá uma pista, mas não revelou nada mais do que isso. Sachs percebeu que Maria estava brincando com ele, mas gostou bastante do seu jeito de reagir àquela situação. Sachs sentiu-se intrigado pelo seu sorriso irônico e jocoso e não fez objeção a participar de um joguinho de gato e rato. Maria nitidamente possuía o senso de humor adequado, e só isso já era bem interessante, já era algo que fazia valer a pena levar a brincadeira adiante.

Se ela lhe tivesse revelado seu nome, disse Sachs, ele provavelmente não teria agido da forma que fez. Sabia que Maria Turner e eu estivéramos ligados antes de eu conhecer Iris e sabia que Fanny ainda tinha algum contato com ela, visto que de vez em quando Fanny falava com Ben sobre o trabalho de Maria. Mas tinha havido uma barafunda de nomes na noite do jantar, sete anos antes, e Sachs nunca chegou a saber exatamente quem era Maria Turner. Três ou quatro jovens artistas estavam sentadas à mesa de jantar naquela noite, e como Sachs estava conhecendo todas elas ao mesmo tempo, cometera o erro muito comum de embaralhar seus nomes e rostos, atribuindo um nome errado para todos os rostos. Na sua mente, Maria Turner era uma mulher baixa, de cabelo castanho comprido, e toda vez que eu mencionava seu nome para Sachs, era essa a imagem que ele via.

Eles levaram seus drinques para a cozinha, que estava um pouco menos cheia de gente do que a sala, sentaram-se em um aquecedor junto à janela aberta, gratos pela leve brisa que soprava em suas costas. Ao contrário do que Maria disse acerca do estado de sobriedade de Sachs, ele me contou que já estava bem embriagado. Sua cabeça rodava e, embora o tempo todo dissesse a si mesmo que devia parar de beber, entornou pelo menos mais três *bourbons* no decorrer da hora seguinte. A conversa se converteu em uma dessas malucas e elípticas trocas de palavras que ocorrem quando as pessoas se põem a flertar nas festas, uma série de charadas, de respostas ilógicas, de tiradas sagazes com que a pessoa postula a sua superioridade diante da outra. O segredo é não dizer nada a respeito de si mesmo, falar da forma mais cheia de rodeios e mais elegante possível, fazer o outro rir, se mostrar astuto. Tanto Sachs quanto Maria eram bons nesse tipo de coisa e conseguiram tocar adiante a brincadeira durante três *bourbons* e alguns copos de vinho.

Como o ar estava quente e como Maria havia hesitado em ir à festa (achando que ia ser chata), ela resolveu vestir o traje mais diminuto do seu guarda-roupa: um colante carmim sem mangas, com um decote muito cavado, uma minissaiazinha preta, pernas de fora, saltos muito altos, um anel em cada dedo e um bracelete em cada pulso. Era uma indumentária provocativa, escandalosa, mas Maria se achava nesse estado de espírito e, na pior hipótese, isso garantia que ela não ia se apagar no meio da multidão. Conforme Sachs me contou naquela tarde diante da tevê sem som, ele vinha tendo um comportamento exemplar nos últimos cinco anos. Não tinha olhado para mulher nenhuma durante todo esse tempo e Fanny aprendera a confiar nele outra vez. Salvar o casamento fora uma tarefa árdua; exigira um esforço enorme dos dois, no decorrer de um período longo e difícil, e Sachs tinha jurado nunca mais pôr em risco sua vida com Fanny. E então lá estava ele, sentado no aquecedor ao lado de Maria, no meio de uma festa, espremido de encontro a uma mulher seminua, de pernas esplêndidas e convidativas — já um pouco fora de controle, com álcool demais circulando na corrente sanguínea. Pouco a pouco, Sachs foi dominado por uma ânsia quase incontrolável de tocar aquelas pernas, de deslizar a mão para cima e para baixo na suavidade daquela pele. Para piorar ainda mais as coisas, Maria usava um perfume caro e perigoso (Sachs sempre teve um fraco por perfumes) e, enquanto sua conversa jocosa e marota prosseguia, tudo o que Ben podia fazer era lutar contra a vontade de cometer uma mancada grave e vergonhosa. Felizmente, suas inibições levaram a melhor contra os seus desejos, mas isso não o impediu de imaginar o que teria acontecido se elas houvessem perdido a parada. Viu a ponta dos seus dedos pousarem mansamente em um ponto um pouco acima do joelho esquerdo de Maria; viu sua mão mover-se para cima, rumo às regiões sedosas da parte interna da coxa (aqueles pequenos trechos de carne ainda ocultos pela saia), e então, após deixar os dedos vagarem por ali durante vários segundos, sentiu-os deslizar pela borda da calcinha até o Éden das nádegas e de um púbis denso e latejante. Era uma encenação mental tremenda, mas, depois que o projetor começou a rodar na sua cabeça, Sachs não teve mais forças para desligá-lo. E ainda por cima Maria parecia saber exatamente o que ele estava pensando. Caso ela tivesse se mostrado ofendida, o feitiço poderia ter se quebrado, mas Maria obviamente gostava de ser o objeto desses pensamentos lascivos e, a julgar pela expressão dela toda vez que a olhava, Sachs começou a desconfiar que Maria, em silêncio, o estava estimulando, desafiando-o a ir em frente e fazer o que tinha vontade de fazer. Conhecendo Maria como conheço, disse eu, posso imaginar uma porção de motivos para explicar o seu comportamento. Podia ter ligação com algum projeto em que ela estivesse trabalhando na ocasião, por exemplo, ou então ela estava se divertindo porque sabia uma coisa que Sachs não sabia, ou ainda, com um toque um pouco mais maldoso, ela podia ter resolvido castigá-lo por não lembrar seu nome. (Mais tarde, quando tive oportunidade de conversar em particular com Maria sobre o caso, ela confessou que a última explicação era de fato a verdadeira.) Mas Sachs não estava ciente de nada disso, na hora. Só podia ter certeza daquilo que sentia e isso era muito simples: ardia de desejo por uma mulher desconhecida e atraente e, por causa disso, sentia desprezo por si mesmo.

— Não vejo nada de que você devesse ter vergonha — falei. — Você é humano, afinal, e Maria pode ser um bocado sedutora quando ela resolve ser assim. Contanto que nada tenha acontecido, não há nenhum motivo para você se censurar.

— Não é que eu tenha me sentido atraído — explicou Sachs lentamente, escolhendo as palavras com todo o cuidado. — O problema é que eu a deixei atraída por mim. Eu não queria nunca mais fazer esse tipo de coisa, veja bem. Eu prometera a mim mesmo que isso havia acabado, e lá estava eu de novo fazendo a mesma coisa.

— Você está confundindo pensamentos com atos — objetei. — Há um mundo de diferença entre fazer uma coisa e simplesmente pensar nisso. Se não estabelecêssemos essa distinção, a vida seria impossível.

— Não estou falando disso. A questão é que eu queria fazer uma coisa que, poucos momentos antes, não sabia que queria fazer. A questão não era ser infiel a Fanny, tratava-se de um problema de autoconhecimento. Achei aterrador descobrir que eu era capaz de me ludibriar desse modo. Se eu tivesse dado um basta àquilo ali, na hora, não teria sido tão ruim, mas, mesmo depois de entender o que eu estava armando, continuei a dar em cima dela do mesmo jeito.

— Mas não tocou nela. No fim, isso é a única coisa que conta.

— Não, não toquei nela. Mas manobrei a situação de modo que ela teve de tocar em mim. Para mim, isso é ainda pior. Fui desonesto comigo mesmo. Segui a letra da lei à risca, como um bom escoteiro, mas traí completamente o seu espírito. Foi por isso que caí da escada de incêndio. Não foi um acidente, na verdade, Peter. Eu mesmo o provoquei. Agi como um covarde e então tive de pagar por isso.

— Está me dizendo que pulou?

— Não, não foi nada tão simples assim. Corri um risco idiota, apenas isso. Fiz uma coisa imperdoável porque estava envergonhado demais para admitir a mim mesmo que queria tocar na perna de Maria Turner. Na minha opinião, um homem que chega a esse extremo de auto-engano merece tudo o que lhe acontecer.

Foi por isso que Sachs levou Maria para a escada de incêndio. Era uma saída para a cena embaraçosa que se desenrolara na cozinha, mas foi também o primeiro passo de um plano complexo, um ardil que lhe permitiria roçar no corpo de Maria Turner e ainda assim manter intacta a sua honra. Era isso o que tanto o agoniava, em retrospecto: não o fato do seu desejo, mas a negação desse desejo como um meio dúbio de satisfazê-lo. Tudo era caos lá fora, disse ele. Aplausos da multidão, fogos que explodiam, um estrondo contínuo e pulsante em seus ouvidos. Os dois ficaram parados na platibanda por longos instantes, vendo uma saraivada de foguetes iluminar o céu, e aí ele pôs em ação a primeira parte do seu plano. Em vista de uma vida inteira dominada pelo pavor de situações desse tipo, foi uma coisa notável Sachs não ter hesitado. Movendo-se para a frente, para a beirada da platibanda, rodou a perna direita por cima da grade, equilibrou-se rapidamente segurando a beirada com as duas mãos, e então rodou também a perna esquerda por cima da grade. Balançando de leve para a frente e para trás enquanto corrigia seu equilíbrio, ouviu Maria soltar um suspiro de susto atrás dele. Maria pensou que ele ia pular, Sachs percebeu, e assim ele rapidamente tratou de tranqüilizá-la, insistiu que apenas tentava encontrar uma posição melhor para ver o espetáculo. Felizmente, Maria não se satisfez com essa explicação. Implorou que ele descesse dali e, quando viu que não ia descer, Maria fez aquilo que Sachs esperava que fizesse, exatamente a ação que estava nos cálculos dos seus ardis atrevidos. Maria veio correndo por trás dele e enlaçou seu peito com os braços. Foi só isso: um pequenino gesto de cuidado que tomou o disfarce de um abraço ardente, total. Se não chegou a produzir a reação de êxtase que Sachs esperava (ele estava apavorado demais para dar ao abraço toda a sua atenção), tampouco o decepcionou inteiramente. Sachs pôde sentir o calor da respiração de Maria palpitando na sua nuca, pôde sentir os seios pressionando as suas costas, pôde sentir o perfume. Foi um instante rapidíssimo, o mais breve e o mais efêmero dos prazeres, mas, enquanto os braços nus e esguios de Maria se comprimiam em torno dele, Sachs experimentou algo que parecia felicidade — um tremor microscópico, uma onda de beatitude passageira. Sua aposta parecia ter dado certo. Bastava agora que ele descesse dali e toda aquela farsa já teria valido a pena. Seu plano era inclinar-se para trás, de encontro a Maria, e usar o corpo dela como apoio enquanto baixava até a platibanda (o que prolongaria o contato entre os dois até o último segundo), mas exatamente na hora em que Sachs começou a pender para trás a fim de levar adiante sua manobra, Agnes Darwin prendeu o salto do sapato e caiu aos trambolhões em cima de Maria, pelas costas. Sachs havia afrouxado a pressão das mãos na borda da grade e, quando Maria de repente esbarrou contra ele com um violento impulso para a frente, os dedos de Sachs se abriram e as mãos perderam contato com a grade. Seu centro de gravidade se projetou para cima, ele se sentiu arremessado para fora do prédio e, um momento depois, se viu rodeado de nada, exceto ar.

— Não posso ter demorado muito tempo para alcançar o chão — disse ele. — Talvez um ou dois segundos, três no máximo. Mas recordo nitidamente ter tido mais de um pensamento durante esse intervalo. Primeiro, veio o horror, o momento da compreensão, o instante em que entendi que estava caindo. Era de imaginar que fosse me limitar a isso, que eu não teria tempo de pensar em mais nada. Mas o horror não durou muito. Não, está errado, o horror prosseguiu, mas um outro pensamento se formou dentro dele, algo mais forte do que o mero horror. É difícil lhe dar um nome. Um sentimento de certeza absoluta, talvez. Um imenso e avassalador surto de convicção, o gosto de alguma verdade suprema. Nunca me senti tão seguro de alguma coisa em toda a minha vida. Primeiro entendi que estava caindo e depois entendi que estava morto. Não quero dizer que senti que ia morrer, quero dizer que já estava morto. Era um homem morto que caía pelo ar e, muito embora eu ainda estivesse tecnicamente vivo, estava morto, tão morto quanto um homem enterrado na sua cova. Não sei de que outra maneira eu poderia me exprimir. Mesmo enquanto caía, eu já havia ultrapassado o momento em que bati contra o chão, o momento do choque, eu já havia ultrapassado o momento em que me despedacei. Eu me transformara em um cadáver e, na hora em que bati nas cordas do varal e aterrissei em cima daquelas toalhas e mantas, eu já não existia mais. Eu tinha abandonado meu corpo e, por uma fração de segundo, de fato me vi desaparecer.

Havia perguntas que eu queria lhe fazer, mas não o interrompi. Sachs estava com dificuldade para pôr aquela história para fora, falava em meio a um transe de hesitações e de silêncios embaraçosos, e eu receava que uma palavra repentina da minha parte pudesse desviá-lo do seu caminho. Para ser honesto, eu não entendia inteiramente o que ele estava tentando dizer. Não havia dúvida de que a queda tinha sido uma experiência horripilante, mas me senti confuso com o grau do esforço que ele empregou para descrever os mínimos fatos que a haviam precedido. A questão com Maria me pareceu banal, sem nenhuma importância genuína, uma trivial comédia de costumes sobre a qual nem valia a pena falar. Na mente de Sachs, porém, havia uma ligação direta. Uma coisa havia causado a outra, o que significava que ele não via a queda como um acidente, ou um lance de má sorte, mas sim como uma grotesca forma de punição. Eu quis lhe dizer que ele estava enganado, que estava sendo exageradamente severo consigo mesmo — mas não o fiz. Limitei-me a ficar quieto e ouvi-lo enquanto Sachs continuava a analisar o próprio comportamento. Ele tentava me apresentar um relato absolutamente preciso, detinha-se nas mais ínfimas minúcias com a paciência de um teólogo medieval, esforçava-se ao máximo para concatenar todas as nuances de seu inofensivo flerte com Maria junto à escada de incêndio. Era infinitamente sutil, infinitamente elaborado e complexo, e, após certo tempo, comecei a compreender que aquele drama liliputiano havia assumido, para ele, a mesma magnitude da queda em si mesma. Não existia mais nenhuma diferença. Um abraço rápido e burlesco se tornara o equivalente moral da morte. Se Sachs não se mostrasse tão sério a respeito do assunto, eu teria achado tudo aquilo cômico. Infelizmente, não me ocorreu rir. Tentava me mostrar solidário, ouvir e aceitar, nos seus próprios termos, o que ele tinha a dizer. Relembrando, agora, creio que teria sido mais útil para Sachs se lhe tivesse dito o que eu pensava. Eu devia ter rido na cara dele. Devia ter dito que ele estava maluco e obrigá-lo a parar com aquilo. Se houve um momento em que, como amigo, deixei Sachs na mão, foi naquela tarde, quatro anos atrás. Tive a chance de ajudá-lo e deixei a oportunidade fugir entre os meus dedos.

Sachs nunca tomou uma decisão consciente de não falar, contou ele. Simplesmente aconteceu assim e, mesmo enquanto o seu silêncio prosseguia, ele sentia vergonha de si mesmo por causar preocupação em tanta gente. Nunca houve nada de lesão cerebral ou choque, nenhum sinal de um impedimento físico. Ele entendia tudo o que lhe diziam e no íntimo sabia que era capaz de se expressar a respeito de qualquer assunto. O momento crucial aconteceu no início, quando abriu os olhos e viu uma mulher desconhecida que olhava direto para o seu rosto — uma enfermeira, depois ele veio a saber. Sachs a ouviu avisar a alguém que Rip Van Winkle tinha finalmente despertado — ou talvez essas palavras fossem dirigidas a ele, Sachs não podia saber com certeza. Ele quis responder alguma coisa, mas sua mente já estava em um tumulto, girava em todas as direções ao mesmo tempo e, com a dor nos ossos se fazendo se sentir de repente, ele concluiu que estava fraco demais para responder a ela naquele momento e deixou passar a oportunidade. Sachs nunca fizera nada assim antes e, enquanto a enfermeira continuava a tagarelar para ele, logo auxiliada por um médico e por uma outra enfermeira, os três amontoados em volta do seu leito, incitando-o a dizer como se sentia, ele continuou a seguir seus próprios pensamentos, como se os três não estivessem ali, feliz por haver se libertado do peso de ter de lhes responder. Sachs imaginou que isso fosse acontecer só daquela vez, mas a mesma coisa ocorreu na vez seguinte, e depois uma terceira vez, e ainda mais uma, depois. Toda vez que alguém falava com ele, Sachs era possuído pela mesma estranha compulsão de conter a língua. À medida que os dias se passaram, ele se tornou ainda mais determinado em seu silêncio, agiu como se fosse uma questão de honra, um desafio secreto para ele ser fiel a si mesmo. Sachs ouvia as palavras que as pessoas lhe dirigiam, pesava cuidadosamente cada frase quando ela penetrava em seus ouvidos, mas então, em vez de oferecer um comentário seu, ele virava a cara, ou fechava os olhos, ou olhava de volta para o seu interlocutor como se enxergasse através dele. Sachs sabia o quanto esse comportamento era infantil e petulante, mas isso não tornava menos difícil para ele deixar de agir assim. Os médicos e as enfermeiras não tinham importância nenhuma para Sachs, e ele não sentia nenhuma grande responsabilidade por Maria, ou por mim, ou por qualquer um de seus amigos. Fanny, porém, era diferente, e houve várias ocasiões em que ele chegou perto de ceder, pelo bem dela. Bem no fundo, uma centelha de arrependimento atravessava Sachs toda vez que Fanny o visitava. Ele compreendia como estava sendo cruel com a esposa e isso o enchia de um sentimento de indignidade, de um repugnante travo de culpa. Às vezes, enquanto ficava deitado ali na cama, em guerra com a sua consciência, Sachs fazia débeis tentativas de sorrir para ela, e uma ou duas vezes ele de fato chegou a mover os lábios, produziu alguns tênues sons gorgolejantes no fundo da garganta para convencê-la de que ele estava fazendo o melhor possível, de que mais cedo ou mais tarde palavras autênticas começariam a sair dele. Sachs tinha ódio de si mesmo por causa dessas fraudes, mas àquela altura aconteciam coisas demais dentro do seu silêncio e ele não conseguia reunir a vontade suficiente para rompê-lo.

Ao contrário do que supunham os médicos, Sachs recordava todos os detalhes do acidente. Bastava pensar em qualquer momento daquela noite para a noite inteira voltar à sua mente, em toda a sua chocante realidade: a festa, Maria Turner, a escada de incêndio, os primeiros instantes da sua queda, a certeza da morte, a corda do varal, o cimento. Nada era turvo, nenhuma parte era menos nítida do que a outra. O acontecimento todo se apresentava em uma exagerada abundância de clareza, em uma avalanche de recordações inelutáveis. Uma coisa extraordinária tinha acontecido e, antes que aquilo perdesse a força dentro dele, Sachs precisava devotar-lhe sua atenção implacável. Daí seu silêncio. Não era tanto uma rejeição, mas antes um método, um modo de se concentrar no horror daquela noite por tempo suficiente para depreender o seu significado. Ficar calado era se encerrar na contemplação, reviver muitas e muitas vezes os instantes da queda, como se ele pudesse se manter suspenso em pleno ar pelo resto do tempo — para sempre a apenas cinco centímetros do chão, para sempre à espera do apocalipse do último momento.

Sachs não tinha a menor intenção de perdoar a si mesmo, disse-me ele. Sua culpa era uma sentença já consumada e quanto menos tempo ele perdesse com isso, melhor.

— Em qualquer outro momento da vida — disse ele —, eu na certa sairia à procura de desculpas. Acidentes acontecem, afinal de contas. Toda hora, todo dia, gente morre quando menos espera. Pessoas são queimadas em incêndios, se afogam em lagos, batem com seus carros em outros carros, caem pela janela. A gente lê essas coisas no jornal toda manhã e é preciso ser um idiota para não saber que a sua vida também poderia acabar de forma tão abrupta e tão estúpida quanto a de qualquer um desses pobres idiotas. Mas o fato é que o meu acidente não foi causado pela má sorte. Eu não fui uma simples vítima, fui um cúmplice, um sócio atuante de tudo o que me aconteceu, e não posso ignorar isso, preciso assumir alguma responsabilidade pelo papel que desempenhei. Será que isso faz algum sentido para você, ou estou falando disparates? Não quero dizer que flertar com Maria Turner tenha sido um crime. Foi uma bobagem, uma travessurazinha aviltante, mas não foi de jeito nenhum nada mais grave do que isso. Eu devo ter me sentido um canalha por ficar cheio de tesão por ela, mas, se a história toda se resumisse a essa comichão nas minhas gônadas, eu já teria esquecido tudo, a essa altura. O que estou dizendo é que não creio que o sexo tenha muito a ver com o que aconteceu naquela noite. Foi uma das coisas que vim a compreender no hospital, deitado na cama durante todos aqueles dias sem falar nada.

Se eu tivesse sido sério de verdade no meu tesão por Maria Turner, por que teria ido a tal extremo do ridículo para engabelar a moça e obrigá-la a tocar em mim? Deus sabe como havia maneiras menos perigosas de alcançar esse objetivo, mil estratégias mais eficientes para obter o mesmo resultado. Mas eu me transformei em um acrobata temerário lá na beira da escada de incêndio, pus efetivamente em risco a minha vida. Por quê? Por um pequeno abraço no escuro, por nada, na verdade. Ao recordar a cena, no meu leito de hospital, entendi por fim que tudo era diferente do que eu tinha imaginado. Eu tinha visto de trás para a frente, olhara para tudo aquilo de cabeça para baixo. O propósito das minhas palhaçadas não era levar Maria a pôr os braços em volta de mim, mas sim arriscar minha vida. Ela não passava de um pretexto, um instrumento para me colocar sobre a beira da grade, uma mão para me conduzir até o limiar do desastre. A questão era: por que fiz isso? Por que me mostrei tão ansioso de cortejar esse risco? Devo ter feito essa pergunta a mim mesmo cem vezes por dia e, cada vez que perguntava, um abismo apavorante se abria dentro de mim e, imediatamente depois, eu estava caindo de novo, mergulhando de cabeça dentro das trevas. Não quero parecer exageradamente dramático, mas aqueles dias no hospital foram os piores da minha vida. Eu me colocara numa posição propícia para cair, compreendi isso, e tinha agido assim de propósito. Essa foi a minha descoberta, a conclusão incontestável que emergiu do meu silêncio. Entendi que eu não queria viver. Por razões ainda impenetráveis para mim, subi na beira da grade naquela noite para me matar.

— Você estava bêbado — falei. — Não sabia o que estava fazendo.

— Estava bêbado e sabia exatamente o que estava fazendo. A questão é que eu não sabia que sabia.

— Isso é enrolação. Puro sofisma.

— Eu não sabia que sabia, e a bebida me deu a coragem necessária para agir. A bebida me ajudou a fazer aquilo que eu não sabia que desejava fazer.

— Você me contou que caiu porque estava assustado demais para tocar nas pernas de Maria. Agora quer mudar a história e vem me dizer que caiu de propósito. Não dá para ficar com as duas coisas. Tem de ser uma ou outra.

— São as duas. Uma coisa levou à outra, e elas não podem ser separadas. Não estou dizendo que eu entendo, estou só dizendo como foi, aquilo que sei que é verdade. Eu estava pronto a dar cabo de mim mesmo naquela noite. Ainda posso sentir isso nas entranhas e morro de pavor quando me vejo andando por aí com esse sentimento dentro de mim.

— Existe em todo mundo uma parte que deseja morrer — respondi —, um pequeno caldeirão de autodestruição que está sempre fervendo por baixo da superfície. Por algum motivo, as chamas para você ficaram muito altas naquela noite e uma coisa doida aconteceu. Mas, só porque aconteceu uma vez, não quer dizer que vá acontecer de novo.

— Talvez. Mas isso não elimina o fato de que aconteceu, e aconteceu por uma razão. Se eu pude ser apanhado assim de surpresa, deve ser porque existe em mim algo fundamentalmente errado. Deve ser porque não acredito mais na minha vida.

— Se você não acreditasse na sua vida, não teria recomeçado a falar. Você deve ter tomado algum tipo de decisão. Deve ter traçado um rumo para você mesmo.

— Na verdade, não. Você entrou no quarto com David, ele se aproximou da cama e sorriu para mim. De repente me vi dizendo oi para ele. Foi simples assim. David parecia tão bonito. Todo bronzeado e saudável, depois das semanas que passou no acampamento, um perfeito menino de nove anos. Quando David caminhou para perto da minha cama e sorriu para mim, nem passou pela minha cabeça a idéia de não falar com ele.

— Você tinha lágrimas nos olhos. Pensei que isso significasse que você havia esclarecido alguma coisa para si mesmo, que você estava no caminho de volta.

— Significava que eu tinha tocado o fundo do poço. Significava que eu havia entendido que precisava modificar minha vida.

— Modificar a vida não é a mesma coisa que querer dar fim a ela.

— Quero dar fim à vida que tenho levado até agora. Quero mudar tudo. Se não conseguir fazer isso, vou estar em sérios apuros. Minha vida inteira foi um desperdício, uma piadinha imbecil, uma sórdida seqüência de fracassos mesquinhos. Vou fazer quarenta e um anos na semana que vem e, se não tomar as rédeas da situação agora, vou me afogar. Vou afundar como uma pedra, até o fundo do mundo.

— Tudo o que você precisa é voltar a trabalhar. No instante em que recomeçar a escrever, começará a se lembrar de quem você é.

— A idéia de escrever me repugna. Isso não significa mais nada para mim.

— Esta não é a primeira vez que você fala desse jeito.

— Talvez. Mas desta vez falo sério. Não quero passar o resto da minha vida enrolando folhas de papel em branco numa máquina de escrever. Quero me levantar da minha escrivaninha e fazer alguma coisa. Os dias de ser uma sombra terminaram. Tenho de penetrar no mundo real agora e fazer alguma coisa.

— Como o quê?

— Quem pode saber? — respondeu Sachs. Suas palavras ficaram em suspenso no ar durante vários segundos, e então, sem nenhum aviso, seu rosto se abriu em um sorriso. Era o primeiro sorriso que eu via nele em várias semanas e, nesse momento único e passageiro, Sachs quase começou a parecer aquela pessoa que tinha sido antes. — Quando eu souber o que é — disse ele — escreverei uma carta para você.

Saí do apartamento de Sachs achando que ele iria superar a crise. Não de imediato, talvez, mas a longo prazo achei difícil imaginar que as coisas não fossem voltar ao normal para ele. Sachs tinha muita resistência, disse a mim mesmo, tinha muita inteligência e determinação para permitir que o acidente o esmagasse. É possível que eu tenha subestimado o quanto sua confiança fora abalada, mas tendo a achar que não. Vi como ele estava atormentado, vi a angústia das suas dúvidas e auto-recriminações, mas, apesar das coisas abomináveis que ele disse a respeito de si mesmo naquela tarde, também fez brilhar um sorriso para mim e interpretei essa eclosão fugaz de ironia como um sinal de esperança, uma prova de que Sachs seria capaz de se recuperar integralmente.

Semanas se passaram, no entanto, e depois meses, e a situação permanecia exatamente a mesma. É verdade que ele retomou boa parte da sua estabilidade social e, à medida que o tempo corria, seu sofrimento se tornava menos óbvio (ele já não ficava absorto diante dos outros, já não se mostrava mais tão alheio), porém isso só acontecia porque ele falava menos sobre si mesmo. Não era o mesmo silêncio do hospital, mas seu efeito era semelhante. Agora Sachs falava, abria a boca e usava as palavras nos momentos convenientes, mas nunca dizia nada daquilo que realmente o preocupava, nada sobre o acidente ou suas conseqüências, e aos poucos me dei conta de que ele havia empurrado seu sofrimento para o subsolo e enterrado em um lugar onde ninguém poderia vê-lo. Se tudo o mais fosse igual, talvez isso não tivesse me deixado tão perturbado. Eu poderia ter aprendido a viver com esse Sachs mais calado e mais contido, entretanto os sinais externos eram desanimadores demais e eu não conseguia me desvencilhar da sensação de que eram sintomas de uma angústia mais vasta. Ele recusava propostas de trabalho para revistas, não fazia nenhum esforço para retomar seus contatos profissionais, parecia haver perdido todo interesse em sentar-se de novo diante da sua máquina de escrever. Sachs me havia dito isso depois de sair do hospital e ir para casa, mas não acreditei. Agora que ele mantinha sua palavra, comecei a ficar assustado. Desde que o conhecera, sua vida girava em torno do trabalho, e vê-lo de repente sem esse trabalho tornava-o semelhante a um homem sem vida alguma. Sachs estava à deriva, boiava sem rumo em um mar de dias que não se distinguiam uns dos outros e, até onde eu podia perceber, não fazia para ele a menor diferença voltar para a terra ou não.

Em algum momento entre o Natal e o Ano Novo, Sachs fez a barba e cortou o cabelo em um comprimento normal. Foi uma mudança drástica que o deixou com o aspecto de uma pessoa completamente diferente. De algum modo, parecia ter encolhido, ter ficado ao mesmo tempo mais novo e mais velho, e passou-se um mês inteiro antes de eu me acostumar com isso, até parar de ficar espantado toda vez que ele aparecia. Não é que eu preferisse que Sachs tivesse esta ou aquela aparência, mas me angustiava o simples fato de mudar, qualquer mudança em si mesma. Quando lhe perguntei por que tinha feito aquilo, sua primeira reação foi um evasivo dar de ombros. Em seguida, após uma pausa breve, percebendo que eu esperava uma resposta mais completa, resmungou alguma coisa sobre não querer mais se preocupar. Iria se ater aos cuidados pessoais elementares, disse ele, se restringiria à higiene pessoal básica. Além do mais, queria dar a sua pequena contribuição ao capitalismo. Ao fazer a barba três ou quatro vezes por semana, estaria ajudando as fábricas de barbeadores a se manterem em atividade, o que significava que estaria contribuindo para o bem da economia americana, para o bem-estar e a prosperidade de todos.

Aquilo não passava de papo-furado, mas, depois de conversarmos sobre o assunto daquela vez, a coisa nunca mais veio à tona. Sachs nitidamente não queria se deter na questão e não insisti para que me desse mais explicações. O que não significa que não fosse importante para ele, contudo. Todo homem é livre para escolher sua aparência, mas no caso de Sachs achei que representava um gesto particularmente violento e agressivo, quase uma forma de automutilação. O lado esquerdo do rosto e do crânio ficaram muito feridos em virtude da queda, e os médicos costuraram vários trechos em redor da têmpora e da mandíbula. De barba e cabelo compridos, as cicatrizes desses ferimentos se mantinham ocultas. Uma vez que o cabelo se fora, as cicatrizes se tornaram visíveis, os afundamentos e os talhos se apresentavam nus, para que todos os vissem. A menos que eu o tenha entendido muito erradamente, creio ter sido por isso que ele mudou sua aparência. Queria expor suas feridas, anunciar ao mundo que essas cicatrizes eram aquilo que o definiam agora, queria poder olhar para si mesmo no espelho toda manhã e lembrar o que lhe havia acontecido. As cicatrizes eram um amuleto contra o esquecimento, um sinal de que nada jamais seria perdido.

Certo dia, em meados de fevereiro, fui almoçar com o meu editor em Manhattan. O restaurante ficava em algum ponto entre as ruas Vinte e Trinta, Oeste, e quando a refeição terminou me pus a caminhar pela Oitava avenida, na direção da rua Trinta e Quatro, onde pretendia pegar o metrô de volta para o Brooklyn. A cinco ou seis quarteirões do meu destino, calhou de eu ver

Sachs do outro lado da rua. Não posso dizer que tenho orgulho do que fiz depois disso, mas na hora pareceu fazer sentido. Fiquei curioso de saber o que ele fazia naquelas suas perambulações, eu estava seco para obter alguma informação sobre como ele ocupava os seus dias e assim, em vez de chamá-lo, parei e me mantive oculto. Era uma tarde fria, com um céu cinzento e úmido, e uma ameaça de neve no ar. Durante as horas seguintes, segui Sachs pelas ruas, andei atrás do meu amigo através dos cânions de Nova York. Enquanto escrevo sobre isso, agora, parece muito pior do que foi, na verdade, pelo menos em termos do que eu imaginava estar fazendo. Não tinha a intenção de espioná-lo, nenhuma vontade de invadir seus segredos. Eu procurava algum sinal de esperança, alguma fagulha de otimismo para mitigar minha aflição. Disse para mim mesmo: ele vai me surpreender; vai fazer alguma coisa ou vai a algum lugar que provará que está perfeitamente bem. Mas duas horas se passaram e nada aconteceu. Sachs vagou pelas ruas feito alma penada, perambulou ao léu entre o Times Square e o Greenwich Village, sempre no mesmo passo lento e contemplativo, sem nunca se apressar, sem nunca dar a impressão de se importar com o lugar onde estava. Dava moedas aos mendigos. Parava para acender um cigarro novo a cada dez ou doze quarteirões. Folheou livros em uma livraria durante vários minutos, em certo momento tirou um de meus livros da estante e o examinou com certa atenção. Entrou em uma loja pornô e olhou revistas de mulheres peladas. Deteve-se diante da vitrine de uma loja de produtos eletrônicos. Por fim, comprou um jornal, entrou em uma lanchonete na esquina das ruas Bleecker e MacDougal e acomodou-se em uma mesa. Foi ali que eu o deixei, exatamente na hora em que a garçonete veio anotar o seu pedido. Achei tudo isso tão desolador, tão deprimente, tão trágico, que nem consegui tomar coragem para falar com Iris a respeito, quando cheguei em casa.

Sabendo o que sei agora, posso constatar como era limitada a minha compreensão. Eu tirava conclusões do que não passava de uma série de indícios parciais, baseava minha reação em um aglomerado de observações aleatórias que contavam apenas um fragmento da história. Caso eu tivesse acesso a mais informações, talvez formasse uma imagem diferente do que se passava, o que poderia atenuar um pouco o meu desespero. Entre outras coisas, eu ignorava completamente o papel especial que Maria Turner havia assumido para Ben. Desde outubro, os dois se encontravam regularmente, toda terça-feira ficavam juntos das dez da manhã até as cinco da tarde. Só vim a saber disso dois anos depois. Conforme os dois me contaram (em conversas separadas, com um intervalo de pelo menos dois meses), nunca houve nada de sexo entre eles. Em vista do que eu sabia acerca dos hábitos de Maria, e como a história de Sachs estava plenamente de acordo com a dela, não vejo motivo para duvidar do que me contaram.

Quando agora recordo a situação, faz todo sentido que Sachs tenha procurado por Maria. Ela era a personificação da sua catástrofe, a figura central no drama que havia precipitado sua queda e, portanto, ninguém mais poderia ser tão importante para ele. Já comentei a determinação dele de examinar a fundo os fatos daquela noite. Para executá-lo, que método melhor do que se manter em contato com Maria? Ao torná-la uma amiga, Ben poderia ter constantemente diante dos olhos o símbolo da sua transformação. Suas feridas ficariam abertas, e toda vez que ele a visse, poderia repor em cena a mesma seqüência de tormentos e emoções que por pouco não o levou à morte. Poderia repetir a experiência muitas e muitas vezes e, com bastante aplicação e trabalho duro, talvez aprendesse a dominá-la. Foi assim que deve ter começado. O desafio não era seduzir Maria ou levá-la para a cama; era se expor à tentação e verificar se tinha força para resistir. Sachs buscava uma cura, um modo de recuperar seu respeito próprio, e somente medidas drásticas o contentariam. Para descobrir o quanto ele valia, precisava arriscar tudo, muitas e muitas vezes.

Mas havia mais do que isso. Não se tratava apenas de um exercício simbólico; para Sachs, era um passo rumo a uma amizade autêntica. Sachs ficara comovido com as visitas de Maria ao hospital e, já então, nas primeiras semanas da sua recuperação, acho que entendera a profundidade com que o acidente a havia afetado. Esse foi o vínculo inicial entre eles. Ambos viveram uma coisa terrível e nenhum dos dois estava inclinado a ver essa coisa como um simples lance de má sorte. E, mais importante ainda, Maria estava ciente do papel que havia desempenhado no que aconteceu. Sabia ter provocado Sachs na noite da festa e era honesta o bastante consigo mesma para reconhecer o que tinha feito, para entender que seria moralmente errado procurar desculpas. A seu próprio modo, ela estava tão perturbada com o fato quanto Sachs, e, quando enfim ele telefonou em outubro para lhe agradecer por ter ido tantas vezes ao hospital, Maria tomou isso como uma oportunidade para fazer alguns reparos, desfazer parte do dano que havia causado. Isso não é apenas um palpite meu. Maria não me escondeu nada quando conversamos no ano passado, e a história inteira vem direto da sua boca.

— A primeira vez que Ben veio ao meu apartamento — disse ela — fez uma porção de perguntas sobre o meu trabalho. Provavelmente estava apenas sendo gentil. Você sabe como é: a gente se sente sem jeito, não sabe do que falar e aí começa a fazer perguntas. Depois de um tempo, porém, pude notar que ele estava ficando interessado. Eu trouxe alguns projetos para ele ver, e seus comentários me espantaram pela inteligência, eram muito mais perspicazes do que a maioria das coisas que costumo ouvir. O que ele parecia apreciar em particular era a combinação de documentário e jogo, a objetificação de estados interiores. Ele compreendeu que todas as minhas obras eram histórias e, mesmo quando se tratava de histórias verdadeiras, eram também inventadas. Ou, mesmo que fossem inventadas, eram também verdadeiras. Portanto, conversamos sobre isso por um tempo e daí passamos para várias outras coisas, e, quando ele foi embora, eu já começava a arquitetar mais uma das minhas idéias bizarras. O cara estava tão perdido e infeliz que achei que talvez fosse bom se começássemos a trabalhar juntos em alguma coisa. Eu não tinha em mente nada de específico, nessa altura, apenas que a obra deveria ser sobre ele. Ben ligou de novo alguns dias depois, e quando lhe contei o que eu andava pensando, ele pareceu sacar a idéia toda na mesma hora. Isso me surpreendeu um pouco. Não tive de defender minha proposta, nem persuadi-lo a participar. Ben simplesmente disse que sim, parecia uma idéia bastante promissora, e fomos em frente e a realizamos. A partir daí, passamos todas as terças-feiras juntos. Durante os quatro ou cinco meses seguintes, toda terça-feira, trabalhávamos na nossa obra.

Que eu saiba, na verdade tudo isso nunca deu em nada. Ao contrário dos demais projetos de Maria, este não tinha nenhum princípio organizador, nenhum propósito claramente definido, e em vez de partir de uma idéia bem determinada conforme ela sempre fizera no passado (seguir um desconhecido pela rua, por exemplo, ou procurar pessoas cujos nomes constam de um caderninho de telefones), "Terças-Feiras com Ben" era um projeto essencialmente sem forma: uma série de improvisos, um álbum de fotografias dos dias que os dois passaram na companhia um do outro. Haviam concordado de antemão que não iam seguir nenhuma regra. A única condição era que Sachs devia chegar à casa de Maria pontualmente às dez horas e daí em diante eles iam tocar sem partitura. Na maior parte do tempo, Maria tirava fotos dele, talvez dois ou três rolos de filme, e depois passavam o resto do dia conversando. Algumas vezes, ela lhe pedia para vestir fantasias. Outras vezes, ela gravava suas conversas e não tirava nenhum retrato. Na ocasião em que Sachs cortou a barba e ficou de cabelo curto, agiu assim a pedido de Maria, e a operação teve lugar no apartamento dela. Maria registrou tudo na sua câmera: antes, depois e todas as etapas intermediárias. Começa com Sachs diante do espelho, empunhando uma tesoura na mão direita. A cada foto sucessiva, um pouco mais do seu cabelo desaparece. Depois o vemos cobrir de espuma suas faces barbadas e, em seguida, ele se barbeia. Maria parou de fotografar nesse ponto (para dar os arremates finais no corte do seu cabelo), e então vem uma última foto de Sachs: de cabelo curto e sem barba, sorrindo para a câmera como um desses rapazes arrumadinhos que exibem seus impecáveis cortes de cabelo em fotos nas paredes das barbearias. Achei isso um belo toque final. Não só era engraçado em si mesmo, como também provava que Sachs era capaz de se divertir. Depois de ver essa fotografia, entendi que não havia soluções simples. Eu o havia subestimado, e a história daqueles meses era, no fim, muito mais complicada do que me permitira acreditar. A seguir, vinham as fotos de Sachs ao ar livre. Em janeiro ou fevereiro, Maria aparentemente seguira Sachs pela rua com sua câmera. Sachs dissera a ela que queria saber qual a sensação de ser vigiado e Maria o atendera ressuscitando um de seus antigos trabalhos: só que dessa vez executado ao contrário. Sachs assumiu o papel que Maria havia representado e ela se transformou no detetive particular. Foi essa a cena com que topei em Manhattan, quando vi Sachs caminhando do outro lado da rua. Maria também estava lá, e o que interpretei como prova conclusiva da infelicidade do meu amigo não passava, na verdade, de uma charada, uma pequenina encenação, uma tola remontagem dos episódios da história em quadrinhos *Espião versus Espião*. Só Deus sabe como deixei de notar a presença de Maria naquele dia. Eu devia estar tão concentrado em Sachs que fiquei cego para tudo o mais. Mas ela me viu, e quando enfim me contou o caso no dia em que conversamos, no outono passado, me senti morto de vergonha. Felizmente, ela não conseguiu tirar nenhuma foto de mim e Sachs juntos. Nesse caso, tudo ficaria evidente, mas eu seguia Sachs de longe e ela não tinha como nos captar na mesma foto.

Maria tirou, ao todo, milhares de fotografias de Sachs, a maioria ainda estava em folhas de contato quando as vi, em setembro passado. Embora as sessões de terça-feira nunca tivessem se desenvolvido em uma obra coerente e contínua, exerceram um valor terapêutico para Sachs — o que, a princípio, era tudo o que Maria pretendia alcançar. Quando Sachs veio visitá-la em outubro, ele havia se recolhido tão fundo na sua dor que já não conseguia mais enxergar a si mesmo. Digo isso em um sentido fenomenológico, do mesmo modo que uma pessoa fala sobre autoconsciência ou forma uma imagem de si mesma. Sachs perdera a capacidade de se arredar de seus pensamentos e fazer um reconhecimento do lugar onde estava, medir as dimensões exatas do espaço ao seu redor. O que Maria conseguiu realizar no decorrer daqueles meses foi atraí-lo, por meio de ardis, para fora da própria pele. A tensão sexual era parte do processo, mas havia também a sua câmera, o assalto constante da sua máquina ciclope. Toda vez que Sachs posava para um retrato, era obrigado a personificar a si mesmo, participar da brincadeira que consistia em fingir ser quem era. Depois de um tempo, isso deve ter produzido algum efeito sobre ele. Ao repetir tantas vezes esse procedimento, Sachs deve ter chegado a um ponto em que começou a se ver através dos olhos de Maria, onde tudo se duplicava e era devolvido para ele, e Sachs foi capaz de se encontrar de novo. Dizem que uma câmera fotográfica pode roubar a alma de uma pessoa. Nesse caso, creio que foi exatamente o contrário. Graças à câmera de Maria, creio que a alma de Sachs foi aos poucos restituída a ele.

Sachs estava melhorando, mas isso não queria dizer que estava bem, que algum dia voltaria a ser a pessoa que tinha sido. Bem no fundo, ele sabia que nunca poderia voltar à vida que levava antes do acidente. Tentou me explicar isso durante nossa conversa em agosto, mas não o compreendi. Pensei que ele estivesse falando acerca de trabalho — escrever ou não escrever, abandonar sua carreira ou não —, mas acontece que estava falando de tudo: não só de si mesmo, mas também da sua vida com Fanny. Um mês depois de sair do hospital e ir para casa, creio que ele já andava atrás de um jeito de se ver livre do casamento. Era uma decisão unilateral, fruto da sua necessidade de passar uma esponja em tudo e recomeçar do zero, e Fanny não passava de uma vítima inocente dessa purgação. Os meses iam passando, porém, e Sachs não conseguia criar coragem de dizer a ela. Isso provavelmente explica boa parte das enigmáticas contradições do comportamento de Sachs naquele tempo. Não queria magoar Fanny e no entanto sabia que iria magoá-la, e saber disso apenas aumentava o seu desespero, apenas fazia Sachs odiar mais ainda a si mesmo. Daí o longo período de conversa-fiada e inércia, de recuperações e recaídas simultâneas. Pelo menos, creio que isso revela a bondade essencial do coração de Sachs. Ele se convenceu de que sua sobrevivência dependia da execução de um ato de crueldade e, durante vários meses, optou por não praticá-lo, chafurdou nos abismos de um tormento privado para poupar a esposa da brutalidade de sua decisão. Chegou perto de destruir a si mesmo por pura bondade. Suas malas já estavam feitas e mesmo assim ele ficou em casa porque os sentimentos da mulher significavam tanto para ele quanto os seus próprios sentimentos.

Quando a verdade enfim veio à tona, ela já estava quase irreconhecível. Sachs nunca conseguiu se pôr na frente de Fanny e dizer a ela que queria ir embora. Sua falta de coragem era grande demais para fazer isso; sua vergonha era profunda demais para ser capaz de exprimir um pensamento assim. Em vez disso, de uma forma muito mais oblíqua e tortuosa, Sachs começou a deixar Fanny perceber que ele já não era mais digno dela, que já não merecia mais estar casado com ela. Estava arruinando a vida dela, disse Sachs, e antes que a arrastasse junto com ele para a desgraça inexorável, Fanny devia salvar o que ainda era possível e cair fora. Não creio haver a menor dúvida de que Sachs acreditava sinceramente nisso. De propósito ou não, ele engendrou uma situação em que essas palavras podiam ser ditas de boa-fé. Depois de meses de conflito e indecisão, encontrou um jeito de poupar os sentimentos de Fanny. Não teria de magoá-la declarando sua intenção de ir embora. Em vez disso, invertendo os termos do dilema, ele a convenceria a deixá-lo. Ela tomaria a iniciativa do seu próprio salvamento; ele a ajudaria a resistir sozinha e salvar a própria vida.

Mesmo que os motivos de Sachs se mantivessem ocultos para ele, Sachs na verdade se instalava em uma posição favorável para conseguir o que queria. Não desejo parecer cínico, mas me chama a atenção o fato de ele haver submetido Fanny a muitas das mesmas inversões ardilosas e dos mesmos requintados auto-enganos que usara com Maria Turner junto à escada de incêndio, no verão anterior. Uma consciência extremamente sofisticada, uma predisposição para a culpa em face de seus próprios desejos, tudo isso compelia um homem bom a agir de uma forma estranhamente dissimulada, de uma forma que comprometia sua própria bondade. Este é o nó da catástrofe, penso. Sachs aceitava as fraquezas de todos os outros, mas, quando se tratava dele mesmo, exigia a perfeição, impunha um rigor quase sobre-humano, mesmo nos atos mais ínfimos. O resultado foi a decepção, a espantosa consciência da sua própria imperfeição humana, o que o levou a impor exigências ainda mais rigorosas à sua conduta, o que por sua vez acarretou decepções ainda mais sufocantes. Se ele houvesse aprendido como amar um pouco mais a si mesmo, não teria o poder de causar tanta infelicidade à sua volta. Mas Sachs foi levado a fazer penitência, a tomar sua culpa como a culpa do mundo e trazer suas marcas na própria carne. Não o censuro pelo que fez. Não o censuro por dizer a Fanny para deixá-lo ou por querer mudar de vida. Simplesmente tenho pena dele, uma pena inexprimível por causa das coisas aterradoras que Sachs atraiu sobre si.

Levou certo tempo para que a sua estratégia produzisse algum efeito. Mas o que pode pensar uma mulher quando o marido lhe diz para se apaixonar por outra pessoa, para se livrar dele, para fugir e nunca mais voltar? No caso de Fanny, ela não deu importância a essa conversa, tomou-a por um disparate, mais um indício da instabilidade crescente de Ben. Fanny não tinha a menor intenção de fazer nada disso e, a menos que ele lhe dissesse de forma direta que estava farto, que não queria mais ficar casado com ela, estava resolvida a não arredar pé. O afastamento durou quatro ou cinco meses. Para mim, isso parece um tempo insuportável, mas Fanny se recusava a ceder. Ben a estava pondo à prova, pensava ela, tentava empurrá-la para fora da sua vida para verificar com que tenacidade ela resistia, e se Fanny desistisse agora, os piores temores de Ben acerca de si mesmo iriam tornar-se realidade. Essa era a lógica circular da luta de Fanny para salvar seu casamento. Toda vez que Ben falava com ela, Fanny o interpretava como se quisesse dizer o contrário do que dizia. Vá embora significava não vá embora; amar outro homem significava amar a mim; desista significava não desista. À luz do que aconteceu mais tarde, não estou muito seguro de que Fanny estivesse errada. Sachs pensava saber o que queria, mas, depois de alcançá-lo, aquilo já não tinha mais nenhum valor para ele. A essa altura, porém, já era tarde demais para Sachs. O que havia perdido, perdera para sempre.

Segundo o que Fanny me contou, nunca houve um rompimento categórico entre eles. Em vez disso, Sachs a deixou esgotada, exauriu-a com sua persistência, debilitou-a lentamente até que ela já não teve mais forças para reagir. Houve algumas cenas histéricas no início, disse ela, uns poucos acessos de choro e gritos, mas logo tudo isso cessou. Aos poucos, os contra-argumentos de Fanny se esgotaram, e quando Sachs por fim pronunciou as palavras mágicas e, certo dia, no início de março, declarou para Fanny que um pedido de separação na justiça talvez fosse uma boa idéia, ela limitou-se a fazer que sim com a cabeça e concordou com ele. Na ocasião, eu não sabia de nada disso. Nenhum deles se abriu comigo a respeito dos seus problemas e, como minha própria vida andava particularmente tumultuada na época, eu não podia estar em companhia deles com a freqüência que desejava. Iris estava grávida; procurávamos um outro lugar para morar; eu viajava duas vezes por semana para dar aulas em Princeton e trabalhava duro no meu novo livro. Todavia, parece que, sem saber, representei um papel importante nas suas negociações conjugais. O que fiz foi proporcionar uma desculpa para Sachs, um meio de ele ir embora de casa sem dar a impressão de bater a porta com força. Tudo remonta àquele dia, em fevereiro, quando o segui pela rua. Eu tinha acabado de passar duas horas e meia com a minha editora, Ann Howard, e no decorrer da nossa conversa o nome de Sachs foi citado mais de uma vez. Ann sabia como éramos amigos. Ela mesma estivera na festa do dia 4 de julho e, como sabia do acidente e das sérias dificuldades que ele vinha enfrentando desde então, era normal que me perguntasse como estava Sachs. Respondi que eu ainda estava preocupado — não tanto com o estado de ânimo de Sachs, mas com o fato de ele não haver produzido nada.

— Já faz sete meses — falei —, são umas férias longas demais, especialmente para alguém como Ben.

Portanto conversamos sobre trabalho durante alguns minutos, imaginando do que ele precisava para voltar à ativa e, na hora em que começamos a comer a sobremesa, Ann veio com o que me pareceu uma idéia genial.

— Sachs deveria reunir seus textos antigos e publicá-los em um livro — disse ela. — Não seria muito difícil. Tudo o que ele precisa fazer é escolher os melhores, talvez consertar uma frase ou outra. Mas depois que ele se debruçar sobre os seus textos antigos, quem sabe o que pode acontecer? Isso pode lhe dar vontade de escrever de novo.

— Está dizendo que estaria interessada em publicar um livro assim? — perguntei.

— Não sei — respondeu. — É isso o que estou dizendo? — Ann fez uma pausa por um momento e riu. — Acho que foi o que eu disse, não foi? — Em seguida, parou de novo, como que para se conter, antes que fosse longe demais. — Mas, afinal, por que não? Conheço muito bem o trabalho de Ben. Caramba, leio o que ele escreve desde os meus tempos de escola secundária. Talvez já seja hora de alguém encostá-lo contra a parede e obrigá-lo a fazer isso.

Meia hora depois, quando vi Sachs na Oitava Avenida, eu ainda pensava na conversa com Ann. A idéia do livro, àquela altura, se instalara confortavelmente dentro de mim e, para variar, eu estava animado, fazia muito tempo que não me sentia tão otimista. Talvez isso explique por que fiquei tão deprimido depois. Deparei com um homem que vivia no que parecia ser um estado de completa degradação e não conseguia me convencer a aceitar o que tinha visto: meu amigo exuberante de outros tempos perambulava sem rumo durante horas, em um semitranse, quase indistinguível dos homens e mulheres miseráveis que lhe pediam moedas pela rua. Fui para casa naquela noite com um peso no coração. A situação estava fora de controle, eu disse para mim mesmo, e, a menos que agisse depressa, não haveria milagre capaz de salvá-lo.

Convidei-o para almoçar na semana seguinte. No instante em que Sachs sentou na sua cadeira, entrei de sola e comecei a falar sobre o livro. Essa idéia tinha sido ventilada algumas vezes no passado, mas Sachs sempre se mostrara relutante em se comprometer com ela. Achava que seus artigos para revistas eram textos de ocasião, escritos por motivos específicos, em uma situação específica, e um livro seria um lugar demasiado permanente para eles. Deveríamos deixá-los morrer de morte natural, disse-me Sachs certa vez. Que as pessoas os lessem uma vez e depois esquecessem para sempre — não havia a menor necessidade de erguer um mausoléu. Eu já estava familiarizado com essa argumentação, portanto não apresentei a idéia em termos literários. Falei estritamente como uma proposta de negócios, uma fria questão de dinheiro. Sachs vinha vivendo à custa de Fanny havia sete meses, disse eu, e talvez já fosse hora de ele ganhar seu próprio sustento. Se não queria sair por aí à procura de trabalho, o mínimo que podia fazer era publicar esse livro. Esqueça a si mesmo para variar, falei. Faça isso por Fanny.

Não creio que eu jamais tenha falado com Sachs de forma tão enfática quanto daquela vez. Eu estava tão arrebatado, tão imbuído de um bom senso veemente, que Sachs começou a sorrir antes de eu chegar à metade da minha ladainha. Creio que houve algo cômico em meu comportamento naquela tarde, mas foi só porque eu não esperava vencer tão facilmente. Aconteceu que Sachs não exigiu grande coisa para ser convencido. Concordou em fazer um livro assim que soube de minha conversa com Ann, e tudo o que lhe falei depois disso já foi desnecessário. Ele tentou me fazer parar, mas como achei que isso significasse que não queria falar do assunto, continuei a argumentar com ele, o que era mais ou menos igual a mandar alguém comer um prato que já estava dentro da sua barriga. Tenho certeza de que me achou ridículo, mas nada disso faz qualquer diferença agora. O que importa é que Sachs concordou em fazer o livro, e, na hora, tomei isso por um triunfo importantíssimo, um passo gigantesco na direção correta. Eu nada sabia sobre Fanny, claro, e portanto não tinha a menor idéia de que o projeto constituía uma simples manobra, um lance estratégico para ajudá-lo a dar fim ao seu casamento. Isso não significa que Sachs não tencionasse publicar o livro, mas seus motivos eram muito diferentes daqueles que eu imaginava. Eu via o livro como um modo de ele retornar ao mundo, ao passo que Sachs o via como um caminho de fuga, um último gesto de boa vontade antes de ele se esgueirar para dentro das trevas e desaparecer.

Foi assim que encontrou coragem para falar com Fanny sobre uma separação judicial. Ele iria a Vermont para trabalhar no livro, ela ficaria na cidade e, nesse meio tempo, ambos teriam uma oportunidade de pensar no que queriam fazer. O livro permitia que Sachs fosse embora com as bênçãos de Fanny, que ambos ignorassem o propósito verdadeiro da sua partida. Durante as duas semanas seguintes, Fanny organizou a viagem de Ben para Vermont como se ainda fosse um de seus deveres conjugais, desmontando zelosamente seu casamento como se acreditasse que fossem ficar casados para sempre. O costume de cuidar do marido já se tornara tão automático àquela altura, tão profundamente arraigado na pessoa que ela era, que provavelmente nunca lhe passou pela cabeça parar e refletir sobre o que ela estava fazendo. Esse era o paradoxo do fim. Eu havia passado por uma coisa semelhante, com Delia: aquele estranho pós-escrito em que um casal não está nem junto nem separado, quando a única coisa que mantém os dois ligados é o fato de estarem separados. Fanny e Ben não agiram de forma diferente. Ela o ajudou a se afastar da sua vida e ele aceitou essa ajuda como a coisa mais natural do mundo. Fanny desceu para o porão e desencavou folhas avulsas de textos antigos para ele; tirou fotocópias de originais amarelados e esfrangalhados; foi à biblioteca e vasculhou carretéis de microfilmes à cata de artigos perdidos; pôs em ordem cronológica toda a massa de recortes de jornal, folhas rasgadas e páginas arrancadas. No último dia, Fanny até saiu e comprou fichários de papelão para guardar os papéis e, na manhã seguinte, quando chegou a hora de Sachs partir, ela o ajudou a carregar essas caixas para o andar de baixo e colocá-las no porta-malas do carro. Nada de despedidas. Nada de emitir algum sinal claro. Nessa altura, não creio que nenhum dos dois fosse capaz de fazer isso.

Era o final de março. Aceitando com inocência o que Sachs me contou, imaginei que ele fosse a Vermont para trabalhar. Ele já fora sozinho para lá antes, e o fato de Fanny ficar em Nova York não me pareceu nada de extraordinário. Fanny tinha o seu emprego, afinal, e como ninguém comentou quanto tempo Sachs ia ficar fora, calculei que seria uma viagem relativamente curta. Um mês, talvez, seis semanas, no máximo. Montar um livro não seria uma tarefa tão difícil, e eu não via como ele poderia demorar mais do que isso. Mesmo que demorasse, nada impedia Fanny de visitá-lo nesse meio tempo. Portanto não pus em questão nenhuma das disposições tomadas por Sachs e Fanny. Tudo fazia sentido para mim, e quando Sachs telefonou para se despedir na última noite, eu lhe disse como estava contente de vê-lo partir. Boa sorte, falei, nos veremos em breve. E foi só isso. Quaisquer que fossem seus planos na ocasião, Sachs não pronunciou nenhuma palavra que me levasse a crer que ele não fosse voltar para casa.

Depois que Sachs partiu para Vermont, meus pensamentos se voltaram para outra direção. Andava ocupado demais com o trabalho, com a gravidez de Iris, com os problemas de David na escola, com a morte de parentes de ambos os lados da família, e a primavera passou muito depressa. Talvez tenha me sentido aliviado por Sachs partir, não sei, mas não há dúvida de que a vida no interior melhorou seu estado de ânimo. Conversávamos por telefone mais ou menos uma vez por semana e, dessas conversas, eu depreendia que as coisas andavam correndo bem para ele. Sachs começara a trabalhar em algo novo, me contou, e encarei aquilo como um acontecimento tão momentoso, uma guinada tão importante com relação a seu estado anterior, que de repente me permiti parar de me preocupar com ele. Mesmo quando Sachs não cessava de adiar seu regresso para Nova York, prolongando sua ausência por abril, maio e depois junho, não senti nenhuma inquietação. Sachs escrevia de novo, eu dizia a mim mesmo, Sachs estava saudável de novo e, no meu modo de ver, isso significava que tudo no mundo estava em seu lugar.

Iris e eu estivemos com Fanny várias vezes naquela primavera. Recordo pelo menos um jantar, um almoço de domingo e algumas idas ao cinema. Para ser inteiramente franco, não detectei nela nenhum sinal de tristeza ou preocupação. É verdade que Fanny falou muito pouco sobre Sachs (o que já deveria ter me alertado), mas, toda vez que ela falava sobre ele, parecia satisfeita e até entusiasmada com o que acontecia em Vermont. Não só estava escrevendo de novo, disse ela, como também o que escrevia era um romance. Isso era melhor do que qualquer outra coisa que ela poderia imaginar, e não importava que o livro de ensaios tivesse ido para escanteio. Sachs trabalhava com furor, disse ela, mal parava para comer ou dormir, e se essas informações eram exageradas ou não (quer por Sachs, quer por Fanny), o fato é que punham uma pá de cal em quaisquer outras dúvidas. Iris e eu nunca perguntávamos a Fanny por que ela não ia visitar Ben. Não perguntávamos porque a resposta já era óbvia. Ele estava envolvido demais no seu trabalho e, depois de esperar tanto tempo que isso acontecesse, Fanny não queria interferir.

Ela escondia a verdade de nós, está claro, mas o principal era que Sachs também já era uma carta totalmente fora do baralho. Eu só soube disso mais tarde, porém, durante todo o tempo que passou em Vermont, parece que Sachs sabia tão pouco quanto eu acerca dos pensamentos de Fanny. Ela não poderia prever que as coisas se desdobrariam daquele jeito. Teoricamente, ainda existia alguma esperança para eles, mas, depois que Ben meteu suas tralhas na mala do carro e partiu para o interior, Fanny se deu conta de que eles haviam terminado. Não levou mais do que uma ou duas semanas para isso acontecer. Ela ainda se importava com ele e o queria bem, mas não tinha a menor vontade de vê-lo, a menor vontade de falar com ele, a menor vontade de fazer qualquer esforço. Eles haviam falado em manter a porta aberta, mas agora parecia que a porta tinha sumido. Não é que estivesse fechada, simplesmente já não existia mais. Fanny se viu olhando para uma parede nua e, depois disso, deu as costas. Já não estavam mais casados, e o que Fanny faria da sua vida daí para a frente era só da conta dela e de mais ninguém.

Em junho, ela conheceu um homem chamado Charles Spector. Não creio que eu tenha o direito de falar sobre isso, mas, na medida em que afetou Sachs, é impossível deixar de mencioná-lo. O ponto crucial aqui não é que Fanny acabou se casando com Charles (o casamento foi há quatro meses), mas que, depois que se apaixonou por Charles naquele verão, ela não tomou a iniciativa de procurar Ben e informá-lo sobre o que estava acontecendo. Mais uma vez, não se trata de determinar de quem é a culpa. Havia razões para o silêncio de Fanny e, nas circunstâncias, creio que ela agiu de forma apropriada, sem nenhum traço de egoísmo ou falsidade. O caso com Charles a pegou de surpresa e, naqueles estágios iniciais, ela ainda se sentia muito confusa para reconhecer seus próprios sentimentos. Em vez de afobar-se para contar logo a Ben alguma coisa que podia não durar muito, Fanny resolveu manter segredo durante um tempo, poupá-lo de novos dramas, até ela ter certeza do que queria fazer. Sem que Fanny tivesse nenhuma culpa, esse período de espera se prolongou demais. Ben veio a descobrir a respeito de Charles por puro acaso — voltou para casa, no Brooklyn, certa noite, e o encontrou na cama com Fanny —, e a hora dessa descoberta não poderia ser pior. Levando em conta que Sachs foi quem mais insistiu na separação, aquilo provavelmente não haveria de ter grande importância. Mas teve. Outros fatores também pesaram, mas esse pesou mais do que todos. Fez a música continuar, por assim dizer, e o que poderia haver terminado nesse ponto não terminou. A valsa dos infortúnios continuou a tocar e, daí para a frente, não parou mais.

Mas isso foi depois e não quero me precipitar. Aparentemente, as coisas continuavam a rolar do mesmo jeito que vinham rolando havia vários meses. Sachs trabalhava no seu romance, em Vermont, Fanny trabalhava no museu e Iris e eu esperávamos que nosso bebê nascesse. Depois que Sonia chegou (no dia 27 de junho), perdi contato com todo mundo durante seis ou oito semanas. Iris e eu estávamos na Bebelândia, um país onde o sono é proibido e o dia é indistinguível da noite, um reino cercado por muros, governado pelos caprichos de um monarca absoluto e minúsculo. Pedimos a Fanny e Ben para serem os padrinhos de Sonia, e os dois aceitaram com esmeradas declarações de orgulho e gratidão. Choveram presentes depois disso, Fanny entregava os seus pessoalmente (roupas, mantas, chocalhos) e os de Ben vinham pelo correio (livros, ursos, patos de borracha). Fiquei especialmente comovido com a reação de Fanny, a maneira como ela vinha à nossa casa depois do trabalho só para segurar Sonia nos braços durante uns quinze ou vinte minutos, como arrulhava para ela toda sorte de bobagens carinhosas. Fanny parecia resplandecer com o bebê nos braços e sempre me entristecia pensar que nada disso tinha sido possível para ela. "Meu bebezinho", dizia ela para Sonia. "Meu anjinho", "minha florzinha querida", "meu coraçãozinho". A seu modo, Sachs não se mostrava menos entusiasmado do que ela, e eu tomava os pequeninos pacotes que não paravam de chegar pelo correio como um sinal de autêntico progresso, uma prova categórica de que ele estava bem outra vez. No início de agosto, Sachs começou a insistir para irmos a Vermont visitá-lo. Estava pronto para me mostrar a primeira parte do seu livro, disse, e queria que o apresentássemos à sua afilhada.

— Vocês já a mantiveram longe de mim tempo demais — disse Sachs. — Como é que esperam que eu tome conta dela se nem sei como é a sua cara?

Assim, eu e Iris alugamos um carro e uma cadeirinha de bebê e partimos para o norte para passar uns dias com ele. Recordo ter perguntado a Fanny se ela queria se unir a nós, mas parece que a hora não era apropriada. Ela acabara de começar seu ensaio para o catálogo da exposição de Blakelock no museu naquele inverno, da qual era a curadora (sua exposição mais importante até então), e estava preocupada em concluir o trabalho dentro do prazo. Pretendia visitar Ben assim que terminasse, explicou, e como essa desculpa me parecesse legítima, não insisti mais em que viesse conosco. Mais uma vez, me vi diante de um indício revelador e mais uma vez o ignorei. Fazia cinco meses que Fanny e Ben não se viam e ainda não me passara pela cabeça que estivessem com algum problema. Se eu tivesse me dado ao trabalho de abrir os olhos por alguns minutos, talvez notasse alguma coisa. Mas andava encerrado demais em minha felicidade, absorvido demais por meu mundinho particular para prestar atenção naquilo.

Contudo a viagem foi um sucesso. Depois de passar quatro dias e três noites em sua companhia, concluí que Sachs estava de novo com os pés no chão e saí de lá me sentindo tão ligado a ele quanto no passado. Fico tentado a dizer que foi como nos velhos tempos, mas isso não seria muito exato. Coisas demais lhe haviam acontecido desde a sua queda, tinha havido mudanças demais em nós dois para que nossa amizade fosse exatamente como tinha sido antes. Mas isso não significa que esses novos tempos fossem menos bons do que os antigos. Em vários aspectos, foram até melhores. Uma vez que representavam algo que eu sentia haver perdido, algo que eu perdera toda esperança de encontrar de novo, foram muito melhores.

Sachs nunca foi uma pessoa muito organizada e me espantou ver como havia preparado tudo minuciosamente para a nossa visita. Havia flores no quarto onde Iris e eu dormimos, toalhas de hóspedes se achavam cuidadosamente dobradas sobre a cômoda e ele tinha feito a cama com todo o esmero de um anfitrião experiente. No térreo, a cozinha recebera um bom estoque de provisões, um farto suprimento de vinho e cerveja e, como viemos a descobrir todas as noites, o cardápio do jantar era preparado com antecipação. Aqueles pequenos gestos eram significativos, parecia-me, e ajudaram a dar o tom predominante de nossa estada em Vermont. A vida cotidiana era mais fácil para ele do que fora em Nova York e pouco a pouco Sachs havia conseguido recuperar o autocontrole. Conforme ele me disse em uma de nossas conversas tarde da noite, era mais ou menos como estar de novo na prisão. Não havia nenhuma preocupação exterior para aborrecê-lo. A vida se reduzira a seus elementos básicos mais despojados e ele já não precisava mais se questionar sobre como gastava seu tempo. Todo dia era mais ou menos uma repetição do dia anterior. Hoje parecia ontem, amanhã pareceria hoje e o que viria a acontecer na semana seguinte se fundia em uma névoa com o que se passava nesta semana. Para Sachs, havia nisso um consolo. O elemento surpresa fora eliminado e isso o fazia sentir-se mais desenvolto, mais apto a se concentrar em seu trabalho.

— É estranho — prosseguiu ele —, mas, nas duas vezes em que consegui parar para escrever um romance, estava separado do resto do mundo. Primeiro, na prisão, quando era um garoto, e agora aqui em Vermont, vivendo como um eremita na floresta. Eu queria saber que diabo isso significa.

— Significa que você não pode viver sem os outros — falei. — Quando eles estão perto de você, em carne e osso, o mundo real é suficiente. Quando você fica sozinho, precisa inventar personagens imaginários. Precisa deles para lhe fazer companhia.

Durante todo o tempo de nossa visita, os três ficamos ocupados em não fazer nada. Comíamos e bebíamos, nadávamos no lago, conversávamos. Sachs tinha instalado uma quadra de basquete coberta nos fundos da casa e, toda manhã, durante mais ou menos uma hora, disputávamos bola ao cesto ou partidas de um contra um (toda vez eu perdia feio). Enquanto Iris cochilava de tarde, ele e eu nos revezávamos passeando com Sonia pelo jardim, embalando-a para que dormisse enquanto batíamos papo. Na primeira noite, fiquei acordado até altas horas e li o texto datilografado da sua obra em andamento. Nas outras duas noites, ficamos acordados juntos até tarde, debatendo sobre o que havíamos escrito até então e sobre o que viria depois. O sol brilhou em três dos quatro dias; a temperatura era amena para aquela época do ano. Tudo considerado, foi simplesmente perfeito.

O livro de Sachs só tinha uma terça parte pronta, naquela altura, e o trecho que li ainda estava bem longe de uma versão acabada. Sachs sabia disso e, quando me deu o manuscrito na primeira noite em que estive lá, ele não pretendia ouvir críticas ou sugestões minuciosas sobre como melhorar esta ou aquela passagem. Queria apenas saber se eu achava que ele devia continuar.

— Cheguei a um estágio em que não sei mais o que estou fazendo — disse ele. — Não consigo saber se é bom ou ruim. Não consigo saber se é a melhor coisa que já escrevi ou se não passa de um monte de lixo.

Não era lixo. Isso ficou claro para mim desde a primeira página, mas, à medida que eu enveredava mais fundo no resto daquele rascunho, fui me dando conta também de que Sachs estava enfronhado em algo notável. Era o livro que eu sempre imaginara que ele poderia escrever e, se foi necessário um desastre para levá-lo a começar aquele livro, talvez não tenha sido um desastre, no fim das contas. Ou, pelo menos, me convenci de que era assim, na ocasião. Por mais problemas que eu tenha encontrado no manuscrito, por mais cortes e alterações que fossem necessários fazer no final, o mais importante era que Sachs havia começado, e eu não o deixaria mais parar.

— Trate de continuar a escrever e não olhe para trás — disse-lhe durante o café da manhã, no dia seguinte. — Se você conseguir tocar o romance até o fim, vai ser um grande livro. Anote minhas palavras: um grande e memorável livro.

É impossível para mim saber se ele poderia ter levado a cabo o seu romance. Na época, eu tinha certeza que sim e, quando eu e Iris nos despedimos de Sachs no último dia, nem de longe passou pela minha cabeça pôr isso em dúvida. As páginas que eu tinha lido eram uma coisa, mas eu e Sachs também havíamos conversado e, com base no que ele disse sobre o livro nas duas noites seguintes, me convenci de que ele tinha a situação sob controle, que ele compreendia o que tinha pela frente. Se isso for verdade, então não consigo imaginar nada mais lamentável ou terrível. De todas as tragédias que o meu pobre amigo engendrou para si mesmo, deixar esse livro inacabado vem a ser a mais difícil de suportar. Não quero dizer que livros são mais importantes do que a vida, mas o fato é que todo mundo morre, todo mundo desaparece, no fim, e se Sachs tivesse conseguido concluir seu livro haveria uma chance de a obra sobreviver a ele. Em todo caso, foi nisso que preferi acreditar. Do jeito que as coisas estão agora, o livro não passa da promessa de um livro, um livro potencial enterrado em uma caixa cheia de uma barafunda de páginas manuscritas e um monte de anotações avulsas. É tudo o que sobrou, junto com nossas conversas nas duas últimas noites, ao ar livre, sentados sob um céu sem lua, apinhado de estrelas. Pensei que a vida de Sachs estava recomeçando por inteiro, que ele estava à beira de um futuro extraordinário, mas na verdade ele estava quase no fim. Menos de um mês depois de eu estar com ele em Vermont, Sachs parou de trabalhar no livro. Saiu para passear, certa tarde, em meados de setembro, e a terra de repente o engoliu. Em poucas palavras, foi exatamente isso o que aconteceu, e, desse dia em diante, Sachs nunca mais escreveu nenhuma palavra.

Para deixar bem marcado aquilo que nunca existirá, dei ao meu livro o mesmo título que Sachs pretendia usar no seu: *Leviatã*.

4.

Não voltei a vê-lo por quase dois anos. Maria era a única pessoa que sabia onde ele estava e Sachs a obrigara a prometer não contar a ninguém. A maioria das pessoas quebraria uma promessa assim, penso, mas Maria dera a sua palavra de honra e, por mais perigoso que fosse manter a promessa, ela se recusaria a abrir a boca. Devo ter esbarrado com Maria meia dúzia de vezes naqueles dois anos, mas, mesmo quando falávamos sobre Sachs, ela nunca deixava transparecer que sabia mais do que eu acerca do sumiço dele. No verão passado, quando por fim eu soube o quanto ela vinha escondendo de mim, fiquei tão furioso que tive vontade de matá-la. Mas isso era problema meu, não de Maria, e eu não tinha nenhum direito de extravasar minha frustração em cima dela. Promessa é promessa, afinal de contas, e, mesmo que o seu silêncio redundasse em muito estrago, não creio que ela estivesse errada ao fazer o que fez. Se alguém tinha de dar com a língua nos dentes, era Sachs. Ele foi o único responsável pelo que aconteceu, e era o seu segredo que Maria protegia. Mas Sachs não falou nada. Durante dois anos inteiros ele se manteve oculto e nunca disse uma palavra.

Sabíamos que estava vivo, mas, à medida que os meses se passavam e nenhuma mensagem chegava de Sachs, nem sequer isso era mais certeza. Só restavam fragmentos e cacos, uns poucos fatos evanescentes. Sabíamos que partira de Vermont, que não usara o carro dele e que, por um minuto horrível, Fanny o vira no Brooklyn. Afora isso, tudo era conjetura. Como ele não telefonara para avisar que viria, supusemos que Sachs tinha alguma coisa urgente para dizer a Fanny, mas, o que quer que fosse, os dois nunca chegaram a se encontrar para falar a respeito. Ele simplesmente apareceu, certa noite, sem mais nem menos ("muito atormentado e com os olhos de um louco", nas palavras de Fanny), e surgiu no meio do quarto, no apartamento deles. Isso deu ensejo à horrível cena que mencionei antes. Se o quarto estivesse escuro, talvez tivesse sido menos constrangedor para todos eles, mas calhou de várias luzes estarem acesas, Fanny e Charles estavam nus sobre as cobertas e Ben viu tudo. Era certamente a última coisa que ele esperava encontrar. Antes que Fanny pudesse dizer qualquer coisa, ele já havia deixado o quarto, gaguejando que ela o desculpasse, que ele não sabia, que não queria perturbá-la. Fanny ergueu-se da cama de um salto, mas, quando alcançou a sala, a porta do apartamento bateu com estrondo e Sachs já descia as escadas em disparada. Ela não podia sair sem roupa e assim voltou depressa para a sala, abriu a janela e o chamou na rua. Sachs parou um instante e acenou para Fanny, lá em cima.

— Meus votos de felicidade para vocês dois! — gritou ele. Em seguida, soprou um beijo para ela, voltou-se para outra direção e correu para dentro da noite.

Fanny telefonou para nós imediatamente. Ela imaginou que Sachs estaria vindo para o nosso apartamento, mas seu palpite provou estar errado. Iris e eu ficamos acordados metade da noite à espera dele, mas Sachs nunca apareceu. A partir daí, não houve mais nenhum sinal do seu paradeiro. Fanny ligou repetidas vezes para a casa em Vermont, mas ninguém atendeu. Essa era a nossa última esperança e, à proporção que os dias se passavam, parecia cada vez menos provável que Sachs fosse voltar para lá. O pânico se instalou; uma epidemia de pensamentos mórbidos se propagou entre nós. Sem saber mais o que fazer, Fanny alugou um carro naquele primeiro fim de semana e partiu sozinha para a casa em Vermont. Conforme me contou por telefone, quando chegou lá, os indícios eram enigmáticos. A porta da frente não estava fechada à chave, o carro estava em seu lugar de costume, no quintal, e o trabalho de Ben se achava sobre a escrivaninha, no escritório: páginas manuscritas amontoadas em uma pilha, canetas espalhadas ao lado, uma página escrita até a metade ainda na máquina de escrever. Em outras palavras, tudo dava a impressão de que ele iria voltar a qualquer momento. Caso Sachs tivesse planejado partir por um tempo mais longo, disse Fanny, a casa estaria fechada. Os registros de água estariam fechados, a eletricidade estaria desligada, a geladeira estaria vazia.

— E ele teria levado o seu manuscrito — acrescentei. — Mesmo que ele tivesse esquecido tudo o mais, não havia como ele ir embora sem levar isso.

A situação se recusava a fazer sentido. Por mais exaustivamente que a analisássemos, acabávamos sempre com a mesma charada nas mãos. De um lado, a partida de Sachs fora uma coisa inesperada. De outro lado, ele partira por livre e espontânea vontade. Se não fosse aquele encontro fugidio com Fanny em Nova York, poderíamos ter suspeitado de algum crime contra a sua vida, mas Sachs viera até a cidade incólume. Um pouco amarfanhado, talvez, mas essencialmente incólume. E, no entanto, se nada lhe havia acontecido, por que ele não voltou para Vermont? Por que tinha deixado para trás seu carro, suas roupas, seu trabalho? Iris e eu debatemos a questão com Fanny muitas e muitas vezes, averiguamos todas as possibilidades, mas nunca chegamos a nenhuma conclusão satisfatória. Havia lacunas demais, variáveis demais, coisas demais que não sabíamos. Após examinar o assunto de todos ao ângulos durante um mês inteiro, sugeri que Fanny fosse à polícia e registrasse Ben como desaparecido. Porém ela resistiu à idéia. Já não tinha mais vínculo civil com ele, disse Fanny, o que significava que já não tinha direito de interferir. Depois do que havia acontecido no apartamento, Sachs estava livre para fazer o que bem entendesse e não cabia a ela trazê-lo de volta à força. Charles (que conhecemos na ocasião e que se revelou um homem rico) estava disposto a contratar um detetive particular, à sua custa.

— Só para sabermos se Sachs está bem — disse ele. — Não é uma questão de trazê-lo de volta à força, mas de saber se ele sumiu porque queria mesmo sumir.

Iris e eu achamos o plano de Charles razoável, mas Fanny não o autorizou a levá-lo adiante.

— Ben nos deu seus votos de felicidade — disse Fanny. — Isso foi o mesmo que dizer adeus. Vivi com ele por vinte anos e sei como pensa. Não quer que nós saiamos por aí à sua procura. Já o traí uma vez e não pretendo traí-lo de novo. Temos de deixá-lo sozinho. Ele vai voltar quando estiver pronto para voltar e, até esse dia, precisamos esperar. Acreditem em mim, é a única coisa que se deve fazer. Temos de agüentar firmes e aprender a conviver com isso.

Passaram-se meses. Depois um ano, e depois dois anos, e o enigma permaneceu sem solução. Quando Sachs apareceu em Vermont no último mês de agosto, havia muito que já me convencera de que nunca encontraríamos uma resposta. Iris e Charles acreditavam que ele estava morto, mas a minha desesperança não provinha de nada tão específico assim. Nunca tive nenhum palpite mais firme quanto ao fato de Sachs estar vivo ou morto — nenhuma intuição repentina, nenhum surto de conhecimento extra-sensorial, nenhuma experiência mística —, mas eu estava mais ou menos convencido de que nunca mais o veria de novo. Digo "mais ou menos" porque não tinha certeza de nada. Nos primeiros meses após o seu desaparecimento, experimentei as reações mais contraditórias e violentas, mas essas emoções aos poucos se consumiram sozinhas e, no fim, termos como *tristeza* ou *revolta* ou *mágoa* já não pareciam mais ter cabimento. Perdi contato com Sachs, e sua ausência era sentida cada vez menos como uma questão pessoal. Toda vez que eu tentava pensar nele, minha imaginação me abandonava. Era como se Sachs tivesse se transformado em um buraco no universo. Não era mais simplesmente o meu amigo desaparecido, era um sintoma da minha ignorância acerca de tudo, um emblema do próprio desconhecido. Isso na certa soa um tanto vago, mas não consigo arranjar nada melhor. Iris me disse que eu estava virando um budista, e creio que isso descreve minha situação mais acuradamente do que qualquer outra coisa. Fanny era uma cristã, disse Iris, porque nunca abandonava sua crença de que Sachs, um dia, ia voltar; ela e Charles eram ateus; e eu era um acólito zen, um crente no poder do nada. Em todos os anos desde que ela me conhecera, disse Iris, aquela era a primeira vez em que eu não manifestava uma opinião.

A vida mudou, a vida correu. Aprendemos, conforme Fanny nos pedira, a conviver com aquilo. Ela e Charles agora moravam juntos e, para nosso pesar, Iris e eu fomos obrigados a reconhecer que Charles era um bom sujeito. Quase cinqüenta anos, arquiteto, separado, pai de dois meninos, inteligente, loucamente apaixonado por Fanny, sem nada de censurável. Pouco a pouco, conseguimos criar amizade com ele e uma nova realidade se estabeleceu para todos nós. Na primavera passada, quando Fanny disse que não pretendia passar o verão em Vermont (ela simplesmente não era capaz de ir, explicou, e talvez nunca mais fosse para lá), de repente lhe ocorreu que talvez eu e Iris gostássemos de usar a casa. Fanny queria emprestá-la para nós de graça, mas insistimos em pagar algum tipo de aluguel e assim fizemos um acordo que pelo menos daria para cobrir os custos — um rateio dos impostos, da manutenção e tudo o mais. Foi assim que calhou de eu estar presente quando Sachs apareceu, no verão passado. Chegou sem avisar, certa noite, no quintal, soltando estouros no escapamento de um surrado Chevy azul, passou os dois dias seguintes aqui e depois sumiu de novo. Nesse intervalo, falou até não poder mais. Falou tanto que quase me deixou assustado. Mas foi aí que ouvi a sua história e, em vista de como ele estava determinado a contá-la, não creio que tenha deixado nada de fora.

Sachs continuou a trabalhar, disse ele. Depois que eu e Iris partimos com Sonia, ele continuou a trabalhar por mais três ou quatro semanas. Nossas conversas sobre *Leviatã* aparentemente tinham sido úteis e ele se atirou de volta ao manuscrito naquela mesma manhã, resolvido a não deixar Vermont até haver concluído o rascunho do livro inteiro. Tudo parecia correr bem. Sachs fazia progressos todos os dias e sentia-se feliz na sua vida de monge, feliz como não se sentia havia vários anos. Então, certa manhã, bem cedo, em meados de setembro, ele resolveu dar uma caminhada. O tempo havia mudado a essa altura, e o ar estava encrespado, impregnado pelos aromas do outono. Sachs vestiu seu casaco de caçador, feito de lã, e marchou morro acima, um pouco além da casa, na direção norte. Imaginou dispor ainda de uma hora de luz natural, o que significava que podia andar meia hora antes de dar meia-volta e regressar. Em geral, passaria essa hora jogando basquete sozinho, mas a mudança de estação estava no auge e ele quis dar uma espiada no que acontecia lá na floresta: ver as folhas vermelhas e amarelas, observar o mergulho do sol poente entre os bordos e as bétulas, vaguear sob o fulgor das colorações cambiantes. Portanto ele partiu para a sua pequena excursão sem outra coisa em mente senão aquilo que ia cozinhar para o jantar, quando voltasse.

Tão logo entrou na mata, porém, se distraiu. Em vez de olhar para as folhas e para os pássaros que migravam, começou a pensar no seu livro. Trechos que tinha escrito naquele mesmo dia voltaram em disparada ao seu pensamento, e, antes de tomar consciência do que fazia, Sachs se pôs logo a compor frases novas na cabeça, planejando o trabalho que queria realizar na manhã seguinte. Continuou a andar, avançando arduamente entre folhas mortas e no meio da espinhosa vegetação rasteira, falando em voz alta para si mesmo, recitando as palavras do seu livro, sem prestar nenhuma atenção ao lugar onde estava. Poderia ter prosseguido assim por horas, disse ele, mas a certo ponto notou que estava com dificuldade de enxergar. O sol já se pusera e, em virtude da densidade da mata, a noite descia depressa. Sachs olhou à sua volta, na esperança de encontrar pontos de referência, mas nada era familiar, e se deu conta de que jamais havia estado naquele lugar. Sentindo-se um idiota, deu meia-volta e começou a correr na direção de onde tinha vindo. Só tinha alguns minutos antes de tudo desaparecer e compreendeu que nunca iria conseguir voltar a tempo. Não tinha lanterna, nem fósforos, nenhuma comida nos bolsos. Dormir ao relento prometia ser uma experiência desagradável, mas não conseguia enxergar nenhuma alternativa. Sentou-se em um toco de árvore e se pôs a rir. Achou-se ridículo, disse ele, uma personagem cômica de primeira linha. Então a noite caiu pra valer e Sachs não conseguiu enxergar mais nada. Esperou que surgisse um pouco de lua, mas, em vez disso, as nuvens recobriram o céu. Sachs riu de novo. Resolveu que não ia mais se preocupar. Estava a salvo ali, e gelar a bunda por uma noite não ia matar ninguém. Portanto, fez o que pôde para se instalar com algum conforto. Estendeu-se sobre a terra, cobriu-se de qualquer modo com folhas e ramos, e tentou pensar no seu livro. Em pouco tempo, conseguiu até pegar no sono.

Acordou ao nascer do dia, gelado até os ossos e tiritando, as roupas molhadas de orvalho. A situação já não parecia mais ter nenhuma graça. Sachs estava de péssimo ânimo e seus músculos doíam. Estava faminto e imundo, e a única coisa em que pensava era sair dali e achar o caminho de casa. Tomou o que julgou ser a mesma trilha que seguira na tarde anterior, mas, depois de caminhar durante quase uma hora, começou a desconfiar de que estava no rumo errado. Pensou em virar e voltar para o ponto de onde partira, mas não tinha certeza de que conseguiria encontrá-lo de novo — e, mesmo que encontrasse, era duvidoso que o reconhecesse. O céu estava turvo naquela manhã, com espessos enxames de nuvens que bloqueavam o sol. Sachs nunca fora de se meter no mato e, sem uma bússola para se orientar, não conseguia saber se estava indo para oeste, norte ou sul. Por outro lado, não estava perdido em uma floresta dos tempos primitivos. A mata tinha de terminar, mais cedo ou mais tarde, e não importava muito a direção que seguisse, contanto que andasse em linha reta. Assim que topasse com uma estrada, Sachs bateria na porta da primeira casa que visse. Com um pouco de sorte, as pessoas da casa saberiam lhe dizer onde estava.

Levou muito tempo para que algo assim acontecesse. Como não tinha relógio de pulso, Sachs nunca soube exatamente quanto demorou, mas calculava alguma coisa entre três e quatro horas. Estava totalmente contrariado, àquela altura, e, nos últimos quilômetros, maldizia sua burrice com um sentimento crescente de raiva. Quando chegou ao fim da mata, porém, seu ânimo sombrio se dissipou e Sachs parou de sentir autocomiseração. Estava em uma estradinha estreita de terra e, mesmo que não soubesse onde se encontrava, mesmo que não houvesse uma só casa à vista, ele podia se consolar com o pensamento de que o pior já havia passado. Caminhou por mais dez ou quinze minutos, apostando consigo mesmo a distância que se havia afastado de casa. Se fossem menos de oito quilômetros, gastaria cinqüenta dólares com um presente para Sonia. Se fossem mais de oito quilômetros mas menos do que dezesseis, gastaria cem dólares. Acima de dezesseis, compraria um presente de duzentos dólares. Acima de vinte e quatro quilômetros, seriam trezentos dólares, acima de trinta e dois, seriam quatrocentos, e assim por diante. Quando derramava essa enxurrada de presentes imaginários em cima da sua afilhada (ursos panda de pelúcia, casinhas de boneca, pôneis), ouviu um carro rumorejar ao longe, atrás dele. Parou e se pôs à espera. Tratava-se de uma caminhonete aberta vermelha, que vinha bem embalada. Imaginando que nada tinha a perder, Sachs ergueu firme a mão para chamar a atenção do motorista. A caminhonete passou em disparada, mas, antes que Sachs pudesse se voltar de novo, freou com estrondo. Ouviu o clamor de pedrinhas que rolavam, a poeira subiu por todo lado, e uma voz chamou por ele, perguntando se precisava de uma carona.

O motorista era um rapaz de vinte e poucos anos. Sachs o tomou por um jovem da localidade, um operário de obras na estrada ou um auxiliar de bombeiro hidráulico, quem sabe, e, embora a princípio não se sentisse muito propenso a conversar, o rapaz acabou se revelando tão simpático e agradável que Sachs num instante travava uma animada conversa com ele. Havia um bastão de beisebol feito de metal no chão do carro, diante do banco de Sachs e, quando o rapaz meteu o pé no acelerador para repor a caminhonete em movimento, o bastão deu um tranco para cima e acertou em cheio o tornozelo de Sachs. Isso foi a entrada, por assim dizer, e, depois que o rapaz pediu desculpas pelo transtorno, apresentou-se como Dwight (Dwight McMartin, como Sachs veio a saber depois) e começaram a conversar sobre beisebol. Dwight lhe contou que jogava em um time patrocinado pelos bombeiros voluntários de Newfane. A temporada oficial havia terminado na semana anterior e a primeira partida das revanches estava marcada para aquela noite — "se o tempo ficar firme", acrescentou ele várias vezes, "se o tempo ficar firme e não chover". Dwight era primeira base, quarto batedor e o segundo da liga em *home runs*, um brutamontes maciço, à feição de Moose Skowron. Sachs disse que ia tentar ir ao estádio para assistir à partida, e Dwight respondeu, muito compenetrado, que ia valer a pena, que a partida ia ser mesmo fantástica. Sachs não pôde evitar um sorriso. Estava amarrotado e com a barba por fazer, havia gravetos e pedaços de folhas grudados em sua roupa e seu nariz escorria que nem uma torneira. Na certa parecia um mendigo, pensou Sachs, e mesmo assim Dwight não o pressionara com perguntas pessoais. Não indagou por que estava caminhando por aquela estrada deserta, não perguntou onde morava, nem se deu ao trabalho de perguntar seu nome. Ele podia ser um cara muito ingênuo, refletiu Sachs, ou talvez fosse apenas um bom sujeito, mas de um modo ou de outro era difícil não ter apreço por aquela discrição. De repente, Sachs desejou não ter ficado tão sozinho nos últimos meses. Devia ter saído de casa e se misturado um pouco mais com os vizinhos; devia ter feito algum esforço para saber das pessoas que viviam à sua volta. Quase como se fosse uma questão ética, disse a si mesmo que não devia esquecer a partida de beisebol daquela noite. Faria bem para ele, pensou Sachs, lhe daria no que pensar, além do seu livro. Se tivesse gente para conversar, talvez ele não se perdesse com tanta facilidade da próxima vez que fosse sair para caminhar na floresta.

Quando Dwight lhe disse onde estavam, Sachs ficou assombrado ao ver o quanto havia se afastado do caminho. Certamente tinha subido o morro e descido do outro lado, e foi dar em um local que ficava duas cidades a leste de onde morava. Sachs percorrera apenas dezesseis quilômetros a pé, mas a distância da volta, de carro, chegava a mais de quarenta e oito quilômetros. Sem nenhum motivo especial, Sachs resolveu contar para Dwight tudo o que tinha acontecido. Por pura gratidão, talvez, ou simplesmente porque, no momento, achou que seria divertido. Talvez o rapaz, depois, fosse contar a história aos seus colegas do time de beisebol e todos dariam boas risadas à custa de Sachs. Ele não se importava. Era uma história exemplar, uma anedota clássica de um palerma, e ele não se importava de ser o alvo da zombaria da sua própria estupidez. O sabichão da cidade foi bancar o Daniel Boone nas matas de Vermont e olha só o que aconteceu com ele, gente. Mas, assim que Sachs começou a falar sobre as suas desventuras, Dwight reagiu com uma inesperada compaixão. A mesma coisa lhe acontecera certa vez, contou ele para Sachs, e não tinha sido nem um pouco engraçado. Tinha só onze ou doze anos na ocasião e se cagara todo de medo, agachado atrás de uma árvore a noite inteira, à espera de que algum urso o atacasse. Sachs não pôde ter certeza, mas desconfiou de que Dwight estivesse inventando aquela história só para ele se sentir um pouco menos desalentado. De todo modo, o rapaz não riu dele. Na verdade, depois de ouvir o que Sachs tinha a dizer, chegou a se oferecer para levá-lo até sua casa. A bem dizer, ele já estava atrasado, mas alguns minutos a mais ou a menos não iam fazer muita diferença e, caramba, se ele estivesse no lugar de Sachs, gostaria que alguém fizesse o mesmo.

Seguiam por uma estrada asfaltada, àquela altura, mas Dwight disse conhecer um atalho para a casa de Sachs. Significava dar meia-volta e retornar por alguns quilômetros, mas, depois que concluiu a aritmética na sua cabeça, resolveu que fazia sentido mudar de rumo. Portanto calcou fundo o freio, fez uma curva em U no meio da estrada e partiu de volta na direção contrária. O atalho revelou-se a trilha mais estreita e poeirenta do mundo, uma nesga de terra esburacada e de uma só pista que atravessava um trecho de mata escura, atravancado por árvores. Pouca gente conhecia o atalho, disse Dwight, mas, se ele não estava enganado, a trilha os levaria a uma estrada de terra um pouco mais larga e esta segunda estrada os deixaria na boca da auto-estrada municipal, a uns seis quilômetros e meio da casa de Sachs. Dwight provavelmente sabia do que estava falando, mas não teve chance de demonstrar a exatidão da sua teoria. Menos de um quilômetro e meio depois de tomarem a primeira estrada de terra, toparam com algo inesperado. E, antes que pudessem desviar, a viagem deles acabou.

Tudo aconteceu muito rápido. Para Sachs, foi um rebuliço nas entranhas, um turbilhão na cabeça, um jato de medo nas veias. Estava tão esgotado, contou-me, e tão pouco tempo transcorreu entre o início e o fim, que nunca chegou sequer a assimilar aquilo como uma realidade — nem mesmo em retrospecto, nem mesmo quando sentou na minha frente para me contar tudo aquilo, dois anos depois. Em dado momento, eles avançavam na caminhonete pelo meio da floresta, disse Sachs, e no momento seguinte haviam parado. Um homem estava de pé na frente deles, na estrada, recostado no porta-malas de um Toyota branco, e fumava um cigarro. Parecia ter quase quarenta anos: um homem alto, espigado, que vestia uma camisa de flanela e uma calça cáqui folgada. A única coisa que Sachs percebeu, além disso, era que tinha barba — parecida com a que ele mesmo usara, só que mais escura. Imaginando que o homem estava com algum problema no carro, Dwight desceu da caminhonete e andou na direção dele, perguntando se precisava de ajuda. Sachs não conseguiu ouvir a resposta do homem, mas o tom pareceu irritado, de algum modo desnecessariamente hostil e, enquanto Sachs continuava a observá-los através do pára-brisa, ficou surpreso ao ver como o sujeito respondeu à pergunta seguinte de Dwight com uma coisa ainda mais sórdida: cai fora, porra, ou suma da minha frente, seu merda, palavras desse teor. Foi então que a adrenalina começou a bombear com força dentro dele, me disse Sachs, e instintivamente apanhou o bastão de metal de beisebol que estava no chão da caminhonete. Dwight, porém, era um sujeito pacífico demais para entender a deixa. Continuou caminhando na direção do sujeito, deixou passar o insulto como se não tivesse importância, repetiu que só queria ajudar. O homem recuou, nervoso, e então correu para a frente do carro, abriu a porta do passageiro e apanhou alguma coisa no porta-luvas. Quando se ergueu de novo e se voltou para Dwight, havia uma arma na sua mão. Disparou uma vez. O rapagão soltou um uivo e abraçou a barriga, e aí o sujeito atirou de novo. O rapaz uivou outra vez e começou a cambalear pela estrada, gemendo e chorando de dor. O homem se virou para acompanhá-lo com os olhos e Sachs saltou da caminhonete, empunhando o bastão na mão direita. Nem sequer pensou, contou-me. Correu por trás do homem quando o terceiro tiro soou, segurou com toda a firmeza o cabo do bastão e bateu com toda a força que tinha. Mirou na cabeça do sujeito — queria rachar o crânio dele ao meio, queria matá-lo, queria esparramar seus miolos pela terra. O bastão desceu com uma força pavorosa, esmigalhou um ponto logo atrás da orelha direita. Sachs ouviu o baque do impacto, o esfacelar da cartilagem e do osso, e depois o homem tombou. Simplesmente caiu morto no meio da estrada, e tudo ficou em silêncio.

Sachs correu até Dwight, mas, quando se curvou para examinar o corpo do rapaz, viu que o terceiro tiro o havia matado. A bala entrara em cheio por trás da cabeça e seu crânio estava estraçalhado. Sachs perdera sua chance. Era uma simples questão de tempo e ele fora lento demais. Se tivesse alcançado o homem uma fração de segundo antes, aquele último tiro não aconteceria e, em vez de olhar para um cadáver no chão, estaria pondo ataduras nos ferimentos de Dwight, fazendo todo o possível para salvar sua vida. Um segundo depois de ter esse pensamento, Sachs sentiu o próprio corpo tremer. Sentou-se na estrada, pôs a cabeça entre os joelhos e fez força para não vomitar. O tempo passou. Sentia o ar soprar através das suas roupas; ouviu um gaio azul piar na mata; fechou os olhos. Quando abriu de novo, apanhou na mão um punhado de terra da estrada e esfregou contra o rosto. Enfiou a terra na boca e se pôs a mastigar, deixou que as pedrinhas menores raspassem contra os dentes, apalpou os seixos com a língua. Mastigou até não agüentar mais e então curvou-se para a frente e cuspiu da boca aquela imundície, gemendo como um bicho doente e enlouquecido.

Se Dwight tivesse sobrevivido, disse ele, a história toda seria diferente. A idéia de fugir nunca teria passado pela sua cabeça e, uma vez eliminado esse primeiro passo, nenhuma das coisas que decorreram daí teriam acontecido. Mas, sozinho, lá no meio do mato, Sachs mergulhou de repente em um pânico profundo e desenfreado. Dois homens haviam morrido, e a idéia de procurar a polícia rodoviária lhe pareceu inconcebível. Já estivera na prisão. Era um criminoso sentenciado e, sem nenhuma testemunha para corroborar sua versão, ninguém iria acreditar em uma só palavra do que contasse. Era tudo esquisito demais, implausível demais. Sachs não estava raciocinando com muita clareza, é óbvio, mas todos os seus pensamentos se concentravam nele mesmo. Não podia fazer nada por Dwight, mas pelo menos podia salvar a própria pele e, em seu pânico, a única solução que lhe ocorreu foi sumir depressa dali.

Sabia que a polícia ia imaginar que um terceiro homem estivera presente. Era óbvio que Dwight e o desconhecido não se haviam matado um ao outro, pois um homem com três balas no corpo dificilmente teria a força necessária para massacrar a cabeça de alguém até matá-lo e, mesmo se tivesse, não poderia caminhar seis metros pela estrada depois de fazê-lo, muito menos com uma das balas alojada no crânio. Sachs também sabia que teria de deixar alguns vestígios atrás de si. Por mais meticuloso que fosse ao varrer as pistas, uma equipe competente de peritos não teria dificuldade para desencavar uma coisa qualquer para levar adiante as investigações: uma pegada, um fio de cabelo, algum fragmento microscópico. Mas nada disso faria grande diferença. Contanto que conseguisse limpar as impressões digitais da caminhonete, contanto que não se esquecesse de levar consigo o bastão de beisebol, não haveria nada para identificá-lo como o homem desaparecido. Esse era o ponto crucial. Tinha de garantir que o homem desaparecido podia ser qualquer um. Uma vez feito isso, Sachs estaria livre.

Passou vários minutos limpando as superfícies da caminhonete: o painel, o banco, as janelas, as maçanetas de dentro e de fora, tudo o que conseguiu imaginar. Assim que terminou, fez tudo outra vez, e depois repetiu novamente, como medida de precaução. Depois de apanhar o bastão do chão, abriu a porta do carro do desconhecido, viu que a chave ainda estava na ignição e se sentou na frente do volante. O motor pegou na primeira tentativa. Ia haver marcas de rodas, é claro, e essas marcas retirariam toda dúvida de que um terceiro homem estivera ali, mas Sachs estava assustado demais para ir embora a pé. Isso seria o mais sensato: ir embora a pé, ir para casa, esquecer toda aquela história sórdida. Mas seu coração batia depressa demais para isso, seus pensamentos o assaltavam fora de qualquer controle e ações ponderadas como essa já não eram mais possíveis. Sachs precisava de velocidade. Precisava da velocidade e do ronco do carro e, agora que estava pronto, tudo o que desejava era ir embora, sentar-se ao volante e fazer o carro andar o mais depressa possível. Só isso poderia aplacar o tumulto dentro dele. Só isso permitiria que ele calasse o urro de terror dentro de sua cabeça.

Seguiu para o norte pela estrada interestadual durante duas horas e meia, acompanhando o rio Connecticut até alcançar a latitude de Barre. Foi aí que a fome levou a melhor contra ele. Sachs receava ter dificuldade para manter a comida na barriga, mas fazia mais de vinte e quatro horas que não comia e sabia que precisava mastigar alguma coisa. Retirou o carro da estrada principal no primeiro desvio à frente, seguiu por uma estrada de duas pistas durante quinze ou vinte minutos e então parou para almoçar em uma cidadezinha cujo nome não conseguia lembrar. Para não correr nenhum risco, pediu ovos cozidos e torradas. Depois de terminar, foi até o banheiro e se lavou, encharcou a cabeça em uma pia cheia de água quente e retirou os gravetos e as manchas de pó das roupas. Isso o fez sentir-se muito melhor. Quando já tinha pago a conta e caminhado para fora do restaurante, compreendeu que o passo seguinte seria dar meia-volta e partir para Nova York. Não seria possível guardar só para si toda aquela história. Isso agora estava bem claro, e depois de se dar conta de que teria de contar para alguém, entendeu que essa pessoa só poderia ser Fanny. Apesar de tudo o que havia acontecido no ano anterior, ele de repente ardia de vontade de vê-la outra vez.

Quando caminhava na direção do carro do morto, Sachs

percebeu que a placa era da Califórnia. Não soube ao certo o que fazer com essa descoberta, mas mesmo assim ficou surpreso. Quantos outros detalhes teria deixado passar, ele se perguntou. Antes de voltar para a estrada interestadual e tomar a direção sul, desviou-se da estrada e estacionou na orla do que parecia uma vasta reserva florestal. Era um local isolado, sem sinal de pessoa alguma em um raio de quilômetros. Sachs abriu as quatro portas do carro, se pôs de quatro sobre o piso e vasculhou meticulosamente o interior do veículo. A despeito de toda a sua minúcia, os resultados da busca foram decepcionantes. Achou umas poucas moedas enfiadas embaixo do banco da frente, algumas bolinhas de papel jogadas pelo chão (embalagens de lanchonete, canhotos de passagens, maços de cigarro amassados), mas nada que tivesse um nome, nada que lhe desse uma simples informação sobre o homem que ele havia matado. O porta-luvas não continha igualmente nada de interessante, exceto o manual do proprietário do Toyota, uma caixa de balas calibre .38 e uma caixa fechada de cigarros Camel com filtro. Só restava o porta-malas e, quando Sachs enfim contornou o carro para abri-lo, ficou claro que ali a história era outra.

Havia três malas lá dentro. A maior estava cheia de roupas, aparelho de barba e mapas. Bem no fundo, espremido em um pequeno envelope branco, havia um passaporte. Quando olhou a fotografia na primeira página, Sachs reconheceu o homem daquela manhã — o mesmo homem, sem a barba. O nome indicado era Reed Dimaggio, e a inicial N entre os dois nomes. Data de nascimento: 12 de novembro de 1950. Local de nascimento: Newark, Nova Jersey. O passaporte fora expedido em San Francisco no mês de julho anterior e as últimas páginas estavam vazias, sem carimbos de visto nem registros da alfândega. Sachs imaginou que podia ser falsificado. Em vista do que acontecera na floresta naquela manhã, parecia quase certo que

Dwight não fora a primeira pessoa que Dimaggio tinha matado. E, se era um criminoso profissional, havia a possibilidade de estar viajando com documentos forjados. Contudo, o nome era de certo modo demasiado peculiar, estranho demais para não ser autêntico. Devia ter pertencido a alguém e, na falta de qualquer outra pista relativa à identidade do homem, Sachs resolveu aceitar aquela pessoa como o homem que ele havia matado. Reed Dimaggio. Até que algo melhor surgisse, esse seria o nome que daria a ele.

O item seguinte era uma valise de metal, uma dessas caixas prateadas reluzentes em que os fotógrafos às vezes levam seus equipamentos. A primeira mala se abrira sem chave, mas essa agora estava trancada, e Sachs perdeu meia hora lutando para soltar as dobradiças dos parafusos que as prendiam. Martelou-as sem parar com o macaco e com o ferro usado para soltar a câmara do pneu e, toda vez que a caixa sacudia, ele escutava o chacoalhar de objetos metálicos em seu interior. Supôs serem armas: facas, revólveres e balas, as ferramentas de trabalho de Dimaggio. Quando a caixa enfim sucumbiu, no entanto, revelou uma coleção frustrante de quinquilharias, nem de longe aquilo que Sachs esperava. Encontrou bobinas de fios de eletricidade, despertadores, chaves de fenda, microchips, cordões, betume e vários rolos de fita isolante preta. Um a um, Sachs retirou os itens da valise e os examinou, tateando às cegas em seu pensamento, no esforço de depreender a finalidade daquilo, mas, mesmo depois de haver analisado todos os elementos da caixa, não foi capaz de adivinhar o que aquelas coisas significavam. Só mais tarde é que a idéia lhe acudiu — muito depois de voltar para a estrada. Enquanto seguia para Nova York naquela noite, Sachs de repente compreendeu que aquilo era material para montar uma bomba.

A terceira peça dentro do porta-malas era uma bolsa de

boliche. Nada digno de nota havia no seu aspecto (uma bolsa de couro pequena com ornatos vermelhos, brancos e azuis, um zíper e uma alça branca de plástico), mas assustou Sachs mais do que as outras duas malas, e ele, por instinto, a deixou por último. Qualquer coisa poderia estar escondida ali, percebeu ele. Levando em conta que pertencia a um louco, a um maníaco homicida, essa *qualquer* coisa se tornou cada vez mais monstruosa aos olhos de Sachs. Quando concluiu o exame das outras duas malas, Sachs havia quase perdido a coragem de abri-la. Em vez de encarar aquilo que a sua imaginação pusera lá dentro, ele quase chegou a se convencer a jogar a bolsa fora. Mas não fez isso. No instante em que estava a ponto de retirá-la do porta-malas e lançá-la na floresta, fechou os olhos, hesitou, e então, com um só puxão enfurecido, abriu o zíper.

Não havia nenhuma cabeça dentro da bolsa. Não havia orelhas cortadas, nenhum dedo amputado, nenhum órgão genital. O que havia era dinheiro. E não era pouco dinheiro, mas um monte, mais dinheiro do que Sachs jamais vira em um só lugar. A bolsa estava dura de tão abarrotada de dinheiro: maços compactos de notas de cem dólares enfeixadas com elásticos, cada maço continha três, quatro mil dólares. Quando Sachs terminou de contar, ficou razoavelmente seguro de que o total chegava a algo entre cento e sessenta e cento e sessenta e cinco mil dólares. Sua primeira reação ao descobrir o dinheiro foi de alívio, gratidão por seus temores não darem em nada. Em seguida, ao conferir pela primeira vez algum sentido àquilo tudo, teve uma sensação de choque e de vertigem. Ao recontar as notas, porém, viu que estava se acostumando a elas. Essa foi a parte mais estranha, disse-me ele: a rapidez com que assimilou toda aquela circunstância implausível. No momento em que se pôs a contar o dinheiro de novo, já havia começado a pensar nas notas como suas.

Guardou os cigarros, o bastão de beisebol, o passaporte e o dinheiro. Tudo o mais ele jogou fora, atirou o conteúdo da mala e da valise de metal bem fundo no mato. Poucos minutos depois, largou as malas vazias em uma lixeira, nas cercanias da cidade. Passava das quatro horas e Sachs tinha uma longa viagem pela frente. Parou em Springfield, Massachusetts, para fazer outra refeição, fumou alguns cigarros Camel de Dimaggio enquanto se servia de mais um café, e depois seguiu direto até o Brooklyn, aonde chegou pouco depois de uma da madrugada. Foi lá que abandonou o carro, deixou-o em uma rua de paralelepípedos perto do canal Gowanus, uma terra de ninguém, com armazéns vazios e matilhas de cães magros e vagabundos. Tomou o cuidado de esfregar as superfícies do carro para apagar as impressões digitais, mas isso era apenas uma precaução adicional. As portas estavam destrancadas, a chave estava na ignição e o carro, com absoluta certeza, seria roubado antes que a noite chegasse ao fim.

Concluiu o resto da viagem a pé, levando em uma das mãos a bolsa de boliche e, na outra, o bastão de beisebol e os cigarros. Na esquina da Quinta Avenida com a rua President, enfiou o bastão em uma lata de lixo abarrotada, enterrando-o enviesado no meio de um bolo de jornais e de cascas de melão partidas. Essa era a última questão que ele tinha de resolver. Havia ainda mais um quilômetro e meio pela frente, mas, apesar da sua exaustão, caminhou rumo ao seu apartamento com uma crescente sensação de calma. Fanny estaria lá para ele, pensou Sachs e, depois que a visse, o pior já teria passado.

Isso explica a confusão que se seguiu. Não apenas Sachs foi apanhado de surpresa quando entrou no apartamento, como também não estava em condições de assimilar a menor novidade a respeito de coisa alguma. Seu cérebro já estava sobrecarregado e ele tinha vindo para casa, ao encontro de Fanny, justamente porque acreditava que ali não haveria nenhuma novidade, porque era o único lugar onde podia ter certeza de que cuidariam dele. Daí o seu assombro, a sua reação de atordoamento quando a viu rolando nua na cama com Charles. Sua certeza se dissolveu em humilhação e tudo o que conseguiu fazer foi balbuciar algumas palavras de desculpas antes de sair às pressas do apartamento. Tudo acontecera ao mesmo tempo, e embora ele tenha conseguido recuperar o autocontrole suficiente para gritar, da rua, os seus votos de felicidade, isso não passava de um blefe, um débil esforço de última hora para salvar as aparências. Na verdade, ele tinha a impressão de que o céu desabara sobre a sua cabeça. Sentia como se seu coração tivesse sido arrancado para fora do peito.

Correu até o outro quarteirão, apenas para fugir, sem a menor idéia do que fazer em seguida. Na esquina da rua Três com a Sétima Avenida, avistou um telefone público e isso lhe deu a idéia de ligar para mim e pedir um abrigo para passar aquela noite. Quando discou o número do meu telefone, no entanto, a linha estava ocupada. Eu devia estar conversando com Fanny naquele instante (ela ligou imediatamente depois que Sachs saiu, na maior correria), mas ele interpretou o sinal de ocupado como se eu e Iris tivéssemos tirado o telefone do gancho. Era uma conclusão sensata, uma vez que, provavelmente, nem eu nem ela estaríamos dispostos a falar ao telefone às duas da madrugada. Portanto ele não se deu ao trabalho de ligar de novo. Quando a moeda de vinte e cinco centavos lhe foi devolvida, usou-a para ligar para Maria. A campainha a arrancou de um sono profundo, mas, tão logo ouviu o desespero da voz de Sachs, disse a ele para vir à sua casa imediatamente. Os trens do metrô eram escassos àquela hora e, quando Sachs pegou o metrô na estação da Grand Army Plaza e se dirigiu para o apartamento de Maria em Manhattan, ela já estava vestida e inteiramente desperta, sentada à mesa da cozinha, bebendo a terceira xícara de café.

Era o lugar mais lógico para ele ir. Mesmo depois de se retirar para o interior, Sachs manteve contato com Maria e, quando por fim conversei com ela sobre tudo isso no outono passado, Maria me mostrou mais de uma dúzia de cartas e cartões-postais que ele lhe enviara de Vermont. Tinha havido também diversas conversas telefônicas, disse Maria, e, nos seis meses em que Sachs esteve fora da cidade, ela achava que não se passaram dez dias sem que chegasse alguma notícia dele. A questão era que Sachs confiava nela e, com Fanny subitamente afastada da sua vida (e com o meu telefone ostensivamente fora do gancho), o passo mais natural para ele era mesmo procurar Maria. Desde o seu acidente no mês de julho anterior, ela era única pessoa com quem Sachs havia desabafado, a única pessoa que ele admitira no reduto sagrado dos seus pensamentos. Tudo considerado, ela provavelmente estava mais próxima dele do que qualquer outra pessoa naquele momento.

Todavia, aquilo provou ser um erro terrível. Não porque Maria não estivesse disposta a ajudá-lo, não porque não estivesse pronta a deixar tudo de lado para ampará-lo na sua crise, mas sim porque ela estava de posse do único fato capaz de transformar um lamentável infortúnio em uma tragédia em larga escala. Se Sachs não tivesse ido à casa dela, tenho certeza de que as coisas teriam se resolvido bem depressa. Ele teria se acalmado após uma noite de repouso e, em seguida, teria procurado a polícia e contado a verdade. Com a ajuda de um bom advogado, sairia livre. Mas um novo ingrediente foi acrescentado à receita já bastante perturbadora das últimas vinte e quatro horas e acabou por produzir uma mistura fatal, um copo cheio de ácido até a boca, que chiava sem parar suas ameaças em uma clamorosa profusão de fumaça.

Mesmo agora, é difícil para mim aceitar isso. E falo como alguém que já devia ter entendido essas coisas, alguém que refletiu longa e arduamente acerca das questões em jogo aqui. Toda minha vida adulta foi consumida em escrever histórias, pôr pessoas imaginárias em situações inesperadas e, muitas vezes, improváveis, mas nenhum de meus personagens jamais experimentou algo tão implausível quanto o que Sachs viveu naquela noite, na casa de Maria Turner. Se ainda me choca relatar o que aconteceu, é porque o real está sempre à frente do que podemos imaginar. Por mais fantásticas que consideremos nossas invenções, elas nunca conseguem igualar a imprevisibilidade daquilo que o mundo real continuamente vomita. Esta lição me parece, agora, inescapável. Tudo pode acontecer. E, de um jeito ou de outro, sempre acontece.

As primeiras horas que os dois passaram juntos foram bastante penosas e ambos as recordavam como uma espécie de tempestade, uma conflagração interior, um turbilhão de lágrimas, silêncios e palavras sufocadas. Pouco a pouco, Sachs conseguiu pôr para fora a sua história. Maria o segurou nos braços a maior parte do tempo, ouvindo em uma enlevada incredulidade, enquanto ele lhe relatava tudo aquilo que conseguia. Foi então que ela fez a sua promessa, deu a sua palavra de honra e jurou guardar segredo sobre os assassinatos. Maria planejava convencê-lo, mais tarde, a ir a polícia, mas por ora sua única preocupação era proteger Sachs, dar prova da sua lealdade. Sachs estava se desintegrando e, uma vez que as palavras começaram a sair da sua boca, uma vez que ele começou a ouvir a si mesmo descrever as coisas que havia feito, foi dominado pela repulsa. Maria tentou fazê-lo entender que agira em defesa própria — que não era o culpado da morte do desconhecido —, mas Sachs se recusava a aceitar seu argumento. Gostasse disso ou não, ele havia matado um homem, e não havia no mundo palavras capazes de anular esse fato. Mas se não tivesse matado o desconhecido, disse Maria, ele mesmo seria morto. Talvez, respondeu Sachs, mas em última instância isso teria sido preferível à posição em que se encontrava agora. Teria sido melhor morrer, disse ele, melhor levar um tiro e ser assassinado naquela manhã do que trazer essa lembrança consigo pelo resto da vida.

Continuaram a conversar, enredaram-se no vaivém torturante desses argumentos, pesaram o ato e suas conseqüências, reviveram as horas que Sachs passou no carro, a cena com Fanny no Brooklyn, sua noite perdido na floresta, repetiam o mesmo assunto três ou quatro vezes, os dois incapazes de dormir, e então, bem no meio dessa conversa, tudo parou. Sachs abriu a bolsa de boliche para mostrar a Maria o que tinha encontrado no porta-malas do carro e lá estava o passaporte jogado em cima do dinheiro. Apanhou-o e o entregou para ela, insistindo para ela dar uma olhada, no intuito de provar que o desconhecido era uma pessoal real — um homem com nome, idade, local de nascimento. Isso tornava tudo muito concreto, disse ele. Se o homem fosse um anônimo, seria possível imaginar que era um monstro, que merecia mesmo morrer, mas o passaporte o desmitificava, mostrava que era um homem como qualquer outro. Ali estavam seus dados pessoais, o esboço de uma vida real. E ali estava o seu retrato. Por mais incrível que parecesse, o homem *sorria* na foto. Conforme Sachs disse a Maria quando pôs o documento na mão dela, ele estava convencido de que aquele sorriso o destruiria. Por mais que se transportasse para longe dos fatos daquela manhã, Sachs nunca conseguiria se livrar deles.

Portanto Maria abriu o passaporte, já pensando no que ia dizer para Sachs, já à cata de palavras que pudessem tranqüilizá-lo, e olhou para a foto dentro do passaporte. Parou e olhou de novo, os olhos iam e voltavam várias vezes da foto para o nome, e de repente (conforme Maria me disse no ano passado), ela teve a sensação de que sua cabeça ia explodir. Estas foram as palavras exatas que usou para descrever o que aconteceu: "Tive a sensação de que minha cabeça ia explodir".

Sachs perguntou se havia alguma coisa errada. Notara a mudança de expressão no seu rosto e não havia compreendido.

— Meu Deus do céu — disse ela.

— Você está bem?

— Isto é uma brincadeira, não é? Tudo não passa de uma brincadeira de mau gosto, não é?

— Não estou entendendo.

— Reed Dimaggio. Esta é uma foto de Reed Dimaggio.

— É o que diz aí. Não tenho a menor idéia do seu nome verdadeiro.

— Eu o conheço.

— Você o quê?

— Eu o conheço. Foi casado com minha melhor amiga. Fui ao casamento deles. Deram à sua filha o meu nome.

— Reed Dimaggio.

— Só existe um Reed Dimaggio. E esta é a foto dele. Estou olhando para a foto dele bem aqui na minha frente.

— Não é possível.

— Acha que estou inventando?

— O homem era um assassino. Matou um rapaz a tiros, a sangue-frio.

— Não interessa. Eu o conheço. Foi casado com minha amiga Lillian Stern. Se não fosse eu, eles dois nunca teriam conhecido um ao outro.

O dia já havia quase nascido, mas eles ainda continuaram a conversar durante várias horas, acordados até nove ou dez da manhã, enquanto Maria recapitulava a história da sua amizade com Lillian Stern. Sachs, cujo corpo caía em pedaços de tanto cansaço, virou sua segunda noite e se recusou a ir para a cama até que ela tivesse terminado. Ouviu a respeito dos primeiros tempos de Maria e Lillian, em Massachusetts, sua mudança para Nova York depois da escola secundária, o longo período em que as duas perderam contato, seu encontro inesperado na portaria do prédio em que Lillian morava. Maria recontou a saga do caderninho de endereços, foi desencavar as fotos que havia tirado de Lillian e as espalhou no chão, na frente de Sachs, relatou a experiência em que as duas trocaram de identidade. Isso tinha sido a causa direta do encontro entre Lillian e Dimaggio, explicou Maria, e do romance ardente que se seguiu. Maria, na verdade, nunca chegou a conhecê-lo muito bem e, a não ser pelo fato de ter gostado dele, não podia dizer grande coisa sobre quem era Dimaggio. Apenas alguns detalhes esparsos se fixaram em sua mente. Maria lembrava que Dimaggio havia lutado no Vietnã, mas se fora convocado ou se se alistara voluntariamente, isso já não estava claro. Deve, porém, ter se desligado do Exército no início dos anos 70, pois Maria tinha certeza de que ele entrara na faculdade com uma bolsa de estudos dos ex-combatentes e, quando Lillian o conheceu em 1976, já tinha concluído seu bacharelado e estava prestes a seguir para Berkeley, como aluno de pós-graduação em história americana. Somando tudo, Maria devia ter estado com Dimaggio apenas cinco ou seis vezes, e vários desses encontros aconteceram bem no início, quando ele e Lillian estavam se apaixonando. Lillian partiu para a Califórnia com Dimaggio um mês depois e, após isso, Maria só o viu em duas ocasiões: no casamento, em 1977, e depois que a filha deles nasceu, em 1981. O casamento acabou em 1984. Lillian conversou com Maria várias vezes durante o período do rompimento, mas desde então seus contatos tinham sido esporádicos, com intervalos cada vez mais largos entre um telefonema e outro.

Maria nunca notara nenhum traço de crueldade em Dimaggio, disse ela, nada que sugerisse que era capaz de fazer mal a alguém — muito menos atirar em um desconhecido a sangue-frio. O homem não era um criminoso. Era um estudante, um intelectual, um professor, e ele e Lillian levavam uma vida bem dura em Berkeley. Ele dava aulas como professor assistente na universidade e fazia o doutorado; ela estudava teatro, arrumava empregos de meio expediente e representava em produções teatrais locais e em filmes produzidos por estudantes. As economias de Lillian os ajudaram a agüentar os primeiros anos, mas depois o dinheiro ficou curto e na maior parte do tempo eles tinham de lutar para manter as contas em dia. Não era nem de longe a vida de um criminoso, disse Maria.

Tampouco era a vida que Maria imaginou que sua amiga fosse escolher para si. Depois daqueles anos loucos em Nova York, parecia estranho que Lillian se casasse com alguém como Dimaggio. Mas ela já pensava em deixar Nova York, e as circunstâncias em que os dois se conheceram eram tão incomuns (tão "arrebatadoras", como disse Maria), que a idéia de fugir com ele deve ter sido irresistível — menos uma escolha do que uma questão de destino. É verdade que Berkeley não é Hollywood, mas Dimaggio tampouco era um acanhado rato de biblioteca com óculos de aro de metal e o peito curvado para dentro. Era um homem forte, de boa aparência, e a atração física não poderia representar nenhum problema. Tão importante quanto isso, ele era mais perspicaz do que qualquer pessoa que Lillian havia conhecido: falava melhor e sabia mais do que qualquer outro, e tinha opiniões fortes a respeito de tudo. Lillian, que não lera mais do que dois ou três livros em toda a sua vida, deve ter se sentido dominada por ele. No modo de ver de Maria, Lillian com certeza imaginava que Dimaggio haveria de transformá-la, que só por conhecê-lo ela seria alçada da sua mediocridade e teria meios para, enfim, ser alguém. Tornar-se estrela de cinema não passava, afinal, de um sonho infantil. Talvez ela tivesse a aparência necessária, talvez até tivesse o talento suficiente — mas, conforme Maria explicou para Sachs, Lillian era preguiçosa demais para cavar aquilo que desejava, impulsiva demais para suportar os reveses e persistir, volúvel demais em suas ambições. Quando pediu o conselho de Maria, ela lhe disse, com toda a franqueza, para tirar da cabeça a idéia de fazer cinema e ficar com Dimaggio. Se ele estivesse mesmo interessado em casar com ela, Lillian deveria agarrar bem firme essa oportunidade. E foi exatamente isso o que ela fez.

Até onde Maria tinha conhecimento, parecia um casamento bem-sucedido. Pelo menos, Lillian nunca reclamava de nada, e, embora Maria começasse a ter certas dúvidas depois de visitar a Califórnia em 1981 (quando achou Dimaggio rabugento e autoritário, destituído de qualquer senso de humor), ela atribuiu isso às primeiras inquietações da paternidade e guardou seus pensamentos para si. Dois anos e meio depois, quando Lillian telefonou para avisar da sua iminente separação, Maria foi apanhada de surpresa. Lillian alegou que Dimaggio andava metido com outra mulher, mas, em seguida, depois de tomar fôlego, mencionou algo sobre a ocasião em que elas duas "trocaram de identidade". Maria sempre supôs que Lillian contara a Dimaggio sobre sua vida pregressa em Nova York, mas parece que ela nunca havia tomado coragem de fazer isso e, depois que se mudaram para a Califórnia, Lillian resolveu que seria melhor para os dois se ele não soubesse de nada. Certa noite, quando ela e Dimaggio jantavam em um restaurante de San Francisco, calhou de um ex-cliente de Lillian sentar-se a uma mesa próxima. O homem estava bêbado e, depois que Lillian se recusou a corresponder aos seus olhares, sorrisos e detestáveis piscadas de olhos, o sujeito se levantou e fez alguns comentários ofensivos em voz alta, pondo a nu o seu segredo, ali mesmo, bem na frente do marido. Segundo o que ela contou para Maria, Dimaggio ficou enfurecido quando voltaram para casa. Empurrou-a no chão, chutou-a, atirou panelas e pratos contra a parede, berrou "piranha" com toda a força dos pulmões. Se o bebê não houvesse acordado, era possível que ele a tivesse matado. No outro dia, porém, quando ela conversou com Maria de novo por telefone, Lillian nem fez referência a esse incidente. Dessa vez, sua história era que Dimaggio "andava meio esquisito com ela", circulava com um "bando de extremistas imbecis" e havia se transformado em um "esquisitão". Portanto, ela enfim se encheu e o pôs para fora de casa. Com isso, eram três histórias diferentes, disse Maria, um exemplo típico de como Lillian lidava com a verdade. Uma das histórias podia ser autêntica. Era até possível que todas fossem autênticas — porém, de outro lado, era também possível que todas fossem falsas. Nunca se podia ter certeza com Lillian, explicou Maria para Sachs. Que ela soubesse, Lillian podia muito bem ter traído Dimaggio com outro homem, e ele, então, teria dado o fora nela. Podia ser algo assim, bem simples. Mas também podia não ser.

Eles nunca se divorciaram oficialmente. Dimaggio, que conseguiu seu doutorado em 1982, dera aula em uma faculdadezinha particular em Oakland durante os anos anteriores. Depois do rompimento final com Lillian (outono de 1984), ele se mudou para um quarto-e-sala em um hotel-residência no centro de Berkeley. Nos nove meses seguintes, ele ia à casa de Lillian todo sábado para pegar a pequenina Maria e passava o dia com ela. Chegava sempre pontualmente às dez da manhã e sempre a trazia de volta às oito da noite. Então, após quase um ano nessa rotina, um dia ele não apareceu. Nunca houve qualquer desculpa, nenhuma palavra de explicação. Lillian telefonou para o apartamento dele diversas vezes nos dois dias seguintes, mas ninguém atendeu. Na segunda-feira, ela tentou encontrá-lo no trabalho e, quando ninguém atendeu o telefone no gabinete de Dimaggio, Lillian desligou e discou o número da secretária do departamento de história. Só então soube que Dimaggio pedira exoneração na faculdade. Na semana anterior, disse a secretária, no dia em que entregou as notas finais do semestre. Ele disse ao diretor que fora contratado para ocupar uma vaga de professor em Cornell, mas, quando Lillian telefonou para o departamento de história de Cornell, ninguém lá o conhecia. Depois disso, ela nunca mais soube de Dimaggio. Durante os dois anos seguintes, foi como se ele tivesse evaporado da face da Terra. Não escrevia, não telefonava, não fez nenhuma tentativa de entrar em contato com sua filha. Até o instante em que surgiu do nada no meio das florestas de Vermont, no dia da sua morte, a história desses dois anos era uma página totalmente em branco.

Nesse intervalo, Lillian e Maria continuaram a conversar por telefone. Depois que Dimaggio ficou desaparecido durante um mês, Maria sugeriu que Lillian fizesse as malas e viesse com a pequena Maria para Nova York. Ela até se ofereceu para pagar a passagem, mas, em vista das graves dificuldades financeiras de Lillian na ocasião, ambas concluíram que o dinheiro seria mais bem empregado se ela pagasse suas contas. Portanto Maria transferiu para Lillian um empréstimo de três mil dólares (todas as suas economias, até o último centavo) e a viagem ficou arquivada para alguma data futura. Dois anos depois, a viagem ainda não ocorrera. Maria continuava a pensar em ir à Califórnia para passar algumas semanas com Lillian, mas parecia que a hora nunca era boa, e tudo o que ela podia fazer era persistir em seu trabalho. Depois do primeiro ano, elas começaram a se falar menos por telefone. A certa altura, Maria lhe mandou mais mil e quinhentos dólares, mas agora já fazia quatro meses que as duas não se falavam, e Maria desconfiava de que Lillian estivesse numa situação muito ruim. Era uma maneira horrível de tratar uma amiga, disse ela, sucumbindo de repente a um novo acesso de lágrimas. Nem sequer sabia mais o que Lillian andava fazendo e, agora que essa coisa medonha havia acontecido, Maria percebeu como tinha sido egoísta, se deu conta de como tinha deixado sua amiga na mão.

Quinze minutos depois, Sachs estava estirado no sofá no estúdio de Maria e rendia-se ao sono. Ele agora podia ceder à sua exaustão porque havia arquitetado um plano, porque já não tinha dúvida quanto ao que fazer em seguida. Depois que Maria lhe contou acerca de Dimaggio e Lillian Stern, ele entendeu que aquela coincidência digna de um pesadelo representava na verdade uma solução, uma oportunidade na forma de um milagre. O essencial era aceitar a estranheza do fato — não a negar, mas sim abraçar essa estranheza, aspirá-la para dentro de si como uma força de sustentação. Onde antes tudo fora sombrio, Sachs agora enxergava uma claridade bela e espantosa. Ele iria para a Califórnia e daria para Lillian Stern o dinheiro que encontrara no carro de Dimaggio. Não o dinheiro, simplesmente — mas o dinheiro como um símbolo de tudo o que ele tinha de dar, sua alma inteira. A alquimia da retribuição impunha isso, e assim que tivesse cumprido esse ato, talvez houvesse alguma paz para ele, talvez tivesse alguma desculpa para continuar a viver. Dimaggio tirara uma vida; ele tirara a vida de Dimaggio. Agora era a vez de Sachs, agora sua vida tinha de ser tirada também. Essa era a lei interna, e a menos que ele tivesse coragem de suprimir a si mesmo, o círculo de desgraças nunca se fecharia. Por mais que vivesse, sua vida nunca mais lhe pertenceria. Ao entregar o dinheiro para Lillian Stern, Sachs estaria pondo a si mesmo nas mãos dela. Essa seria a sua penitência: usar a própria vida para dar vida a outra pessoa; confessar; arriscar tudo em um sonho insano de misericórdia e perdão.

Sachs nunca falou sobre nada disso com Maria. Receava

que ela não o entendesse e tinha horror à idéia de deixá-la confusa, de lhe causar mais algum sobressalto. Todavia, ele adiou ao máximo sua partida. Seu corpo requeria repouso, e, como Maria não tinha a menor pressa de livrar-se dele, Sachs acabou ficando na casa dela por mais três dias. Durante todo esse tempo, ele nunca pôs os pés fora do apartamento. Maria comprou roupas novas para ele; fazia compras no mercado e preparava suas refeições; providenciava os jornais para Sachs toda manhã e toda tarde. Além de ler os jornais e ver o noticiário da tevê, ele não fazia quase nada. Dormia. Olhava fixo pela janela. Refletia sobre a imensidão do medo.

No segundo dia, havia uma pequena matéria no *New York Times* sobre a descoberta de dois cadáveres em Vermont. Foi assim que Sachs soube que o sobrenome de Dwight era McMartin, mas a matéria era resumida demais para oferecer detalhes sobre a investigação que, ao que parece, estava em andamento. No *New York Post* daquela tarde, saiu uma outra matéria que sublinhava como as autoridades locais estavam desorientadas com o caso. Mas nada sobre um terceiro homem, nada sobre um Toyota branco abandonado no Brooklyn, nada sobre algum indício capaz de ligar Dimaggio a McMartin. O título declarava: MISTÉRIO NAS FLORESTAS DO NORTE. Naquela noite, no noticiário nacional, uma das estações de tevê relatou a história, mas, afora uma entrevista curta e insípida com os pais de McMartin (a mãe em prantos diante da câmera, o pai de rosto fechado e severo) e uma tomada rápida da casa de Lillian Stern ("a sra. Dimaggio se recusou a falar com os repórteres"), não havia nenhum desdobramento significativo. Um porta-voz da polícia se apresentou para dizer que os exames de parafina comprovaram que Dimaggio havia disparado a arma que matara McMartin, mas a morte do próprio Dimaggio permanecia sem explicação. Estava claro que um terceiro homem tomara parte do episódio, acrescentou ele, mas ainda não tinham a menor idéia de quem era nem que direção havia tomado. Para todos os efeitos, o caso era um enigma.

O tempo todo que Sachs passou com Maria, ela não parou de telefonar para Lillian, em Berkeley. Na primeira vez, ninguém atendeu. Depois, quando ela tentou de novo uma hora mais tarde, foi saudada por um sinal de ocupado. Após várias tentativas, Maria ligou para a telefonista e perguntou se havia algum defeito na linha. Não, lhe informaram, o aparelho tinha sido retirado do gancho. Quando a reportagem foi ao ar na tevê, na noite seguinte, o sinal de ocupado se tornou compreensível. Lillian estava se protegendo dos repórteres, e, durante o resto da estada de Sachs em Nova York, Maria não conseguiu fazer contato com Lillian. No final das contas, talvez isso tenha sido bom. Por maior que fosse sua urgência em falar com a amiga, Maria se sentiria pressionada para contar a Lillian o que sabia: que o assassino de Dimaggio era um amigo dela, que estava ali do seu lado naquele instante. A situação já era horrorosa demais sem que Maria, ainda por cima, tivesse de rodar aos tropeções à cata de palavras para explicar tudo isso. Por outro lado, poderia ser útil para Sachs se Maria conseguisse falar com Lillian antes de ele partir. Isso prepararia o terreno para ele, por assim dizer, e suas primeiras horas na Califórnia seriam bem menos difíceis. Mas como Maria ia poder saber disso? Sachs não lhe contou nada sobre seu plano e, fora o bilhete de agradecimento que deixou na mesa da cozinha quando Maria saiu para fazer as compras para o jantar no terceiro dia, nem sequer se despediu dela. Sachs ficou constrangido por agir daquela forma, mas sabia que ela não o deixaria partir sem alguma explicação, e a última coisa que ele queria era mentir para ela. Portanto, assim que ela saiu para fazer as compras no mercado, Sachs juntou suas coisas e desceu para a rua. Sua bagagem consistia na bolsa de boliche e em uma sacola plástica (na qual enfiou o seu aparelho de barba, a escova de dentes e algumas peças de roupa que Maria arranjara para ele). Dali, caminhou até a Broadway, Oeste, pegou um táxi e pediu ao motorista para levá-lo ao aeroporto Kennedy. Duas horas depois, embarcou em um avião para San Francisco.

Ela morava em uma casinha cor-de-rosa revestida de estuque, na planície de Berkeley, um bairro pobre, de gramados maltratados, paredes descascadas e calçadas onde irrompia o capim. Sachs estacionou seu Plymouth alugado um pouco depois das dez da manhã, mas ninguém atendeu à porta quando ele tocou a campainha. Era a primeira vez que ia a Berkeley, mas, em lugar de ir conhecer a cidade e voltar mais tarde, Sachs se instalou na escadinha da frente da casa e esperou que Lillian aparecesse. O ar vibrava com uma doçura fora do comum. Enquanto folheava seu exemplar do *San Francisco Chronicle,* Sachs sentia o cheiro das mudas de jacarandá, da madressilva, dos eucaliptos, o impacto da Califórnia em seu eterno florescer. Não lhe importava quanto tempo tivesse de ficar ali sentado. Falar com aquela mulher se tornara, agora, a única missão da sua vida, e até isso acontecer, era como se o tempo tivesse parado para ele, como se nada pudesse existir, exceto a incerteza da espera. Dez minutos ou dez horas, disse para si mesmo: desde que em algum momento ela chegasse, não faria a menor diferença.

Havia uma matéria no *Chronicle* daquela manhã sobre Dimaggio, e era uma reportagem mais longa e mais abrangente do que todas as que Sachs lera em Nova York. Segundo fontes locais, Dimaggio andara envolvido com um grupo ecológico de esquerda, um pequeno bando de pessoas empenhadas em interromper o funcionamento de usinas nucleares, empresas madeireiras e outros "espoliadores da Terra". A matéria especulava que, no momento de sua morte, talvez Dimaggio estivesse em missão para esse grupo, acusação vigorosamente contestada pelo diretor da filial de Berkeley das Crianças do Planeta, que afirmou que sua organização era ideologicamente contrária a todas as formas violentas de protesto. O repórter, em seguida, sugeria que Dimaggio podia estar agindo por conta própria, um renegado das Crianças, que divergia do grupo no que tange a questões táticas. Nada disso se apoiava em fatos, mas, para Sachs, foi duro saber que Dimaggio não era um criminoso comum. Era algo totalmente distinto: um idealista enlouquecido, o prosélito de uma causa, uma pessoa que sonhava transformar o mundo. Isso não eliminava o fato de que havia assassinado um rapaz inocente, mas de certo modo piorava a situação. Ele e Sachs acreditavam nas mesmas coisas. Em outros tempos e em outro lugar, os dois poderiam até ter sido amigos.

Sachs passou uma hora lendo o jornal, depois o largou de lado e se pôs a contemplar a rua. Uma porção de carros passava diante da casa, mas os únicos pedestres eram ou muito idosos ou muito jovens: criancinhas com suas mães, um velho negro que caminhava lentamente com sua bengala, uma asiática de cabelo grisalho que andava com o auxílio de um andador de alumínio. À uma hora, Sachs abandonou seu posto temporariamente para ir comer alguma coisa, mas voltou após vinte minutos e ingeriu o seu lanche ali mesmo, na escadinha. Imaginava que Lillian fosse chegar lá pelas cinco e meia ou seis horas, esperava que ela viesse de volta do seu emprego, desejava que ela estivesse trabalhando como sempre, que continuasse no ritmo da sua rotina normal. Mas isso era só um palpite. Ele não sabia se Lillian tinha algum emprego e, mesmo se tivesse, não havia a menor certeza de que ela ainda estava na cidade. Se a mulher tivesse desaparecido, seu plano seria inútil e, todavia, o único modo de descobrir era ficar ali sentado, onde ele estava. Sachs padeceu nas primeiras horas da noite em um alvoroço de ansiedade, olhando as nuvens escurecerem, no alto, enquanto o crepúsculo se transformava em noite. Cinco horas viraram seis, seis viraram sete e, daí em diante, tudo o que ele podia fazer era não se sentir chamuscado pela frustração. Saiu de novo atrás de comida às sete e meia, mas voltou para a porta da casa e se pôs a esperar novamente. Lillian podia estar em um restaurante, disse para si mesmo, ou visitando amigas, ou fazendo uma porção de outras coisas que explicariam sua ausência. E se e quando ela voltasse, era essencial que ele estivesse ali. Caso Sachs não conseguisse falar com Lillian antes de ela entrar na casa, nunca mais teria outra oportunidade.

No entanto, quando Lillian enfim apareceu, Sachs foi apanhado de surpresa. Passavam alguns minutos da meia-noite e, como ele já não a esperava mais, permitira que sua vigilância se afrouxasse. Recostara o ombro na balaustrada de ferro fundido, os olhos se fecharam e ele estava prestes a cochilar quando o ruído manso de um motor de carro o despertou de novo e o pôs alerta. Sachs abriu os olhos e viu o carro parado em uma vaga do outro lado da rua. Um instante depois, o motor emudeceu e os faróis se apagaram. Ainda em dúvida sobre se era mesmo Lillian Stern, Sachs se pôs de pé e observou de seu posto, na escadinha — o coração martelando, o sangue zunindo no cérebro.

Ela veio na sua direção com uma criança adormecida nos braços, quase sem se dar ao trabalho de olhar para a casa enquanto atravessava a rua. Sachs a ouviu cochichar algo no ouvido da filha, mas não conseguiu entender o que era. Percebeu que ele mesmo não passava de uma sombra, uma figura invisível, oculta na escuridão, e, no momento em que Sachs abrisse a boca para falar, a mulher se sentiria morta de medo. Hesitou por vários segundos. Depois, ainda incapaz de enxergar o rosto da mulher, Sachs enfim resolveu meter a cara e romper o silêncio quando ela estava a meio caminho da calçada.

— Lillian Stern? — perguntou. No instante em que ouviu as próprias palavras, entendeu que sua voz o traíra. Queria que a pergunta comportasse certa afeição e simpatia, mas saiu meio desajeitada, soou tensa e beligerante, como se tencionasse fazer-lhe algum mal.

Ouviu um soluço rápido e trêmulo escapar da garganta da mulher. Ela se deteve abruptamente, acomodou melhor a criança nos braços e depois respondeu com uma voz baixa que fervia de raiva e frustração:

— Caia fora da minha casa, moço. Não quero falar com ninguém.

— Eu só queria conversar um minuto com você — disse Sachs, começando a descer a escadinha. Sacudia as mãos abertas para um lado e outro, em sinal de negação, como que para provar que vinha em paz. — Estou esperando aqui desde as dez horas da manhã. Preciso falar com você. É muito importante.

— Nada de repórteres. Não quero falar com jornalistas.

— Não sou jornalista. Sou um amigo. Você não precisa dizer nenhuma palavra se não quiser. Só peço para me escutar.

— Não acredito em você. É só mais um desses escrotos.

— Não, você está enganada. Sou um amigo. Um amigo de Maria Turner. Foi ela quem me deu seu endereço.

— Maria? — exclamou a mulher. Houve um repentino e inequívoco abrandamento da sua voz. — Você conhece Maria?

— Eu a conheço muito bem. Se não acredita em mim, pode entrar e telefonar para ela agora mesmo. Espero aqui até você acabar de falar com ela.

Sachs havia chegado ao último degrau, e novamente a mulher caminhava na sua direção, como que liberada para se pôr de novo em movimento, agora que o nome de Maria tinha sido mencionado. Estavam parados sobre o passeio lajeado, a dois passos um do outro, e, pela primeira vez desde sua chegada,

Sachs pôde discernir as feições de Lillian. Viu o mesmo rosto extraordinário que vira nas fotos na casa de Maria, os mesmos olhos escuros, o mesmo pescoço, o mesmo cabelo curto, os mesmos lábios cheios. Ele era quase trinta centímetros mais alto do que ela e, quando baixou os olhos para vê-la, a cabeça da filhinha recostada em seu ombro, Sachs se deu conta de que, apesar das fotografias, não esperava que Lillian fosse tão linda.

— Mas e quem é você? — perguntou ela.

— Meu nome é Benjamin Sachs.

— E o que quer de mim, Benjamin Sachs? O que está fazendo aqui, na porta da minha casa, no meio da noite?

— Maria tentou telefonar. Ligou para você vários dias e, como não conseguiu, resolvi vir aqui eu mesmo.

— Lá de Nova York?

— Não tinha outra escolha.

— E por que você faria uma coisa dessas?

— Porque tenho uma coisa importante para lhe contar.

— Não estou gostando dessa história. A última coisa de que preciso na minha vida são mais notícias ruins.

— Não são notícias ruins. Estranhas, talvez, até mesmo inacreditáveis, mas sem dúvida nenhuma não trago más notícias. No que diz respeito a você, são até muito boas. De fato, espantosas. Sua vida está prestes a dar uma guinada para melhor.

— Você está confiante demais no que diz, não acha?

— É só porque sei do que estou falando.

— E isso não podia esperar até amanhã de manhã?

— Não. Tenho de falar com você agora. Só peço meia hora e depois deixo você em paz. Prometo.

Sem pronunciar nenhuma palavra, Lillian Stern tirou um molho de chaves do bolso do casaco, subiu a escadinha e abriu a porta da casa. Sachs a seguiu soleira adentro e passou para o vestíbulo escuro. Nada estava ocorrendo da forma como ele tinha previsto, e mesmo depois de a luz se acender, mesmo depois que a viu levar a filha para o andar de cima para dormir, Sachs se perguntou como iria arranjar coragem para falar com ela, para lhe contar o que o levara a percorrer cinco mil quilômetros.

Ele a ouviu fechar a porta do quarto da filha, mas, em vez de descer a escada, ela foi para outro cômodo e usou o telefone. Ouviu-a nitidamente discar um número, mas depois, assim que Lillian pronunciou o nome de Maria, a porta se fechou com estrondo e a conversa que se seguiu não chegou até ele. A voz de Lillian descia filtrada através do teto, como um rumor sem palavras, um sussurro vago feito de suspiros, silêncios e exclamações abafadas. Embora aflito para saber o que ela dizia, seus ouvidos não tinham a agudeza suficiente e ele renunciou ao esforço após um ou dois minutos. Quanto mais a conversa se prolongava, mais nervoso ele ficava. Sem saber mais o que fazer, Sachs abandonou seu posto ao pé da escada e começou a percorrer os cômodos do térreo. Só havia três, e todos em lamentável desordem. Altas pilhas de pratos sujos se amontoavam dentro da pia da cozinha; a sala de estar era um caos de almofadas espalhadas, cadeiras caídas e cinzeiros cheios até a borda; a mesa da sala de jantar havia desabado. Uma a uma, Sachs acendia as luzes e depois apagava. Era um lugar sórdido, constatou, uma casa de infelicidade e de pensamentos confusos, e se sentiu perdido só de olhar para aquilo.

A conversa por telefone se prolongou por mais quinze ou vinte minutos. Quando ouviu Lillian desligar, Sachs estava de novo no hall, à espera dela no pé da escada. Lillian desceu de cara fechada e ar sombrio, e, pelo ligeiro tremor que ele detectou no seu lábio inferior, deduziu que ela havia chorado. Não estava mais com o casaco que usava antes e seu vestido tinha sido substituído por uma calça jeans preta e uma camiseta branca. Estava descalça, Sachs notou, e as unhas dos pés estavam pintadas de um vermelho bem vivo. Muito embora ele a olhasse de frente durante todo o tempo, Lillian se recusava a retribuir o seu olhar enquanto descia a escada. Quando ela desceu o último degrau, Sachs se afastou para deixá-la passar e só então, quando ela estava a meio caminho da cozinha, Lillian parou e se voltou para ele, dirigindo-se para Sachs por cima do ombro esquerdo:

— Maria mandou um abraço — disse Lillian. — Ela também falou que não entende o que você veio fazer aqui.

Sem esperar uma resposta, Lillian prosseguiu na direção da cozinha. Sachs não sabia se ela queria que ele a seguisse ou ficasse onde estava, mas resolveu ir atrás, de todo modo. Ela acendeu a luz no teto com um peteleco, resmungou baixo consigo mesma quando viu o estado em que se encontrava a cozinha e então virou as costas para ele e abriu um armário. Tirou uma garrafa de Johnie Walker, achou um copo vazio em outro armário e se serviu de uma dose. Seria impossível não notar a hostilidade entranhada naquele gesto. Lillian não lhe ofereceu um drinque nem o convidou a sentar; de repente Sachs percebeu que corria o risco de perder o controle da situação. Era para ser a grande cena dele, afinal, e agora lá estava Sachs, diante de Lillian, inexplicavelmente hesitante e de língua travada, perdido em dúvidas sobre como começar.

Ela tomou um gole da sua bebida e o fitou, do lado oposto da cozinha.

— Maria disse que não entende o que você veio fazer aqui — repetiu ela. Sua voz estava rouca e sem expressão, e no entanto essa mesma neutralidade sugeria desdém, um desdém que beirava o desprezo.

— Não — respondeu Sachs. — Não creio que ela entenda.

— Se tem alguma coisa para me dizer, é melhor falar logo. E depois quero que você se mande daqui. Está entendendo? Quero que suma daqui.

— Não vou causar nenhum problema.

— Não há nada que me impeça de chamar a polícia, sabia? Basta eu pegar o telefone e sua vida vai direto pelo cano da privada. Caramba, mas em que raio de planeta você nasceu, afinal? Deu um tiro no meu marido, depois veio para cá e ainda espera que eu seja boazinha com você?

— Não dei um tiro nele. Nunca segurei um revólver em toda a minha vida.

— Não me interessa o que você fez. Não tenho nada a ver com isso.

— É claro que tem. Tudo isso tem a ver com você. Tem tudo a ver com nós dois.

— Você quer que eu o perdoe, não é? Foi por isso que veio. Para cair de joelhos na minha frente e implorar o meu perdão. Pois bem, não estou interessada no assunto. Meu trabalho não é perdoar ninguém. Não é o meu ramo de negócio.

— O pai da sua filha morreu e você está me dizendo que não se importa?

— Estou dizendo que não é da sua conta.

— Maria não falou do dinheiro?

— Dinheiro?

— Ela contou para você, não foi?

— Não sei do que você está falando.

— Eu trouxe um dinheiro para você. É por isso que estou aqui. Para lhe entregar o dinheiro.

— Não quero o seu dinheiro. Não quero porra nenhuma de você. Só quero que suma daqui.

— Está me mandando embora antes de ouvir o que tenho a dizer.

— Porque não confio em você. Está atrás de alguma coisa e não sei o que é. Ninguém dá dinheiro assim em troca de nada.

— Você não me conhece, Lillian. Não tem a menor idéia do que se passa comigo.

— Acabei de receber algumas informações. Sei o suficiente para saber também que não gosto de você.

— Não vim aqui para que você goste de mim. Vim ajudá-la, só isso, e o que você pensa não tem importância.

— Você está louco, sabia? Fala igualzinho a um maluco.

— A única loucura para você seria negar o que aconteceu. Tomei uma coisa que pertencia a você e agora vim aqui para lhe dar algo em troca. É muito simples. Não escolhi você. As circunstâncias deram você a mim, e agora preciso cumprir direito a minha parte da transação.

— Você está começando a falar que nem o Reed. Um sacaninha cheio de conversa mole, todo convencido com seus argumentos e suas teorias pomposas. Mas não vai colar, não, professor. Não tem negócio comigo. Tudo isso está só dentro da sua cabeça, e eu não devo nada a você.

— É exatamente isso. Você não me deve nada. Quem deve a você sou eu.

— Deixa de papo-furado.

— Se minhas razões não lhe interessam, então não pense nas minhas razões. Mas fique com o dinheiro. Se não para você, pelo menos para sua filha. Não lhe peço nada. Só quero que fique com ele.

— E depois, o quê?

— Depois, nada.

— Vou ficar em dívida com você, não é? É isso o que você quer que eu pense. Assim que eu pegar o dinheiro, você tem a sensação de que me possui.

— Possuir você? — exclamou Sachs, subitamente cedendo à irritação. — Possuir você? Eu nem sequer *gosto* de você. Pelo jeito como me tratou esta noite, quanto menos eu tiver a ver com você, melhor.

Nesse momento, sem a menor indicação do que ia acontecer, Lillian se pôs a sorrir. Foi uma interrupção espontânea, uma reação completamente involuntária à guerra de nervos que vinha sendo travada entre os dois. Muito embora não tivesse durado mais do que um ou dois segundos, Sachs sentiu-se encorajado. Alguma coisa tinha sido comunicada, ele sentiu, algum pequeno contato se estabelecera e, conquanto não pudesse afirmar que coisa era essa, percebia que os ânimos haviam mudado.

Depois disso, Sachs não perdeu mais tempo. Agarrando-se à oportunidade que acabara de se apresentar, disse a Lillian para ficar onde estava, saiu da cozinha e foi apanhar o dinheiro no carro. Era inútil tentar explicar-se a ela. Chegara o momento de apresentar a prova, de suprimir as abstrações e deixar que o dinheiro falasse por si só. Era o único modo de fazer Lillian acreditar nele: deixá-la tocar no dinheiro, deixar que ela o visse com os próprios olhos.

Porém nada mais era simples. Agora que havia aberto o porta-malas e olhava de novo para a bolsa de boliche, Sachs hesitava em seguir seu impulso. Por todo o tempo, ele vira a si mesmo entregando o dinheiro para Lillian de uma só tacada: entrava na casa dela, largava a bolsa e depois ia embora. Deveria ser um gesto rápido, como em um sonho, uma ação que não tomaria tempo nenhum. Ele se precipitaria do céu como um anjo de misericórdia e faria chover riquezas sobre ela, e antes que Lillian percebesse que ele estava ali, Sachs já teria sumido. Agora que tinha conversado com ela, no entanto, agora que havia ficado face a face com Lillian na cozinha, Sachs via como era absurdo esse conto de fadas. A animosidade de Lillian o assustara e desmoralizara, e Sachs não tinha como prever o que aconteceria em seguida. Se lhe desse o dinheiro todo de uma vez, perderia toda e qualquer vantagem que ainda possuísse sobre ela. Tudo, então, seria possível, as mais grotescas reviravoltas poderiam se suceder a esse erro. Lillian talvez o humilhasse, recusando-se a aceitar o dinheiro, depois daria as costas e chamaria a polícia. Ela já ameaçara fazer isso e, levando em conta a intensidade da sua raiva e da sua desconfiança, Sachs não ia ficar nem um pouco admirado se ela o traísse.

Em vez de levar a bolsa para dentro da casa, ele contou cinqüenta notas de cem dólares, meteu o dinheiro nos dois bolsos do casaco, fechou o zíper da bolsa e trancou o porta-malas do carro. Sachs não tinha mais a menor idéia do que estava fazendo. Era um ato de pura improvisação, um vôo cego para o desconhecido. Quando se voltou de novo na direção da casa, viu Lillian parada na porta, uma figura pequena, iluminada, de mãos nos quadris, observando atentamente enquanto Sachs cuidava de seus negócios na rua silenciosa. Atravessou o gramado ciente de que os olhos dela estavam sobre ele, subitamente instigado pelas próprias incertezas, pela loucura da coisa terrível — qualquer que fosse ela — que estava prestes a acontecer.

Quando Sachs subiu a escadinha da entrada, Lillian chegou para o lado para lhe dar passagem e depois fechou a porta às costas dele. Sachs, dessa vez, não esperou nenhum convite. Entrou na cozinha antes de Lillian, caminhou até a mesa, puxou uma das frágeis cadeiras de madeira e sentou-se. Um instante depois, Lillian sentou-se à sua frente. Não havia mais sorrisos, nenhum lampejo de curiosidade nos olhos dela. Lillian convertera seu rosto em uma máscara, e enquanto ele a fitava do outro lado da mesa, em busca de um sinal, de alguma deixa que o ajudasse a começar, Sachs teve a sensação de que examinava a superfície de uma parede. Não havia como penetrar em Lillian, não havia meios de enxergar dentro dos seus pensamentos. Nenhum dos dois falou nada. Cada um esperava que o outro começasse, e quanto mais o silêncio de Lillian se prolongava, mais obstinadamente ela parecia resistir a Sachs. A certa altura, compreendendo que ele estava à beira de sufocar, que um grito começava a ganhar impulso em seus pulmões, Sachs ergueu o braço direito e, calmamente, varreu para o chão tudo o que estava à sua frente. Pratos sujos, xícaras de café, cinzeiros e talheres prateados despencaram com um estrépito violento, se espatifaram e deslizaram para longe, sobre o linóleo verde. Olhou firme nos olhos dela, mas Lillian não correspondeu ao seu olhar, deixou-se ficar ali sentada como se nada tivesse acontecido. Foi um momento sublime, sentiu Sachs, um momento para entrar na história, e enquanto os dois continuaram a olhar um para o outro, Sachs quase começou a tremer de felicidade, uma felicidade desenfreada que emergia em ondas do fundo do seu medo. Então, sem perder o embalo, ele sacou os dois maços de notas dos bolsos, jogou-os com um tapa sobre a mesa e os empurrou na direção dela.

— Isto é para você — disse ele. — É seu, se quiser.

Ela pousou os olhos sobre o dinheiro por uma fração de segundo, mas não fez nenhum movimento para tocá-lo.

— Notas de cem dólares — disse. — Ou são só as de cima?

— Notas de cem, do início ao fim. Cinco mil dólares.

— Cinco mil dólares não são de se jogar fora. Nem gente rica faria pouco-caso de cinco mil dólares. Mas não é exatamente um dinheiro capaz de mudar a vida da gente.

— É só o princípio. Você pode chamar de uma entrada.

— Sei. E quais são as prestações de que você está falando?

— Mil dólares por dia. Mil dólares por dia, enquanto durar.

— E quanto tempo vai durar?

— Muito tempo. O bastante para você pagar suas dívidas e largar seu emprego. O bastante para se mudar daqui. O bastante para comprar um carro novo e roupas novas. E, depois de fazer tudo isso, ainda vai ter tanto dinheiro que nem vai saber como gastá-lo.

— E o que você vem a ser nessa história, a minha fada-madrinha?

— Apenas um homem que veio saldar uma dívida, só isso.

— E se eu disser a você que não gosto nada desse acordo? E se eu disser que prefiro ter o dinheiro todo de uma vez?

— Esse era o plano original, mas as coisas mudaram depois que cheguei aqui. Estamos agora no Plano B.

— Pensei que você queria ser legal comigo.

— Estou sendo. Mas quero que você também seja legal comigo. Se fizermos a coisa desse jeito, existe uma boa chance de manter tudo em equilíbrio.

— Está dizendo que não confia em mim, não é isso?

— Sua atitude me deixa um pouco nervoso. Tenho certeza de que pode compreender muito bem o problema.

— E o que vai acontecer enquanto você me der essas cotas diárias? Vem aqui todo dia de manhã, numa determinada hora, me entrega o dinheiro e depois cai fora, ou está pensando em ficar para o café da manhã também?

— Já lhe disse antes: não quero nada de você. O dinheiro é só seu, limpo, livre de obrigações, e você não me deve absolutamente nada.

— Sei, está muito bem, então vamos pôr as coisas em pratos limpos, sabichão. Não sei o que Maria contou a você sobre mim, mas minha xoxota não está à venda. Por dinheiro nenhum no mundo. Está entendendo? Ninguém me força a ir para a cama. Trepo com quem eu quiser trepar, e que a fada-madrinha se vire sozinha com a sua varinha de condão. Estou sendo clara?

— Está me dizendo que não estou nos seus planos. E eu acabei de lhe dizer que você não está nos meus planos. Não vejo como poderia estar mais claro.

— Ótimo. Agora, me dê um tempo para pensar nessa história toda. Estou morta de cansaço e tenho de ir dormir.

— Você não precisa pensar nada. Já sabe qual a resposta.

— Talvez sim, talvez não. Mas não vou mais falar sobre este assunto, nesta noite. Foi um dia duro e estou quase caindo de cansaço. Mas, só para mostrar como sou boa, vou deixar você dormir no sofá da sala. Em consideração a Maria, só desta vez. Já é de madrugada e você não vai achar um hotel se sair procurando a esta hora.

— Não precisa fazer isso.

— Não preciso fazer nada, mas não quer dizer que eu não possa fazer. Se você quiser ficar, fique. Se não quiser, não fique. Mas é melhor resolver agora, porque já estou indo para a cama.

— Obrigado, é bondade sua.

— Não me agradeça. Agradeça à Maria. A sala está a maior bagunça. Se tiver alguma coisa em cima do sofá, é só jogar no chão e pronto. Você já me mostrou que sabe fazer isso.

— Em geral, não recorro a essas formas primitivas de comunicação.

— Contanto que não tenha mais nenhuma forma de comunicação comigo esta noite, não me importa o que acontecer aqui embaixo. Mas, lá em cima, está fora dos seus limites. Sacou? Tenho um revólver na mesinha-de-cabeceira, e se alguém ficar rondando o meu quarto, sei muito bem como usá-lo.

— Seria o mesmo que matar a galinha dos ovos de ouro.

— Não, não seria. Você pode ser a galinha, mas os ovos estão em outra parte. Muito bem instalados no porta-malas do seu carro, lembra? Mesmo se a galinha morresse, eu ainda teria todos os ovos de que preciso.

— Então recomeçamos as ameaças, não é?

— Não acredito em ameaças. Só peço que você seja correto comigo, só isso. Que seja muito correto. E que não meta idéias malucas na cabeça a respeito do tipo de pessoa que eu sou. Se você conseguir evitar isso, talvez a gente possa entrar em um acordo. Não estou prometendo nada, mas, se você não fizer nenhuma cagada, eu posso até parar de odiar você.

Ele acordou na manhã seguinte com um bafo quente roçando seu queixo. Quando abriu os olhos, viu-se encarando bem de perto o rosto de uma criança, uma meninazinha imóvel em sua concentração, arfando trêmula pela boca. Ela estava de joelhos ao lado do sofá e sua cabeça estava tão perto da dele que seus lábios quase se tocavam. Pela luz pálida que se filtrava através dos cabelos da menina, Sachs deduziu que eram apenas seis ou sete horas. Tinha dormido menos de quatro horas, e naqueles primeiros momentos após abrir os olhos sentia-se grogue demais para se mexer, pesado demais para mover um músculo. Queria fechar de novo os olhos, mas a meninazinha o olhava com demasiada atenção e, portanto, ele continuou a fitar seu rosto, aos poucos chegando à compreensão de que era a filha de Lillian Stern.

— Bom dia — disse ela, por fim, em resposta ao sorriso que Sachs lhe dirigiu como um convite para conversar. — Pensei que você nunca fosse acordar.

— Está aqui há muito tempo?

— Uns cem anos, eu acho. Desci para procurar minha boneca e aí vi você dormindo no sofá. É um homem muito comprido, sabia?

— Sim, eu sei disso. Sou o que chamam de varapau.

— Senhor Varapau — disse a menina, pensativa. — Ótimo nome.

— E aposto que o seu nome é Maria, não é?

— Para algumas pessoas é, sim, mas gosto de me chamar de Rapunzel. É muito mais bonito, não acha?

— Muito mais bonito. E que idade você tem, senhorita Rapunzel?

— Cinco anos e nove meses.

— Ah, cinco anos e nove meses. Uma idade excelente.

— Faço seis anos em dezembro. Meu aniversário é um dia depois do Natal.

— Isso quer dizer que você ganha presentes dois dias seguidos. Você deve ser uma garota muito esperta para ter bolado um esquema desses.

— Algumas pessoas têm muita sorte. É o que minha mãe diz.

— Se você tem cinco anos e nove meses, já deve ter começado a escola, não é?

— Jardim-de-infância. Estou na turma da senhora Weir. Sala 104. Os garotos a chamam de senhora Sinistra.

— Ela parece uma bruxa?

— Na verdade, não. Não acho que ela é velha que chegue para ser bruxa. Mas até que ela tem um nariz horrível de tão grande.

— E por acaso não está na hora de você se preparar para ir à escola? Você não vai querer chegar atrasada, vai?

— Hoje, não, seu bobão. Não tem aula no sábado.

— É claro. Às vezes sou mesmo um bobo, nem sei qual é o dia da semana.

Sachs estava acordado, àquela altura, desperto o suficiente para sentir vontade de levantar. Perguntou à menina se ela não gostaria de tomar café da manhã, e quando ela respondeu que estava morrendo de fome, ele prontamente rolou para fora do sofá e calçou os sapatos, contente por ter aquela pequena tarefa diante de si. Os dois se revezaram no banheiro do térreo e, depois que esvaziou a bexiga e espirrou um pouco de água no rosto, Sachs dirigiu-se para a cozinha para dar início aos trabalhos. A primeira coisa que viu ali foram os cinco mil dólares — ainda sobre a mesa, no mesmo lugar onde os deixara na noite anterior. Achou curioso que Lillian não tivesse levado o dinheiro consigo para cima. Haveria algum sentido oculto nisso, perguntou-se, ou era simplesmente resultado da negligência de Lillian? Felizmente, Maria ainda estava no banheiro; quando ela veio juntar-se a Sachs na cozinha, ele já retirara o dinheiro da mesa e o guardara na prateleira de um dos armários.

O café da manhã teve um início um pouco vacilante. O leite da geladeira estava azedo (o que eliminava a possibilidade de cereais) e, como o estoque de ovos também parecia esgotado, ele não tinha condições de preparar torrada com ovos mexidos ou uma omelete (segunda e terceira opções da menina). Sachs, porém, conseguiu encontrar um pacote de pão integral fatiado, e depois de pôr de lado as quatro primeiras fatias (cobertas por um mofo felpudo e azulado), optaram por uma refeição constituída de torradas e geléia de morango. Enquanto o pão esquentava na torradeira, Sachs desencavou do fundo do congelador uma lata de suco de laranja congelado toda coberta de neve, misturou-o em um jarro de plástico (que, antes, teve de ser lavado) e o serviu acompanhando o pão. Não havia nem sombra de café propriamente dito, mas, depois de uma busca minuciosa nos armários, ele acabou descobrindo um vidro de café solúvel descafeinado. Enquanto bebia a poção amarga, Sachs fazia caretas gaiatas e agarrava a garganta com as mãos. Maria riu da encenação, o que o animou a cambalear pela cozinha e emitir uma série de agoniantes sons sufocados.

— Veneno — sussurrou, e desceu o corpo lentamente para o chão. — Os bandidos me envenenaram.

Aquilo a fez rir mais ainda, porém quando a brincadeira acabou e Sachs sentou-se de novo na cadeira, a alegria da menina se dissipou bem depressa e ele percebeu uma expressão preocupada nos olhos dela.

— Eu estava só fingindo — disse.

— Eu sei — respondeu Maria. — É que não gosto que as pessoas morram.

Sachs compreendeu, então, seu erro, mas era tarde demais para desfazer o malfeito.

— Não vou morrer — disse.

— Vai, sim. Todo mundo tem de morrer.

— Quero dizer, não hoje. Nem amanhã também. Vou ficar por aí um bom tempo ainda.

— Foi por isso que dormiu no sofá? Porque vai morar com a gente, agora?

— Não, acho que não é isso. Mas estou aqui para ser seu amigo. E amigo da sua mãe também.

— É o novo namorado da mamãe?

— Não, sou só amigo dela. Se sua mãe deixar, vou dar uma força para ela.

— Isso é bom. Ela bem que precisa de alguém que dê uma força. Hoje vão enterrar o papai e ela está muito triste.

— Foi o que ela contou para você?

— Não, mas eu a vi chorando. É por isso que sei que está triste.

— É para lá que você vai hoje? Ver o seu pai ser enterrado?

— Não, não deixaram a gente ir. Vovô e vovó disseram que nós não podíamos ir.

— E onde moram o seu avô e a sua avó? Aqui na Califórnia?

— Acho que não. É um lugar muito longe. A gente tem de pegar um avião para ir lá.

— Algum lugar no leste, talvez.

— Se chama Maplewood. Não sei onde fica.

— Maplewood, Nova Jersey?

— Não sei. Fica muito longe. Toda vez que papai falava desse lugar, dizia que era no fim do mundo.

— Você fica triste quando pensa no seu pai, não é?

— Não consigo evitar. Mamãe disse que ele não gostava mais da gente, mas eu não me importo. Eu gostaria que ele voltasse.

— Tenho certeza de que ele também gostaria.

— É o que eu acho. Mas ele não conseguiu, e pronto. Sofreu um acidente e, em vez de voltar para nós, teve de ir para o céu.

Ela era tão pequena, pensou Sachs, e no entanto dava mostras de uma atitude quase amedrontadora, seus olhinhos bravios perfuravam muito firmes por dentro de Sachs, enquanto ela falava — inabalável, sem o menor vestígio de tremor ou confusão. Sachs se espantou ao ver como ela conseguia imitar tão bem o jeito dos adultos, como se mostrava tão senhora de si quando, na verdade, não sabia nada, não sabia absolutamente nada. Ele teve pena de Maria por causa da sua coragem, pelo simulacro de heroísmo do seu rosto sério e radiante, e gostaria de poder voltar atrás e não ter dito nada do que disse e, assim, fazer dela uma criança outra vez, qualquer outra coisa que não essa patética miniatura de um adulto, com sua boca banguela, sua fita de cabelo amarela pendente no meio dos cachinhos.

Enquanto os dois raspavam do prato os últimos fragmentos das torradas, Sachs viu, no relógio da cozinha, que passavam alguns minutos das sete e meia. Perguntou a Maria quanto tempo achava que sua mãe ainda iria dormir e, quando ela respondeu que talvez demorasse mais duas ou três horas, uma idéia de repente lhe ocorreu. Vamos fazer uma surpresa para ela, disse Sachs. Se a gente trabalhar depressa, talvez consiga limpar todo este primeiro andar da casa antes que ela acorde. Não seria legal? Ela ia descer e encontrar tudo arrumado e brilhando. É uma coisa que vai deixar sua mãe bem contente, não acha? A menina achava que sim. Mais que isso, pareceu entusiasmada com a idéia, como se estivesse aliviada de ver que alguém, afinal, havia tomado a iniciativa de dar um jeito na situação. Mas a gente tem de trabalhar em silêncio, disse Sachs, pondo o dedo sobre os lábios. Tão silenciosos como duendes.

Assim, os dois começaram a trabalhar, movimentando-se na cozinha em uma harmonia silenciosa e dinâmica, enquanto limpavam a mesa, varriam a louça partida do chão e enchiam a pia de espuma morna. Para manter o ruído em um volume mínimo, rasparam a louça suja com a ponta dos dedos e lambuzaram as mãos de lixo enquanto jogavam em um saco de papel restos de comida e cigarros amassados. Era um trabalho repugnante, e eles demonstravam sua repulsa pondo a língua para fora e fingindo vomitar. No entanto, Maria fez bem mais do que a sua parte do serviço, e assim que a cozinha ficou em um estado razoável, ela marchou impávida para a sala de estar, com um entusiasmado inabalável, ansiosa para meter a cara na tarefa seguinte. Já eram quase nove horas, e a luz do sol se derramava pelas janelas da frente, iluminando delgados rastos de poeira no ar. Quando faziam um levantamento da bagunça à sua frente e debatiam qual o melhor caminho para enfrentá-la, uma expressão de temor correu pelo rosto de Maria. Sem pronunciar uma palavra, ela ergueu o braço e apontou para uma das janelas. Sachs virou-se e, um instante depois, viu também: um homem parado no gramado olhava para a casa. Usava gravata xadrez e paletó de veludo marrom, um homem jovem com um prematuro início de calvície, que parecia estar se perguntando se devia subir a escadinha e tocar a campainha da casa. Sachs deu um tapinha na cabeça de Maria e lhe disse para voltar para a cozinha e tomar outro copo de suco. Ela parecia disposta a desobedecer, mas, para não desapontá-lo, fez que sim com a cabeça e, com relutância, agiu conforme ele mandara. Sachs, em seguida, atravessou a sala até a porta da frente, abriu-a o mais suavemente que pôde e saiu:

— Posso fazer alguma coisa pelo senhor? — perguntou.

— Tom Mueller — respondeu o homem. — *San Francisco Chronicle*. Eu queria saber se podia ter uma palavrinha com a senhora Dimaggio.

— Lamento. Ela não está dando entrevistas.

— Não quero uma entrevista, só queria falar com ela. Meu jornal tem interesse em ouvir o lado dela da história. Estamos dispostos a pagar por uma matéria exclusiva.

— Desculpe, mas não adianta. A senhora Dimaggio não está falando com ninguém.

— O senhor não acha que a senhora Dimaggio devia ter a oportunidade de me negar esse favor ela mesma?

— Não, não acho.

— E você, quem é? O empresário da senhora Dimaggio?

— Um amigo da família.

— Sei. E é você quem fala por ela.

— Isso mesmo. Estou aqui para protegê-la de caras que nem você. Agora que já estamos entendidos, acho que está na hora de você ir embora.

— E como você sugere que eu entre em contato com ela?

— Pode mandar uma carta. É assim que em geral se faz.

— Boa idéia. Vou mandar uma carta e aí você joga fora antes mesmo que ela leia.

— A vida é cheia de decepções, senhor Mueller. E agora, se não se importa, acho que está na hora de ir embora. Tenho certeza de que não quer que eu chame a polícia. Afinal, o senhor está na propriedade da senhora Dimaggio, sabia?

— Sim, eu sei. Muito obrigado, meu chapa. Você ajudou à beça.

— Não fique muito desanimado. Isso também vai passar. Daqui a uma semana não haverá uma única pessoa em San Francisco que se lembre dessa história. Se alguém mencionar o nome de Dimaggio para eles, só vão conseguir se lembrar de Joe Dimaggio, o jogador de beisebol.

Isso pôs fim à conversa, mas, mesmo depois que Mueller tinha se afastado do jardim, Sachs continuou parado na porta da frente, resolvido a não sair dali até o homem ter ido embora no seu carro. O repórter atravessou a rua, entrou no carro e ligou o motor. Como um gesto de despedida, levantou o dedo médio da mão direita enquanto o carro passava diante da casa, mas

Sachs não deu atenção à obscenidade, entendendo que não tinha importância, que isso simplesmente vinha provar como ele havia se saído bem no confronto. Quando se virou para voltar para dentro da casa, não conseguiu deixar de sorrir da raiva do sujeito. Ele se sentia menos um empresário do que um xerife e, no final das contas, até que não era uma sensação muito desagradável.

No momento em que entrou de novo na casa, ergueu os olhos e viu Lillian parada no alto da escada. Vestia um roupão branco e felpudo, os olhos pareciam inchados, o cabelo estava desgrenhado e ela lutava para espantar o sono do corpo.

— Acho que tenho de lhe agradecer por isso — disse ela, correndo a mão pelo cabelo curto.

— Me agradecer por quê? — perguntou Sachs, fingindo não entender.

— Por se livrar desse cara. Você foi muito habilidoso. Fiquei impressionada.

— Por isso? Ah, bobagem. Não foi nada. Estou só fazendo o meu trabalho, dona, só isso. Estou só fazendo o meu trabalho, ué.

Ela deu um sorriso ligeiro para o seu sotaque de caipira abobalhado.

— Se é esse o trabalho que você quer fazer, pode ficar com o emprego. Você é muito melhor do que eu.

— Eu lhe disse que não sou tão ruim assim — respondeu Sachs, falando de novo com sua voz normal. — Se me der uma oportunidade, posso até me mostrar um sujeito útil.

Antes que ela pudesse responder a esse último comentário, Maria veio correndo para o hall. Lillian desviou os olhos de Sachs e disse:

— Oi, filhinha. Levantou cedo, não foi?

— Você nunca vai adivinhar o que a gente fez — disse a menininha. — Nem vai acreditar nos seus olhos, mãe.

— Já vou descer daqui a alguns minutos. Tenho de tomar banho e depois vestir alguma coisa. Lembre-se, hoje temos de ir à casa de Billy e Dot, e não podemos nos atrasar.

Lillian desapareceu de novo no andar de cima e, nos trinta ou quarenta minutos que levou para se aprontar, Sachs e Maria continuaram sua investida contra a bagunça da sala. Resgataram almofadas e travesseiros do chão, jogaram fora jornais velhos e revistas encharcadas de café, passaram aspirador de pó nas cinzas de cigarro alojadas nos interstícios do tapete de lã. Quanto mais áreas conseguiam limpar (dando a si mesmos cada vez mais espaço para se movimentarem), mais depressa conseguiam trabalhar, até que, no fim, começaram a parecer dois personagens de um velho filme mudo, movimentando-se em velocidade acelerada.

Seria muito difícil Lillian não notar a diferença, mas, quando ela desceu a escada, reagiu com menos entusiasmo do que Sachs havia imaginado — nem que fosse só por Maria.

— Bonito — disse, detendo-se um instante na soleira da porta e fazendo que sim com a cabeça. — Muito bonito. Eu devia dormir até tarde mais vezes. — Ela sorriu, esboçou uma pequena demonstração de gratidão e depois, mal se dando ao trabalho de olhar em torno, seguiu para a cozinha para comer alguma coisa.

Sachs sentiu-se minimamente apaziguado pelo beijo que Lillian depositou na testa da filha, mas, tão logo Maria foi despachada para o andar de cima para mudar de roupa, ele não soube mais o que fazer. Lillian lhe dedicou a atenção mais limitada possível, movimentou-se pela cozinha encerrada em seu mundo particular e assim Sachs se conservou plantado onde estava, na porta, imóvel e em silêncio, enquanto ela conseguia desencavar do congelador um saco de café de verdade (que Sachs não havia notado) e pôs uma chaleira para ferver no fogão. Lillian usava roupas informais — calça preta, camisa branca de gola rolê, sapatos sem saltos —, mas passara batom e sombra nos olhos, e havia no ar um inequívoco aroma de perfume. Mais uma vez, Sachs não tinha a menor idéia de como interpretar o que se passava. O comportamento de Lillian lhe parecia insondável — ora amigável, ora fechado, ora desconfiado, ora distraído —, e quanto mais Sachs tentava entender, menos sentido fazia.

Por fim, ela o convidou para tomar uma xícara de café, mas, mesmo então, Lillian quase não falava, continuava a agir como se não soubesse se preferia que Sachs estivesse ali ou que sumisse. Na falta de outra coisa para dizer, Sachs começou a falar sobre os cinco mil dólares que encontrara na mesa pela manhã — abriu o guarda-louças e apontou para o lugar onde havia posto o dinheiro. Não pareceu causar grande impressão em Lillian.

— Ah — disse ela, fazendo que sim com a cabeça ao ver o dinheiro, e depois virou o rosto e olhou para o quintal, através da janela, bebendo seu café em silêncio. Sem se deixar abater, Sachs baixou sua xícara de café e declarou que ia dar a ela a cota do dia. Sem esperar por uma resposta, saiu da casa, foi até o seu carro e apanhou o dinheiro de dentro da bolsa de boliche no porta-malas. Quando voltou para a cozinha três ou quatro minutos depois, ela ainda estava na mesma posição, fitando pela janela, com uma das mãos no quadril, concentrada em algum pensamento secreto. Sachs caminhou direto até ela, abanou os mil dólares bem diante do seu rosto e perguntou onde deveria pôr o dinheiro. Ponha onde quiser, respondeu Lillian. Sua passividade estava começando a deixá-lo nervoso, e assim, em vez de pôr o dinheiro na bancada da cozinha, Sachs foi até a geladeira, abriu a porta de cima e jogou as notas dentro do congelador. Isso produziu o efeito desejado. Lillian virou-se para ele com uma expressão de espanto e perguntou por que tinha feito aquilo. Em vez de responder, Sachs voltou para o armário, retirou da prateleira os cinco mil dólares originais e pôs esse maço de notas também no congelador. Em seguida, afastando-se da porta do congelador, voltou-se para ela e disse:

— Ativos congelados. Como você não me diz se quer ou não quer o dinheiro, vamos deixar o seu futuro dormir no gelo. Nada mau, hein? Vamos enterrar o seu ninho de ovos na neve, e quando chegar a primavera e a terra começar a degelar, você vai lá espiar e aí descobre que está rica.

Um sorriso vago começou a se formar nos cantos da boca de Lillian, indicando que ela havia despertado, que Sachs conseguira atraí-la para a brincadeira. Ela tomou outro gole de café, ganhando um pouco de tempo enquanto preparava uma réplica.

— Não me parece um investimento muito bom — disse ela, enfim. — Se o dinheiro simplesmente ficar aí parado, não vai render nenhum juro, não é mesmo?

— Receio que não. Não haverá nenhum juro até que você jure que quer o dinheiro. Depois disso, o céu é o limite.

— Eu não disse que não quero.

— É verdade. Mas também não disse que quer.

— Enquanto eu não disser "não", pode significar que quero dizer "sim".

— Ou pode significar que não está dizendo coisa alguma. É por isso que não devemos mais conversar sobre o assunto. Até que você saiba o que quer fazer, vamos ficar os dois de boca fechada, está bem? Vamos simplesmente fingir que não está acontecendo nada.

— Por mim, tudo bem.

— Ótimo. Em outras palavras, quanto menos for dito, melhor.

— Não vamos dizer mais nenhuma palavra. E um dia vou abrir os olhos e você não estará mais aqui.

— Exatamente. O gênio vai se esgueirar de volta para dentro da garrafa e você nunca mais terá de pensar nele outra vez.

A estratégia de Sachs parecia ter funcionado, mas, afora provocar uma completa mudança no estado de ânimo geral, era difícil determinar que resultado aquela conversa havia alcançado. Quando Maria entrou aos pulos de novo na cozinha, alguns instantes depois, trajando um macacão branco e rosa e sapatos de verniz, Sachs descobriu que a conversa havia alcançado muita coisa. Ofegante e agitada, ela perguntou à mãe se Sachs iria com elas à casa de Billie e Dot. Lillian respondeu que não, não iria, e Sachs já estava prestes a tomar isso como uma deixa para ir embora e procurar um hotelzinho quando Lillian acrescentou que ele, no entanto, seria bem-vindo na casa delas, se quisesse ficar, e que, como ela e Maria ficariam fora até tarde da noite, não havia nenhuma urgência de ele ir embora. Podia tomar banho e fazer a barba se quisesse e, contanto que fechasse a porta e se certificasse de que estava bem trancada, não importava nem um pouco quando ele iria embora. Sachs nem soube como reagir a essa oferta. Antes que pudesse pensar em alguma coisa para dizer, Lillian convenceu Maria a ir com ela ao banheiro para escovar o cabelo e, quando as duas voltaram de lá, já estava resolvido que elas iriam sair antes que ele fosse embora. Tudo isso pareceu extraordinário para Sachs, uma reviravolta que desafiava o entendimento. Mas lá estava, e a última coisa que ele desejava era fazer qualquer objeção. Menos de cinco minutos depois, Lillian e Maria saíam pela porta da frente e, em menos de um minuto, elas tinham ido embora, rua abaixo, em seu Honda azul, e desapareceram no brilho do sol da manhã.

Sachs passou quase uma hora no banheiro do andar de cima — primeiro, de molho na banheira, depois se barbeando diante do espelho. Era absolutamente esquisito estar ali, pensava Sachs, deitado nu dentro da água, enquanto olhava para os objetos de Lillian: os intermináveis potes de cremes e loções, os recipientes dos batons e os vidros de delineadores de olhos, os sabonetes, os esmaltes de unha e os perfumes. Havia naquilo uma intimidade forçada que ao mesmo tempo o excitava e o repugnava. Fora admitido no reino secreto de Lillian, o local onde ela cumpria os rituais mais particulares e, no entanto, mesmo ali, instalado no coração dos domínios dela, Sachs não se sentia mais próximo de Lillian do que estivera antes. Podia cheirar, fuçar e tocar tudo o que desejasse. Podia lavar o cabelo com o xampu dela, podia se barbear com o seu aparelho de depilar, podia escovar os dentes com a escova de Lillian — e no entanto o fato era que permitir que Sachs fizesse essas coisas apenas vinha provar como ele significava pouco para ela.

Contudo, o banho o relaxou, deixou-o meio sonolento e, por vários minutos, ele vagueou pelos cômodos do andar de cima, secando o cabelo distraidamente com uma toalha. Havia três quartos pequenos no segundo andar. Um deles era o de Maria, o outro pertencia a Lillian, e o terceiro, um pouquinho maior do que um armário grande, havia obviamente servido de escritório para Dimaggio. Era provido de uma escrivaninha e uma estante de livros, mas tanta tralha fora espremida em seus recessos estreitos (caixas de papelão, pilhas de roupas e brinquedos velhos, um aparelho de tevê preto-e-branco) que Sachs não fez mais do que enfiar a cabeça e dar uma olhada lá dentro, antes de fechar de novo a porta. Em seguida, foi ao quarto de Maria, passou os olhos por suas bonecas e livros, as fotografias do jardim-de-infância na parede, os jogos de tabuleiro e os bichos de pelúcia. Mesmo em desordem, o quarto se mostrava em condições bem melhores do que o de Lillian. Ali era a capital da bagunça, o quartel-general da catástrofe. Sachs notou a cama desfeita, os montes de roupas e peças íntimas largadas ao acaso, a tevê portátil coroada por duas xícaras de café manchadas de batom, os livros e as revistas espalhados pelo chão. Examinou alguns dos títulos aos seus pés (um guia ilustrado de massagem oriental, um ensaio sobre a reencarnação, alguns romances policiais, uma biografia de Louise Brooks) e se perguntou se era possível tirar alguma conclusão dessa amostragem. A seguir, quase em um transe, começou a abrir as gavetas da cômoda e viu as roupas de Lillian, examinou as calcinhas e os sutiãs, as meias e as anáguas, segurando cada peça na mão por um momento, antes de passar ao item seguinte. Depois de fazer o mesmo com os objetos que estavam dentro do armário, Sachs voltou a atenção para as mesinhas-de-cabeceira, lembrando-se de repente da ameaça que ela fizera na noite anterior. Porém, após examinar os dois lados da cama, concluiu que ela havia mentido. Não existia nenhuma arma ali.

Lillian tinha desligado o telefone e, no instante em que Sachs religou a tomada na parede, ele começou a tocar. O som o fez dar um pulo, mas, em vez de erguer o fone do gancho, ele se sentou na beira da cama e esperou que a pessoa do outro lado desistisse. O telefone tocou mais dezoito ou vinte vezes. Assim que parou, Sachs pegou o fone e discou o número de Maria Turner, em Nova York. Agora que ela conversara com Lillian, ele já não podia mais adiar o telefonema. Não era só uma questão de limpar a atmosfera entre eles; tratava-se de limpar a sua própria consciência. No mínimo, ele devia uma explicação, uma desculpa por haver deixado Maria da forma que fez.

Sachs sabia que ela estaria aborrecida, mas não estava preparado para a enxurrada de insultos que se seguiu. No instante em que ouviu a voz dele, Maria começou a xingá-lo: imbecil, sacana, trapaceiro. Nunca tinha ouvido Maria falar assim — com ninguém, em nenhuma circunstância —, e sua fúria se tornou tão grande, tão monumental, que se passaram vários minutos até que ela o deixasse falar alguma coisa. Sachs estava mortificado. Ali, sentado, ouvindo Maria, entendeu enfim o que fora burro demais para perceber em Nova York. Maria estava apaixonada por ele e, além de todas as razões óbvias para o seu ataque (o inesperado da partida de Sachs, a afronta da sua ingratidão), ela falava com ele como uma amante que levou um fora, como uma mulher que tivesse sido trocada por outra. Isso piorava ainda mais a situação, pois Maria achava que essa outra mulher tinha sido, em outros tempos, a sua melhor amiga. Sachs lutou para dissuadi-la dessa idéia. Viera à Califórnia por motivos particulares, explicou; Lillian não significava nada para ele, não era nada do que Maria estava pensando, e assim por diante — mas não conseguiu soar muito convincente, e Maria o acusou de estar mentindo. A conversa corria o risco de ficar muito feia, mas Sachs, de algum modo, conseguiu se conter e não retrucar, e, no fim, o orgulho de Maria acabou vencendo a sua raiva, o que significava que ela já não tinha mais vontade de insultá-lo. Em vez disso, Maria se pôs a rir dele, ou talvez de si mesma, e então, sem nada que indicasse uma transição, o riso se converteu em lágrimas, um acesso de soluços agoniantes que fez Sachs se sentir, até a raiz dos cabelos, tão infeliz quanto ela. Levou certo tempo até que a tempestade passasse, mas, depois disso, eles puderam conversar. Não que a conversa os levasse a algum lugar, mas pelo menos o rancor acabara. Maria queria que ele telefonasse para Fanny — só para que ela soubesse que ele estava vivo —, mas Sachs não ia ligar. Entrar em contato com Fanny seria arriscado, disse ele. Depois que começassem a conversar, Sachs ia acabar contando a Fanny acerca de Dimaggio, e ele não queria envolvê-la nos seus problemas. Quanto menos ela soubesse, mais a salvo estaria, e por que arrastá-la para aquela história quando não havia nenhuma necessidade? Porque isso é a coisa certa para se fazer, respondeu Maria. Sachs recapitulou toda a sua argumentação mais uma vez, e durante a meia hora seguinte os dois continuaram a falar em círculos, sem que um pudesse convencer o outro. Não havia mais certo e errado, só opiniões, teorias e interpretações, um pântano de palavras conflitantes. Não faria a menor diferença se guardassem essas palavras para si mesmos.

— Não adianta — disse Maria, por fim. — Você não quer me entender, não é?

— Eu ouço o que você diz — respondeu Sachs. — Só que não concordo com você.

— Você só vai complicar mais ainda as coisas para si mesmo, Ben. Quanto mais tempo mantiver isso em segredo, mais difícil será na hora de contar tudo.

— Eu nunca terei de contar nada.

— Você não pode ter certeza disso. Eles podem achar você e então você não terá mais escolha.

— Nunca me encontrarão. O único modo de isso acontecer é alguém dar uma pista para eles, e você não vai fazer isso comigo. Pelo menos, é o que eu penso. Posso confiar em você até o fim, não é?

— Pode confiar em mim, sim. Mas não sou a única pessoa que sabe. Lillian agora está por dentro de tudo, também, e não tenho certeza de que ela seja tão boa quanto eu para cumprir promessas.

— Ela não vai contar. Não haveria nenhuma razão para ela fazer isso. Ela teria coisas demais a perder.

— Não conte com a razão quando se trata de Lillian. Ela não raciocina do mesmo jeito que você. Não joga conforme as suas regras. Se você ainda não entendeu isso, está querendo arranjar encrenca.

— Encrenca é tudo o que tenho, mesmo. Um pouco mais, um pouco menos, não vai me fazer mal.

— Caia fora daí agora, Ben. Não me interessa aonde vá ou o que faça, mas entre no seu carro e se afaste dessa casa. Neste instante, antes que Lillian volte.

— Não posso fazer isso. Já comecei essa história e agora preciso ir até o fim. Não há outro jeito. Esta é a minha chance e não posso desperdiçá-la por deixar o medo me dominar.

— Você vai acabar no fundo do poço.

— Já estou lá. A questão toda agora é como sair desse buraco.

— Há maneiras mais simples.

— Não, para mim não há.

Houve uma longa pausa do outro lado da linha, uma inspiração e mais uma pausa. Quando Maria voltou a falar, sua voz tremia.

— Estou tentando decidir se devo ter pena de você ou simplesmente abrir a boca e berrar.

— Não precisa fazer nem uma coisa nem outra.

— Não, acho que não preciso mesmo. Posso esquecer tudo com relação a você, não é? Sempre existe essa opção.

— Pode fazer o que bem entender, Maria.

— Certo. E se você quiser caminhar direto para a fogueira, o problema é seu. Mas lembre-se do que eu lhe avisei, está bem? Apenas lembre-se de que tentei conversar com você como uma amiga.

Sachs ficou seriamente abalado depois que desligaram. As últimas palavras de Maria foram uma espécie de despedida, uma declaração de que ela não estava mais do seu lado. Não importava o que os levara ao desentendimento: se fora causado por ciúme, por uma preocupação sincera ou por uma mistura das duas coisas. O resultado é que ele nunca mais poderia procurar por ela. Mesmo que a intenção de Maria não fosse deixar Sachs com essa idéia, mesmo que ela ficasse contente de receber notícias dele de novo, a conversa deixara para trás nuvens demais, incertezas demais. Como Sachs poderia vir a procurar apoio em Maria quando o simples ato de falar com ela bastava para fazê-la sofrer? Ele não tinha intenção de ir tão longe assim, mas, agora que as palavras haviam sido ditas, Sachs entendeu que tinha perdido o seu melhor aliado, a única pessoa com que podia contar em caso de necessidade. Estava na Califórnia havia pouco mais de um dia, e as pontes por onde ele poderia voltar já estavam em chamas.

Sachs poderia ter reparado o mal ligando de novo para Maria, mas não ligou. Em vez disso, voltou para o banheiro e vestiu suas roupas, penteou o cabelo com a escova de Lillian e passou as oito horas e meia seguintes limpando a casa. De vez em quando, parava para fazer uma boquinha, revirava a geladeira e os guarda-louças da cozinha atrás de algo comestível (sopa em lata, salsichão de fígado, castanhas salgadas para acompanhar bebidas), mas afora isso metia a cara no serviço, trabalhando sem interrupção até depois de nove horas. Seu objetivo era deixar a casa impecável, transformá-la em um modelo de ordem e tranqüilidade domésticas. Nada podia fazer quanto aos móveis esfarrapados, é claro, ou quanto ao forro rachado no teto dos quartos, ou quanto ao esmalte enferrujado nas pias, mas pelo menos podia deixar a casa limpa. Atacando um quarto de cada vez, ele esfregou, varreu, escovou e arrumou, avançando de forma metódica dos fundos para a frente, do primeiro andar para o segundo, das sujeiras maiores para as menores. Lavou os banheiros, pôs os talheres no lugar, dobrou e guardou as roupas, juntou as peças do Lego, as miniaturas de um aparelho de chá, os membros amputados de bonecas de plástico. Por último, consertou as pernas da mesa da sala de jantar, fixando-as com um sortimento de pregos e parafusos que encontrou no fundo de uma gaveta na cozinha. O único cômodo em que não tocou foi o escritório de Dimaggio. Relutou em abrir de novo a porta, mas, mesmo se quisesse entrar lá, não saberia o que fazer com os detritos. O seu tempo estava acabando, e Sachs não conseguiria terminar o serviço.

Ele sabia que tinha de ir embora. Lillian deixara claro que o queria fora da casa antes que elas voltassem, mas, em vez de sair de carro e procurar um hotel para ficar, ele voltou para a sala, descalçou os sapatos e estirou-se no sofá. Queria apenas descansar alguns minutos. Estava cansado do trabalho que fizera e não parecia haver nenhum mal em se demorar ali um pouco mais. Às dez horas, porém, ainda não dera um passo em direção à porta da frente. Sabia que trapacear com Lillian podia ser perigoso, mas a idéia de sair no meio da noite o deixava cheio de horror. A casa lhe parecia segura, mais segura do que qualquer outro lugar, e mesmo que não tivesse nenhum direito de tomar essa liberdade, desconfiava de que talvez não seria tão ruim assim para ela chegar em casa e encontrá-lo ali. Lillian ficaria chocada, talvez, mas ao mesmo tempo uma questão importante ficaria definida, a questão que, acima de todas as outras, precisava ficar bem clara. Ela veria que ele viera para ficar, não havia como se livrar dele, Sachs já era um fato incontornável da vida de Lillian. Conforme a reação dela, Sachs poderia avaliar se Lillian havia entendido isso ou não.

Seu plano era fingir estar dormindo quando ela chegasse. Mas Lillian voltou tarde, muito depois da hora que mencionara naquela manhã e, nessa altura, os olhos de Sachs haviam se fechado e ele dormia de verdade. Foi uma falha imperdoável — ficar esparramado em cima do sofá, com as luzes todas acesas à sua volta — mas, no fim, isso pareceu não ter sido muito importante. O barulho da porta batendo o despertou bruscamente à uma e meia da madrugada, e a primeira coisa que viu foi Lillian de pé na entrada, com Maria nos braços. Seus olhos se encontraram, e, por um instante brevíssimo, um sorriso reluziu nos lábios dela. Em seguida, sem dizer-lhe uma palavra, Lillian galgou a escada com a filha. Sachs supôs que ela voltaria depois de pôr Maria na cama, mas, a exemplo de tantas outras suposições que fez naquela casa, estava enganado. Ouviu Lillian ir ao banheiro no andar de cima e escovar os dentes, e depois, após um intervalo, Sachs acompanhou o som dos passos dela enquanto se dirigia ao quarto e ligava a televisão. O volume estava baixo, e a única coisa que Sachs conseguia discernir era um rumor de vozes, um som surdo de música que vibrava nas paredes. Sentou-se no sofá, agora inteiramente consciente, à espera de que ela descesse a qualquer momento para conversar com ele. Aguardou dez minutos, depois vinte minutos, depois meia hora, e por fim a televisão foi desligada. Sachs esperou mais vinte minutos depois disso e, como ela ainda não havia descido até então, entendeu que Lillian não tinha nenhuma intenção de conversar com ele, que ela já tinha dormido. Foi uma espécie de vitória, pensou Sachs, mas, agora que já havia terminado, ele não tinha muita certeza do que fazer com o seu triunfo. Desligou as luzes na sala, estirou-se de novo no sofá e ficou deitado no escuro de olhos abertos, escutando o silêncio da casa.

Depois disso, ninguém falou mais em se mudar para um hotel. O sofá da sala virou a cama de Sachs e ele passou a dormir ali toda noite. Todos tomaram aquilo como uma coisa fora de discussão, e o fato de ele agora pertencer à vida doméstica da casa nunca era sequer mencionado. Tratava-se de um desdobramento natural, um fenômeno tão pouco relevante quanto uma árvore, uma pedra ou uma partícula de poeira no ar. Era exatamente isso o que Sachs desejava, e, no entanto, seu papel naquela casa nunca ficou claramente definido. Tudo fora assentado segundo algum critério secreto e tácito, e ele, instintivamente, sabia que seria um erro confrontar Lillian com perguntas sobre o que ela queria dele. Sachs tinha de adivinhar sozinho, tinha de descobrir um lugar para si, na força presente nos menores gestos e alusões, nos mais inescrutáveis comentários e evasivas. Não que temesse o que poderia acontecer caso fizesse algo errado (embora nunca tenha duvidado de que a situação podia se voltar contra ele, que Lillian podia retomar sua ameaça e ligar para a polícia), mas a questão era que Sachs queria que sua conduta fosse cem por cento exemplar. Esse era o motivo principal da sua vinda para a Califórnia: reinventar sua vida, encarnar um ideal de bondade que o poria em uma relação completamente distinta consigo mesmo. Mas Lillian era o instrumento que ele escolhera e só por meio dela essa transformação poderia ser alcançada. Sachs pensara nisso como uma viagem, uma longa viagem rumo às trevas da sua alma, mas, agora que a viagem estava em curso, ele não tinha mais certeza de estar seguindo na direção certa.

Talvez não fosse tão difícil para ele se Lillian fosse uma outra pessoa, mas a tensão de dormir toda noite sob o mesmo teto que Lillian o mantinha em constante desequilíbrio. Após dois dias apenas, Sachs sentiu-se aterrorizado ao descobrir como desejava desesperadamente tocá-la. O problema não era a beleza de Lillian, compreendeu Sachs, mas o fato de sua beleza ser a única parte dela que Lillian lhe permitia conhecer. Caso fosse menos intransigente, menos avessa a criar qualquer relação mais pessoal com Sachs, ele teria alguma outra coisa para pensar, e o feitiço do desejo poderia ser quebrado. No pé em que estavam as coisas, Lillian se recusava a revelar-se para ele, o que significava que ela nunca chegava a ser nada além de um objeto, nada além da soma dos atributos da sua pessoa física. E essa pessoa física comportava um poder enorme: deslumbrava e chocava, acelerava o pulso, punha por terra qualquer resolução nobre. Não foi para esse tipo de luta que Sachs havia se preparado. Isso não se encaixava no esquema que ele havia arquitetado tão cuidadosamente em sua cabeça. Agora, o seu corpo era acrescentado à equação, e aquilo que antes parecia simples se tornava um atoleiro de estratégias febris e motivações clandestinas.

Sachs manteve tudo isso em segredo. Nas circunstâncias, seu único recurso era dar uma resposta à altura para a indiferença de Lillian, agindo com uma calma inabalável, fingindo estar perfeitamente feliz com o modo como as coisas corriam entre eles. Simulava um ar de despreocupação quando estava com ela; mostrava-se tranqüilo, cordial, solícito; sorria com freqüência; nunca reclamava. Como sabia que ela vivia com um pé atrás, que já desconfiava de que houvesse em Sachs os sentimentos de que ele agora se sentia culpado, era especialmente importante que Lillian nunca o visse olhando para ela do jeito que tinha vontade de olhar. Um único relancear de olhos poderia arruiná-lo, sobretudo com uma mulher experiente como Lillian. Ela passara toda a vida sendo observada por homens e havia de ser extremamente sensível aos olhares de Sachs, ao mais leve sinal de alguma intenção em seus olhos. Isso produzia em Sachs uma tensão quase insuportável toda vez que ela estava por perto, mas ele se segurava com bravura e nunca abandonava a esperança. Não pedia nada dela, não esperava nada e rezava para que, mais cedo ou mais tarde, ele a vencesse pelo cansaço. Essa era a única arma de que dispunha e a empregava sempre que podia; humilhava-se diante dela com tamanha determinação, com uma abnegação tão ardorosa, que sua própria fraqueza se convertia em uma forma de força.

Durante os primeiros doze ou quinze dias, Lillian quase não disse nenhuma palavra. Sachs não tinha a menor idéia do que ela fazia em suas longas e freqüentes ausências da casa e, embora fosse capaz da dar qualquer coisa para descobrir, nunca se atreveu a lhe perguntar nada. A discrição era mais importante do que o conhecimento, achava Sachs, e em lugar de correr o risco de ofendê-la, guardava sua curiosidade para si mesmo e esperava para ver o que ia acontecer. Na maioria das manhãs, Lillian saía de casa às nove ou dez horas. Às vezes voltava no início da noite, outras ficava fora até bem tarde e só voltava muito depois de meia-noite. Às vezes saía de manhã, voltava no fim da tarde para mudar de roupa e depois sumia pelo resto da noite. Por duas ou três vezes ela só voltou na manhã seguinte, ocasião em que entrou em casa, trocou de roupa e imediatamente saiu de novo. Sachs supôs que ela passava essas noites em companhia de homens — talvez um homem só, talvez vários — mas era impossível saber aonde ela ia durante o dia. Parecia provável que Lillian tivesse algum emprego, mas era só um palpite. Até onde sabia, ela podia muito bem passar o tempo dirigindo seu carro por aí, ir ao cinema, ficar na beira da praia olhando as ondas.

Apesar dessas misteriosas idas e vindas, Lillian nunca deixava de avisar a Sachs quando ele podia esperar sua volta para casa. Mais em consideração a Maria do que a ele, na verdade, e embora o horário que ela indicava fosse apenas aproximado ("só vou voltar tarde", "a gente se vê de manhã"), isso já ajudava Sachs a estruturar o seu próprio horário e evitar que a vida doméstica caísse na desordem. Uma vez que Lillian ficava fora de casa com tanta freqüência, recaía quase inteiramente nas mãos de Sachs o trabalho de cuidar de Maria. De tudo, aquela era a mudança mais estranha, julgava Sachs, pois, por mais lacônica e reservada que Lillian se mostrasse quando estavam juntos, o fato de não dar o menor sinal de hesitação em deixar Sachs cuidar da filha provava que ela já confiava nele, talvez mais até do que ela mesma percebesse. Sachs tentava cobrar ânimo dessa anomalia. Nunca punha em dúvida que, de certa maneira,

Lillian se aproveitava dele — jogava suas responsabilidades nas costas de um palerma cheio de boa vontade —, mas, de outro lado, a mensagem parecia muito clara: ela se sentia segura com ele, sabia que não estava ali para lhe fazer mal.

Maria tornou-se sua companheira, seu prêmio de consolação, sua recompensa indelével. Sachs preparava o café da manhã para ela todo dia, levava-a para escola, ia apanhá-la de tarde, escovava seu cabelo, dava-lhe banho, envolvia-a nas cobertas da cama, de noite. Esses eram prazeres que ele não podia ter previsto e, à medida que seu lugar na rotina de Maria se tornava mais firmemente arraigado, a afeição entre os dois se aprofundava cada vez mais. No passado, Lillian deixava Maria aos cuidados de uma mulher que morava um pouco adiante no mesmo quarteirão, mas, por mais simpática que fosse a sra. Santiago, ela mesma já tinha uma família suficientemente numerosa e quase nunca podia dar muita atenção a Maria, exceto quando um dos filhos dela azucrinava a menina. Dois dias depois de Sachs vir morar ali, Maria declarou solenemente que nunca mais iria para a casa da sra. Santiago. Preferia o jeito de Sachs cuidar dela, disse Maria, e, se ele não fosse ficar muito chateado, ela gostaria de passar seu tempo ao lado dele. Sachs respondeu que adoraria isso. Estavam caminhando pela rua quando tiveram essa conversa, voltavam da escola para casa, e, um instante depois de dar essa resposta, Sachs sentiu a mãozinha miúda de Maria agarrar o seu polegar. Caminharam em silêncio durante meio minuto e então Maria parou e disse:

— Além do mais, a senhora Santiago tem os filhos dela e você não tem nem meninas, nem meninos, não é? — Sachs já lhe havia dito que não tinha, mas balançou a cabeça para lhe mostrar que seu raciocínio estava correto. — Não é justo que uns tenham tantos filhos e outros fiquem sozinhos, não é? — prosseguiu Maria. Mais uma vez, Sachs balançou a cabeça e não a interrompeu. — Acho que assim está bem — disse ela. — Você agora vai ter a mim, e a senhora Santiago vai ficar com os filhos dela, e todo mundo vai ficar contente.

Na primeira segunda-feira, ele alugou uma caixa postal na agência do correio de Berkeley, para ter um endereço, devolveu o Plymouth à filial da locadora de carros e comprou um Buick Skylark de nove anos por menos de mil dólares. Na terça e na quarta, Sachs abriu onze contas de poupança em diversos bancos espalhados pela cidade. Receava depositar todo o dinheiro em um mesmo lugar, e abrir múltiplas contas parecia mais prudente do que entrar em um banco com um bolo de mais de cento e cinqüenta mil dólares em dinheiro. Além disso, ele chamaria menos atenção para si quando fizesse seus saques diários para Lillian. Seus negócios se manteriam em um rodízio constante e isso evitaria que os caixas ou os gerentes dos bancos viessem a conhecê-lo melhor. A princípio, imaginou visitar cada banco de onze em onze dias, mas, quando descobriu que um saque de mil dólares demandava uma autorização especial do gerente, passou a ir a dois bancos diferentes toda manhã e usar o caixa automático, que permitia um saque máximo de quinhentos dólares por operação. Isso acarretava retiradas semanais de quinhentos dólares de cada um dos bancos, uma soma insignificante de qualquer ponto de vista. Era um esquema eficaz, e, no fim, ele bem que preferia introduzir seu cartão de plástico na abertura da máquina e apertar botões a ter de falar com pessoas vivas.

Os primeiros dias, porém, foram difíceis para ele. Sachs desconfiava que o dinheiro que descobrira no carro de Dimaggio era roubado — o que podia significar que os números de série das notas tinham sido divulgados para todos os bancos do país por meio dos computadores. Mas em face da opção entre correr esse risco e guardar o dinheiro em casa, ele resolveu correr o risco. Era cedo demais para saber se podia confiar em Lillian, e deixar o dinheiro embaixo do nariz dela não era nem de longe uma maneira inteligente de descobrir. A cada banco que ia, Sachs temia que o gerente fosse baixar os olhos para o dinheiro, pedir desculpas por um momento e voltar do escritório com um policial a reboque. Mas nada disso aconteceu. Os homens e mulheres que abriram suas contas eram pessoas extremamente gentis. Contavam seu dinheiro com uma destreza rápida, semelhante a um robô; sorriam, apertavam sua mão e lhe diziam como estavam felizes de tê-lo como cliente. A título de bônus por ter aberto suas contas com um depósito de mais de dez mil dólares, Sachs ganhou cinco torradeiras, quatro rádios-relógios, uma tevê portátil e uma bandeira dos Estados Unidos.

No início da segunda semana, seus dias haviam se acomodado a uma rotina constante. Depois de levar Maria à escola, voltava a pé para casa, lavava a louça do café da manhã e em seguida ia de carro a dois bancos da sua lista. Uma vez encerrados os seus saques (com uma eventual visita a um terceiro banco para tirar dinheiro para si mesmo), ele ia a um dos bares que serviam café expresso na avenida do Telégrafo, situado em uma esquina tranqüila, e passava uma hora bebendo *cappuccinos* enquanto lia o *San Francisco Chronicle* e o *New York Times*. Para sua surpresa, muito pouca coisa foi noticiada a respeito do caso nos dois jornais. O *Times* cessara de falar da morte de Dimaggio ainda antes de Sachs partir de Nova York e, exceto por uma curta entrevista com um capitão da polícia estadual de Vermont, nada mais foi publicado. Quanto ao *Chronicle*, pareciam estar também se cansando do assunto. Após uma enxurrada de matérias sobre o movimento ecológico e as Crianças do Planeta (todas escritas por Tom Mueller), o nome de Dimaggio não foi mais mencionado. Sachs sentiu-se tranqüilizado por isso, mas, apesar da pressão decrescente, nunca foi ao ponto de supor que a pressão não pudesse aumentar outra vez. Durante toda a sua estada na Califórnia, sempre examinava os jornais pela manhã. Isso se transformou na sua religião particular, na sua forma de prece diária. Leia minuciosamente os jornais e prenda bem o fôlego. Verifique se não estão atrás de você. Verifique se você pode viver mais vinte e quatro horas.

O resto da manhã e o início da tarde eram dedicados a tarefas práticas. Como qualquer dona-de-casa americana, ele comprava comida, limpava a casa, levava a roupa suja para a lavanderia, tomava o cuidado de comprar a marca certa de manteiga de amendoim para a merenda na escola. Nos dias em que tinha algum tempo de sobra, Sachs parava na loja de brinquedos antes de pegar Maria. Ele aparecia na escola com bonecas e fitas de cabelo, com livrinhos de histórias e lápis de cor, com ioiôs, chicletes e brincos adesivos. Não fazia isso para suborná-la. Era simplesmente uma manifestação espontânea de afeto, e quanto mais a conhecia, mais seriamente encarava a tarefa de torná-la feliz. Sachs nunca passara muito tempo com crianças e o espantou descobrir quanto esforço era necessário para cuidar delas. Requeria uma enorme adaptação interior, mas, uma vez ajustado ao ritmo das exigências de Maria, passou a acolhê-las com alegria, a apreciar o esforço por si só. Mesmo quando ela estava longe, Maria o mantinha ocupado. Era um remédio contra a solidão, descobriu Sachs, um modo de aliviar o fardo de ter sempre de pensar em si.

Todo dia, Sachs punha mil dólares no congelador. As cédulas ficavam guardadas em um saco plástico para protegê-las da umidade, e toda vez que Sachs acrescentava um novo lote, conferia para ver se alguma parte do dinheiro tinha sido retirada. Mas nunca nenhuma nota era tocada. Passaram-se duas semanas e a soma continuou a crescer à proporção de mil dólares por dia. Sachs não tinha a menor idéia do que pensar sobre essa indiferença, esse estranho descaso pelo que ele dava para Lillian. Significaria que ela não queria tomar parte nenhuma naquela história? Que estava recusando os termos propostos por Sachs? Ou ela queria dizer que o dinheiro não tinha importância, que isso nada tinha a ver com sua decisão de deixar Sachs morar na sua casa? Ambas as interpretações faziam sentido e, portanto, uma anulava a outra, deixando Sachs desarmado para compreender o que se passava na mente de Lillian, para decifrar os fatos que se punham à sua frente.

Nem mesmo a sua crescente amizade com Maria parecia afetar Lillian. Isso não provocou nenhum acesso de ciúme, nenhum sorriso de incentivo, nenhuma reação que ele pudesse avaliar. Lillian entrava na casa enquanto ele a menina estavam juntinhos no sofá lendo um livro, ou debruçados sobre o chão desenhando, ou preparando um chá festivo para uma festa de bonecas, e a única coisa que ela fazia era dizer alô, dar um beijo rápido no rosto da filha e depois ir para o quarto, onde trocava de roupa e se aprontava para sair de novo. Não era nada mais do que um fantasma, uma linda aparição que flutuava para dentro e para fora da casa em intervalos irregulares, sem deixar vestígios de sua passagem. Sachs pressentia que ela devia saber o que estava fazendo, que devia haver um motivo para aquele comportamento enigmático, mas nenhuma das razões que ele conseguia imaginar o satisfazia. No máximo, Sachs concluía que ela o estava pondo à prova, o atiçava com essa brincadeira de esconde-esconde, para ver quanto tempo ele conseguia suportar. Lillian queria saber se ele iria explodir, queria saber se a vontade dele ainda era tão forte quanto a dela.

Em seguida, sem nenhum motivo aparente, de súbito tudo mudou. Em certo fim de tarde, no meio da terceira semana, Lillian entrou em casa com uma sacola de compras do mercado e declarou que ia cuidar do jantar daquela noite. Estava de muito bom humor, brincalhona e cheia de piadas, com um linguajar divertido, e a diferença entre o que fora antes e o que era agora se mostrava tão grande, tão assombrosa, que a única explicação que Sachs conseguiu imaginar foi a de que estava drogada. Até então, os três nunca se haviam reunido à mesa para comer juntos, mas Lillian parecia não notar a ruptura extraordinária que aquele jantar representava. Ela empurrou Sachs para fora da cozinha e trabalhou arduamente nas duas horas seguintes, preparando o que resultou em um delicioso cozido de legumes com carne de cordeiro. Sachs ficou impressionado, mas, em vista de tudo o que precedera aquele desempenho, não estava muito disposto a ir atrás das aparências. Podia se tratar de uma armadilha, pensou, uma escaramuça para iludi-lo e induzi-lo a baixar a guarda, e embora tudo o que desejava fosse estar em harmonia com ela, aderir à torrente da alegria de Lillian, Sachs não foi capaz de se persuadir a fazer isso. Ficou tenso e perplexo, incapaz de falar, e o jeito alegre que tanto se empenhava em simular diante de Lillian de repente o abandonou. Lillian e Maria conversavam quase sozinhas e, após um tempo, ele se tornou pouco mais do que um espectador, uma presença ambígua, que espreitava na periferia da festa. Teve ódio de si mesmo por agir assim, e quando recusou um segundo copo de vinho que Lillian se propôs a lhe servir, começou a pensar em si com desagrado, como um completo imbecil.

— Não se preocupe — disse Lillian, enquanto vertia o vinho no copo, a despeito do que Sachs dissera. — Não vou mordê-lo.

— Eu sei — respondeu Sachs. — É só que pensei... — Antes que pudesse concluir a frase, Lillian o interrompeu.

— Não pense tanto — disse ela. — Simplesmente tome o vinho e aproveite. É bom para você.

No dia seguinte, porém, foi como se nada houvesse acontecido. Lillian saiu de casa cedo, só voltou na manhã seguinte e, durante o resto da semana, continuou a se mostrar tão ausente quanto possível. A confusão deixou Sachs estupefato. Mesmo as suas incertezas eram agora objeto de dúvida, e pouco a pouco ele se sentiu dobrar sob o peso de toda aquela aventura tenebrosa. Talvez devesse ter dado ouvidos a Maria Turner, pensou. Talvez ele não tivesse nenhuma razão para estar ali e devesse fazer as malas e cair fora. Durante várias horas, certa noite, Sachs chegou a brincar com a idéia de se entregar à polícia. Pelo menos aquele tormento teria fim. Em vez de jogar o dinheiro em cima de uma pessoa que não o queria, talvez devesse gastá-lo com um advogado, talvez devesse começar a pensar em como se livrar da prisão.

Então, menos de uma hora depois de ter esses pensamentos, tudo virou de cabeça para baixo. Foi em algum momento entre meia-noite e uma hora da manhã, quando Sachs estava quase pegando no sono no sofá da sala. Passos começaram a vibrar no andar de cima. Imaginou que Maria estava indo ao banheiro, mas, bem na hora em que Sachs ia cair no sono de novo, ouviu o barulho de alguém descendo a escada. Antes que pudesse empurrar o cobertor e se levantar, a lâmpada da sala se acendeu e a sua cama improvisada foi inundada de luz. Sachs automaticamente cobriu os olhos e, quando os forçou a ficarem abertos um segundo depois, viu Lillian sentada na poltrona bem em frente ao sofá, com o seu roupão felpudo.

— Temos de conversar — disse ela.

Sachs examinou seu rosto em silêncio enquanto Lillian apanhava um cigarro no bolso do roupão e o acendia com um fósforo. A confiança cheia de si e a afetação ostensiva das semanas precedentes haviam sumido e até sua voz soou vacilante aos ouvidos de Sachs, agora mais vulnerável do que em qualquer momento anterior. Ela pôs os fósforos na mesinha de café que estava entre eles. Sachs acompanhou o movimento da mão dela, depois olhou de relance as letras na caixa de fósforos, momentaneamente distraído pelos escandalosos caracteres verdes, salientados pelo fundo cor-de-rosa. Vinha a ser o anúncio de um serviço de telessexo e, nesse instante, em um desses inesperados lampejos de discernimento, ocorreu a Sachs que nada era desprovido de significado, que tudo no mundo estava ligado a tudo.

— Resolvi que não quero mais que você pense que eu sou um monstro — disse Lillian.

Essas palavras deram a partida e, durante as duas horas seguintes, ela lhe contou mais a respeito de si mesma do que a soma de tudo o que dissera nas semanas anteriores, e falava com Sachs de um modo que gradualmente dissolveu as mágoas que ele vinha nutrindo contra ela. Não que Lillian tivesse, diretamente, se desculpado pelo que quer que fosse, e Sachs tampouco estava ansioso para acreditar no que ela dizia, mas aos poucos, e apesar de toda a sua prudência e desconfiança, ele veio a entender que ela não estava se sentindo nem um pouco melhor do que ele com aquela situação, que ele a deixava tão infeliz quanto Lillian a ele.

Mas isso demorou certo tempo. No início, Sachs supôs que fosse uma encenação, mais uma manobra para manter seus nervos à flor da pele. Em meio ao turbilhão de absurdos que bramia à sua volta, conseguiu até se convencer de que Lillian sabia que ele planejava ir embora — como se ela pudesse ler a sua mente, como se tivesse entrado no seu cérebro e escutado seus pensamentos. Lillian não descera para fazer as pazes com ele. Descera para amolecer seu coração, para ter certeza de que ele não desertaria antes de ter entregado todo o dinheiro. Sachs estava à beira do delírio, nessa altura, e se Lillian não tivesse ela mesma mencionado o dinheiro, ele nunca saberia o quanto havia sido injusto com ela. Foi nesse momento que a conversa deu uma guinada. Ela começou a falar sobre o dinheiro, e o que disse tinha tão pouca semelhança com aquilo que Sachs imaginara que Lillian ia dizer que, de repente, ele sentiu vergonha de si mesmo, vergonha o bastante para se pôr a escutá-la a sério.

— Você já me deu quase trinta mil dólares — disse ela. — E continua a entrar mais e mais dinheiro todo dia, e quanto mais dinheiro vem, mais fico apavorada. Não sei por quanto tempo você pretende levar isso adiante, mas trinta mil dólares já é o bastante. É mais do que o bastante, e acho que a gente deve parar antes que as coisas saiam do controle.

— Não podemos parar — Sachs se viu respondendo. — Estamos só começando.

— Não sei se consigo agüentar mais.

— Consegue, sim. Você é a pessoa mais durona que já vi, Lillian. Desde que não fique preocupada, pode agüentar numa boa.

— Não sou durona. Não sou durona, nada, e não sou boa, e quando você me conhecer melhor, vai desejar nunca ter posto os pés nesta casa.

— Este dinheiro não tem nada a ver com bondade. É uma questão de justiça, e se a justiça vale alguma coisa, tem de ser igual para todo mundo, sejam bons ou não.

Ela então começou a chorar, de olhos fixos em Sachs, e deixou as lágrimas rolarem pela face — sem tocar nelas, como se não quisesse admitir que estavam ali. Era um pranto orgulhoso, pensou Sachs, ao mesmo tempo uma demonstração de angústia e uma recusa de se submeter a isso, e ele a respeitou por conseguir se controlar com tamanha firmeza. Contanto que ela as ignorasse, contanto que Lillian não as enxugasse com a mão, aquelas lágrimas nunca poderiam humilhá-la.

Lillian, depois, falou quase sozinha, fumando um cigarro após o outro, enquanto desfiava um comprido monólogo de remorsos e recriminações contra si mesma. Para Sachs, foi difícil acompanhar boa parte desse discurso, mas ele não se atreveu a interrompê-la, temeroso de que alguma palavra inadequada ou alguma pergunta fora de hora a levasse a parar. Ela divagou por um tempo sobre um homem chamado Frank, em seguida falou de outro homem chamado Terry, e então, um instante depois, recapitulou os últimos anos do seu casamento com Dimaggio. Isso levou a alguma coisa ligada à polícia (que, pelo visto, a interrogara após a descoberta do corpo de Dimaggio), mas, antes de encerrar esse assunto, Lillian já estava lhe contando acerca do seu plano de se mudar dali, sair da Califórnia e recomeçar a vida em outra parte. Ela já havia resolvido fazer isso, disse Lillian, mas então ele aparecera na porta da casa dela e tudo fora por água abaixo. Lillian não conseguiu mais pensar de forma coerente, não sabia se ia ou se voltava. Sachs esperava que ela falasse um pouco mais sobre esse assunto, porém ela fez uma digressão sobre a questão do trabalho, falou com mais orgulho sobre como conseguira se sustentar sem a ajuda de Dimaggio. Tinha uma licença para trabalhar como massagista, disse, prestava serviços como modelo para catálogos de lojas de departamentos e, somando tudo, conseguia tocar a vida, não deixava o barco afundar. Mas então, de forma muito abrupta, Lillian pôs de lado esse assunto como se não tivesse nenhuma importância e recomeçou a chorar.

— Tudo vai dar certo — disse Sachs. — Você vai ver. Tudo de ruim ficou para trás, agora. Só que você ainda não percebeu isso.

Era a coisa certa de se dizer e pôs um fim na conversa com uma nota positiva. Nada fora resolvido, mas Lillian parecia consolada por esse comentário, sensibilizada pelo incentivo de Sachs. Quando ela lhe deu um rápido abraço de agradecimento antes de subir de volta para a cama, ele resistiu à tentação de apertá-la um pouco mais do que devia. Contudo foi um momento extraordinário para ele, um momento de contato verdadeiro e irrefutável. Sentiu o corpo nu de Lillian por baixo do roupão, beijou-a delicadamente na face e compreendeu que estavam, agora, de volta ao início, que tudo o que se passara antes desse momento tinha sido apagado.

Na manhã seguinte, Lillian deixou a casa na hora de sempre, desaparecendo enquanto Sachs e Maria estavam a caminho da escola. Mas dessa vez, quando ele voltou, havia um bilhete na cozinha, uma breve mensagem que parecia corroborar suas esperanças mais improváveis, mais desenfreadas. "Obrigada por ontem à noite", dizia o bilhete. "XXX." Ele gostou de Lillian haver usado marcas de beijo em lugar de assinar o nome. Mesmo que essas marcas tivessem sido postas ali com a mais inocente das intenções — como um reflexo, uma variante da saudação rotineira —, o triplo X sugeria também outras coisas. Era o mesmo código para sexo que Sachs vira no rótulo da caixa de fósforos na noite anterior, e ficou excitado ao imaginar que Lillian fizera isso de propósito, que substituíra o seu nome por aquele sinal com o objetivo de pôr no pensamento dele a semente de uma associação de idéias.

Sob o impulso desse bilhete, Sachs foi em frente e fez algo que sabia que não deveria fazer. Na hora mesma em que punha seu plano em prática, compreendeu que estava errado, que estava começando a perder a cabeça, mas obrigar-se a parar era algo que já estava fora do seu poder. Depois de encerrar sua ronda da manhã, Sachs procurou o endereço da agência de massagens onde Lillian dissera que trabalhava. Ficava em algum ponto da avenida Shattuck, em North Berkeley, e sem sequer telefonar para marcar uma sessão, entrou no seu carro e seguiu para lá. Queria surpreendê-la, aparecer sem aviso e dar um alô — com muita naturalidade, como se fossem velhos amigos. Se ela por acaso estivesse desocupada naquele momento, ele pediria uma massagem. Isso lhe daria uma desculpa legítima para ser tocado de novo por Lillian, e mesmo enquanto saboreava a sensação das mãos dela a correr pela sua pele, Sachs ainda conseguiu tranqüilizar sua consciência com o raciocínio de que desse modo estaria ajudando Lillian a ganhar a vida. Nunca fui massageado por uma profissional, diria Sachs para ela, e eu queria saber como é. Ele encontrou o lugar sem nenhuma dificuldade, mas, quando entrou e perguntou por Lillian para a mulher na mesa da recepção, recebeu uma resposta seca e gelada.

— Lillian Stern pediu demissão na primavera — disse a mulher — e não deu mais as caras por aqui desde aquela época.

Era a última coisa que ele esperava, e saiu de lá se sentindo traído, causticado pela mentira que ela lhe contara. Lillian não voltou para casa nessa noite, e Sachs se sentiu quase contente de poder ficar sozinho, de ser poupado do mal-estar de ter de vê-la. Não havia nada que ele pudesse dizer, afinal de contas. Se Sachs contasse aonde fora naquela tarde, seu segredo seria revelado e aquilo destruiria toda e qualquer chance que ainda tivesse com relação a ela. No fundo, talvez tivesse sido sorte dele passar por aquilo naquele momento, e não mais tarde. Teria de ser mais cauteloso com seus sentimentos, disse para si mesmo. Chega de gestos impulsivos. Chega de arroubos de entusiasmo. Era uma lição que ele precisava aprender, e esperava nunca mais esquecer.

Mas esqueceu. E não apenas com o correr do tempo, mas no dia seguinte. Novamente, era tarde da noite. Novamente, já tinha posto Maria para dormir, e novamente estava acomodado em seu sofá, na sala — ainda desperto, dessa vez, lendo um dos livros de Lillian sobre reencarnação. Espantou-o que ela pudesse se interessar por tamanha conversa-fiada e tocava a leitura adiante com uma espécie de sarcasmo vingativo, examinava cada página como se fosse um testemunho da burrice de Lillian, da sua asfixiante estreiteza mental. Ela era ignorante, disse Sachs para si mesmo, uma tola mixórdia de modismos e idéias mal digeridas, e como ele poderia esperar que uma pessoa assim o compreendesse, assimilasse uma décima parte do que estava fazendo? Mas aí, bem na hora em que ia baixar o livro e apagar a luz, Lillian entrou pela porta da frente, seu rosto radiante sob o efeito da bebida, trajando o vestido preto mais curto e mais justo que ele jamais vira. Lillian estava simplesmente exuberante. Era uma maravilha para os olhos, e, agora que estava parada na sala com ele, Sachs não conseguia desviar os olhos de Lillian.

— Oi, garoto — disse ela. — Sentiu minha falta?

— Sem parar — respondeu Sachs. — Desde o minuto em que a vi pela última vez, até agora. — Ele declamou sua fala com grandiloqüência bastante para que soasse como uma piada, um dito jocoso, mas a verdade era que falava sério.

— Ótimo. Porque senti sua falta também.

Ela parou diante da mesinha de café, soltou um riso curto e então deu um giro completo com o corpo, com os braços bem abertos, igual a uma modelo em um desfile de modas, usando habilmente a ponta dos pés como eixo.

— Gostou do meu vestido? — perguntou. — Seiscentos dólares, na promoção. Um negócio da China, não acha?

— Valeu cada centavo do preço. E o tamanho está exato também. Se fosse um pouquinho menor, a imaginação perderia o emprego. Nem daria para notar que você o estava usando, quando o vestisse.

— É do jeito que eu gosto. Simples e sedutor.

— Não estou muito seguro quanto à simplicidade. A outra coisa, sim. Mas, definitivamente, não é simples.

— E nada tem de vulgar.

— Não, nem um pouco. É bem-feito demais para isso.

— Ótimo. Alguém me disse que era vulgar e eu queria ouvir a sua opinião antes de tirá-lo.

— Quer dizer que o desfile de modas acabou?

— Acabou totalmente. Já é bem tarde, e você não pode esperar que uma coroa como eu agüente ficar de pé a noite inteira.

— Que pena. Logo quando eu estava começando a apreciar.

— Às vezes você é meio tapado, não é não?

— Provavelmente. Muitas vezes me saio bem em questões complicadas. Mas coisas simples costumam me deixar confuso.

— Como tirar um vestido, suponho. Se você ficar nessa ensebação muito tempo, vou ter de tirar o vestido sozinha. E assim não ia ser tão bom, não é?

— Não, não ia ser tão bom. Sobretudo quando ele não parece muito difícil de tirar. Não tem botões nem colchetes para manusear, não tem zíper para correr. É só puxar de baixo para cima e soltar.

— Ou então começar por cima e ir descendo. A escolha é sua, senhor Sachs.

Um instante depois, Lillian estava sentada a seu lado, no sofá, e em seguida o vestido estava jogado no chão. Lillian se atirou sobre ele com uma mistura de furor e brincadeira, atacou seu corpo em investidas curtas, arquejantes, e em nenhum momento ele fez nada para detê-la. Sachs sabia que Lillian estava embriagada, mas, mesmo que tudo fosse um acidente, mesmo que fossem só a bebedeira e o tédio que a impeliam para os seus braços, ele estava ansioso para aproveitar. Talvez não houvesse outra chance, disse para si mesmo, e após quatro semanas esperando que exatamente aquilo acontecesse, seria inimaginável rejeitá-la.

Fizeram amor no sofá e depois fizeram amor na cama de Lillian, no andar de cima e, mesmo após o efeito do álcool haver se esgotado, ela permanecia tão ardente quanto tinha sido nos primeiros momentos, se entregava a Sachs com um ímpeto e uma concentração que aniquilava toda e qualquer dúvida que ainda pudesse existir nele. Lillian o devastou, esvaziou, desmantelou. E o notável foi que na manhã seguinte, ainda cedo, quando acordaram e viram um ao outro na cama, se lançaram de novo à mesma coisa e, dessa vez, com a luz pálida do dia se alastrando nos cantos do quartinho, Lillian disse que o amava, e Sachs, que fitava bem nos olhos dela nesse momento, nada viu ali que o levasse a não acreditar em suas palavras.

Era impossível saber o que havia acontecido, e Sachs nunca teve coragem de perguntar. Simplesmente aceitou, deixou-se levar por uma onda de felicidade inexplicável, sem desejar outra coisa que não estar exatamente onde estava. Da noite para o dia, ele e Lillian viraram um casal. Ela, agora, ficava em casa com ele, partilhava os afazeres domésticos, assumia de novo as responsabilidades de mãe de Maria, e toda vez que olhava para Sachs, era como se repetisse o que lhe dissera naquela primeira manhã, juntos, na cama. Passou-se uma semana e, quanto mais parecia improvável que ela fosse voltar atrás, mais Sachs tomava por genuíno o que estava acontecendo. Durante vários dias seguidos ele saiu com Lillian, em orgias de consumo — derramou sobre ela vestidos e sapatos, roupas íntimas de seda, brincos de rubi e um colar de pérolas. Eles se esbaldaram em bons restaurantes e beberam vinhos caros, conversaram, fizeram planos, treparam até dizer chega. Era bom demais para ser verdade, talvez, mas naquela altura ele já não era mais capaz de refletir no que era bom ou no que era verdadeiro. Em pouco tempo, ele já não era mais capaz de raciocinar a respeito de nada.

É impossível saber quanto tempo poderia ter durado. Se fossem só os dois, eles poderiam ter tirado algum proveito dessa explosão sexual, desse romance bizarro e absolutamente implausível. Apesar de suas implicações diabólicas, é possível que Sachs e Lillian conseguissem se fixar em algum lugar e levassem uma vida autêntica, juntos. Mas outros fatos se impuseram a eles, e menos de duas semanas após o início de tudo, essa nova vida já estava sendo posta em questão. Haviam se apaixonado, talvez, mas haviam também perturbado o equilíbrio doméstico, e a pequena Maria não ficou nem um pouco satisfeita com a mudança. Sua mãe lhe fora devolvida, mas Maria também perdera alguma coisa e, do seu ponto de vista, aquela perda devia ter parecido o desmoronamento de um mundo. Durante quase um mês, ela e Sachs tinham vivido juntos em uma espécie de paraíso. Ela fora o único objeto das afeições dele, e Sachs a mimou e paparicou de uma forma como ninguém jamais havia feito. Agora, sem nenhuma palavra de aviso, ele a abandonara. Mudou-se para a cama da mãe e, em vez de ficar em casa e fazer companhia a Maria, Sachs a deixava com babás e saía toda noite. Ela ficou magoada por isso. Ficou magoada porque a mãe se colocou entre eles, ficou magoada porque Sachs a desprezou, e depois de agüentar tudo isso calada por três ou quatro dias, a normalmente dócil e carinhosa Maria se converteu em um horror, um pequeno motor de birras, manhas e lágrimas enfurecidas.

No segundo domingo, Sachs propôs um passeio em família até o Rose Garden nos montes Berkeley. No início, Maria parecia estar de bom humor, e depois de Lillian apanhar uma colcha velha no armário do andar de cima, os três entraram no Buick e partiram para o outro extremo da cidade. Tudo correu bem durante uma hora. Sachs e Lillian deitaram-se na colcha, Maria brincava nos balanços e o sol derretia os restos da névoa da manhã. Mesmo quando Maria, um pouco depois, bateu a cabeça com força nas traves de um brinquedo de escalar, não parecia haver nenhum motivo de alarme. Ela correu para eles, chorando, como qualquer criança faria, e Lillian a abraçou, a acalmou, beijou a marca vermelha na sua têmpora com um carinho e uma ternura especiais. Isso é um bom remédio, pensou Sachs, o tratamento tradicional, mas nesse caso não produziu nenhum efeito. Maria continuou a chorar, recusou-se a se deixar consolar pela mãe e, muito embora o machucado não passasse de uma leve esfoladura, ela se queixava com veemência, soluçava com tanta força que quase começou a sufocar. Sem se abalar, Lillian a abraçou de novo, mas dessa vez Maria a rechaçou, acusou a mãe de estar apertando com muita força. Sachs pôde ver a mágoa nos olhos de Lillian quando isso aconteceu, e depois, quando Maria a empurrou para trás, viu também um lampejo de raiva. Sem mais nem menos, elas pareciam à beira de uma crise generalizada. Um vendedor de sorvete montara uma barraquinha a uns quinze metros da colcha onde eles estavam, e Sachs, achando que isso podia ser uma boa distração, se ofereceu para comprar uma casquinha de sorvete para Maria. Vai fazer você se sentir melhor, disse, sorrindo com toda a simpatia possível, e depois correu até o guarda-sol colorido instalado no passeio logo adiante. Aconteceu que havia dezesseis sabores diferentes para escolher. Sem saber qual deles pedir, Sachs optou por uma combinação de pistache e *tutti-frutti*. Pelo menos, pensou, o som dessas palavras talvez divertissem Maria. Mas não foi assim. Embora as lágrimas da menina houvessem esmorecido quando ele voltou, Maria olhou desconfiada para as bolas verdes de sorvete, e quando Sachs lhe entregou a casquinha e ela experimentou a primeira lambida hesitante, todo aquele mesmo inferno se desencadeou outra vez. Maria fez uma careta horrível, cuspiu o sorvete como se fosse veneno e sentenciou que era "nojento". Isso acarretou outro acesso de soluços e depois, com sua fúria crescendo cada vez mais, segurou a casquinha na mão direita e a atirou contra Sachs. Acertou em cheio na barriga, salpicando toda a sua camisa. Quando ele baixou os olhos para dar uma olhada no estrago, Lillian correu para onde Maria estava parada e lhe deu um tapa na cara.

— Sua pestinha! — berrou para a menina. — Sua desgraçada, sua pirralhinha ingrata! Vou matar você, está entendendo? Vou matar você aqui mesmo, na frente de toda essa gente! — E aí, antes que Maria tivesse tempo de levantar as mãos e proteger o rosto, Lillian lhe deu outro tapa.

— Pare — disse Sachs. Sua voz era dura, carregada de raiva e, por um momento, teve o impulso de empurrar Lillian no chão. — Não se atreva a encostar a mão nessa criança, está ouvindo?

— Cai fora, patrão — retrucou Lillian, tão enraivecida quanto Sachs. — Esta é minha filha e faço com ela o que bem entender.

— Não bata. Não vou permitir.

— Se ela merece uma surra, vou bater nela sim. E ninguém vai interferir. Nem mesmo você, seu sabichão.

Daí para a frente, a coisa só fez piorar. Sachs e Lillian bateram boca durante os dez minutos seguintes e, se não estivessem em um lugar público, brigando na frente de uma porção de espectadores, só Deus sabe onde aquilo iria parar. Nas circunstâncias, eles por fim conseguiram se conter e refrearam seus impulsos. Pediram desculpas um para o outro, se beijaram e fizeram as pazes, e nada mais se disse sobre o assunto pelo resto da tarde. Os três foram ao cinema, depois jantaram em um restaurante chinês, e quando voltaram para casa e Maria foi posta para dormir, o incidente já estava totalmente esquecido. Ou pelo menos era o que pensavam. Na realidade, esse foi o primeiro sinal da derrocada e, do momento em que Lillian deu um tapa na cara de Maria até o momento em que Sachs deixou Berkeley, cinco semanas depois, nada mais foi o que era antes.

5.

No dia 6 de janeiro de 1988, uma bomba explodiu na frente da corte de justiça de Turnbull, Ohio, espatifando uma réplica da Estátua da Liberdade, em escala reduzida. A maioria das pessoas supôs que fosse uma brincadeira de adolescente, um ato de vandalismo banal, sem motivação política, mas, como um símbolo nacional fora destruído, o incidente mereceu breves matérias na imprensa no dia seguinte. Seis dias depois, outra Estátua da Liberdade foi pelos ares em Danburg, Pennsylvania. As circunstâncias eram quase idênticas: uma explosão pequena no meio da noite, sem feridos, e nada danificado, exceto a estátua. No entanto, era impossível saber se a mesma pessoa era a responsável pelos dois atentados terroristas, ou se a segunda bomba era uma cópia da primeira — o chamado crime por imitação. Ninguém parecia dar grande importância a essa questão, mas um destacado senador conservador fez um discurso condenando "esses atos deploráveis" e exigia que os criminosos parassem imediatamente com aquela palhaçada. "Isso não tem graça nenhuma", declarou. "Vocês não só destruíram uma propriedade pública, como também profanaram um ícone nacional. Os americanos amam a sua estátua e não encaram com indulgência essas brincadeiras de mau gosto."

No todo, existem umas cento e trinta réplicas da Estátua da Liberdade em escala reduzida em lugares públicos por toda a América. Podem ser encontradas em parques públicos, diante de sedes de prefeituras ou no alto de edifícios. Ao contrário da bandeira, que tende tanto a dividir as pessoas como a uni-las, a estátua é um símbolo que não suscita nenhuma controvérsia. Se muitos americanos têm orgulho da sua bandeira, há muitos outros que sentem vergonha dela, e para cada pessoa que a encara como um objeto sagrado, existe outra que gostaria de cuspir nela, ou queimá-la, ou arrastá-la na lama. A Estátua da Liberdade é imune a esses conflitos. No decorrer dos últimos cem anos, ela transcendeu a política e a ideologia, plantada na porta de entrada do nosso país como um emblema de tudo o que é bom em nós. Representa antes a esperança do que a realidade, antes a fé do que os fatos, e seria quase impossível encontrar uma única pessoa disposta a condenar as coisas que ela simboliza: democracia, liberdade, igualdade perante a lei. É o melhor que a América tem a oferecer para o mundo, e por mais decepcionada que a pessoa se sinta com a incompetência da América para se comportar à altura desses ideais, os ideais propriamente ditos não são postos em questão. Eles proporcionaram consolo a milhões de pessoas. Imbuíram em todos nós a esperança de um dia vivermos em um mundo melhor.

Onze dias depois do incidente na Pennsylvania, outra estátua foi destruída no parque de um vilarejo na região central de Massachusetts. Dessa vez houve uma mensagem, uma declaração lida ao telefone para a redação do jornal *Springfield Republican* na manhã seguinte:

"Desperta, América!", disse a pessoa que ligou. "É hora de

começar a pôr em prática aquilo que vocês pregam. Se não quiserem ver mais estátuas irem pelos ares, provem-me que não são hipócritas. Façam algo pelo seu povo, além de fabricar bombas. Caso contrário, minhas bombas continuarão a detonar. Assinado: O Fantasma da Liberdade."

No decorrer dos dezoito meses seguintes, mais nove estátuas foram destruídas em várias partes do país. Todo mundo se lembra disso, e não tenho nenhuma necessidade de apresentar um relatório exaustivo das atividades do Fantasma. Em certas cidades, foram postos guardas para vigiar as estátuas vinte e quatro horas por dia, com a ajuda de grupos de voluntários oriundos da Legião Americana, dos clubes de escoteiros, dos times de futebol americano das escolas secundárias e de outras organizações locais. Mas nem todas as comunidades se mostravam tão vigilantes, e o Fantasma continuou a escapar de seus perseguidores. Toda vez que atacava, havia uma pausa antes da explosão seguinte, um período longo o suficiente para fazer as pessoas se perguntarem se aquilo não teria acabado. Então, sem mais nem menos, ele aparecia em algum ponto a mil e seiscentos quilômetros de distância, e mais uma bomba explodia. Muita gente ficou escandalizada, é claro, mas houve outros que se sentiram solidários com os objetivos do Fantasma. Era uma minoria, mas a América é um país grande e eles não somavam pouca gente. Para eles, o Fantasma se transformou em uma espécie de herói popular marginal. As mensagens tinham muito a ver com isso, quero crer — as suas declarações feitas por telefone aos jornais e estações de rádio na manhã seguinte a cada explosão. Eram forçosamente curtas, mas pareciam melhorar com o passar do tempo: mais concisas, mais poéticas, mais originais em sua maneira de expressar a decepção com o país. "Todo mundo está só", começava uma delas. "Portanto, não temos para onde nos voltar, senão uns para os outros." Ou: "A democracia não é uma dádiva. Deve ser conquistada todos os dias, de outro modo corremos o risco de perdê-la. A única arma à nossa disposição é a justiça". Ou: "Se tratarem mal as crianças, vocês acabarão por destruir a si mesmos. Só podemos existir no presente na condição de mantermos nossa fé no futuro". Em contraste com a típica declaração terrorista, com a sua retórica retumbante e suas exigências beligerantes, as mensagens do Fantasma não pediam o impossível. Simplesmente queriam que a América voltasse os olhos para si mesma e se regenerasse. Nesse sentido, havia algo quase bíblico em suas exortações e, após um tempo, ele passou a soar menos um político revolucionário do que um profeta sofrido e moderado. No fundo, ele meramente dava voz àquilo que muita gente já sentia e, em certos círculos pelo menos, havia quem declarasse efetivamente apoiar o que ele estava fazendo. Suas bombas não haviam ferido ninguém, argumentavam, e se aquelas explosõezinhas acabassem forçando as pessoas a repensar seus pontos de vista acerca da vida, talvez não fosse uma idéia tão ruim, afinal de contas.

Para ser inteiramente honesto, não contei essa história em todos os detalhes. Outras coisas importantes aconteceram no mundo nesse período, e toda vez que o Fantasma da Liberdade chamava a minha atenção, eu o desdenhava como mais um de tantos malucos, mais um entre tantos personagens efêmeros nos anais da loucura americana. No entanto, mesmo que eu estivesse mais interessado, não creio que conseguisse adivinhar que ele e Sachs eram a mesma pessoa. Aquilo estava distante demais do que eu era capaz de imaginar, era algo demasiado alheio a tudo o que parecia possível, e não vejo como eu poderia, de algum modo, estabelecer um vínculo entre os dois. Por outro lado (e sei que isso vai parecer esquisito), se o Fantasma me fazia pensar em alguém, era em Sachs. Ben estava desaparecido fazia quatro meses quando o primeiro atentado à bomba foi noticiado, e a menção à Estátua da Liberdade imediatamente me trouxe Sachs ao pensamento. Isso era bastante natural, suponho — levando em conta o romance que ele havia escrito e as circunstâncias da sua queda, dois anos antes —, e daí em diante essa associação se repetiu. Toda vez que eu lia a respeito do Fantasma, pensava em Ben. Lembranças da nossa amizade vinham em disparada à minha cabeça e de repente eu começava a sofrer, e me abalava ao ver quanta falta sentia dele.

Mas isso era o máximo a que eu chegava. O Fantasma era um sinal da ausência do meu amigo, um catalisador do sofrimento pessoal, porém mais de um ano se passou antes que eu tivesse notícia do Fantasma em pessoa. Foi na primavera de 1989 e aconteceu quando, por acaso, liguei a televisão e vi os estudantes do movimento democrático chinês desvelarem a sua tosca imitação da Estátua da Liberdade, na praça Tienanmen. Compreendi, então, que eu havia subestimado a força do símbolo. Representava uma idéia que pertencia a todos, a todas as pessoas do mundo, e o Fantasma desempenhara um papel crucial na ressurreição do seu significado. Enganara-me ao desdenhá-lo. Ele havia provocado uma perturbação em algum ponto profundo da Terra e agora as ondas começavam a vir à tona, alcançando toda a superfície ao mesmo tempo. Algo tinha acontecido, algo novo estava no ar, e, naquela primavera, havia dias em que eu caminhava pela cidade e quase tinha a impressão de poder sentir as calçadas vibrarem debaixo dos meus pés.

Eu havia começado um novo romance no início do ano, e quando eu e Iris deixamos Nova York e fomos para Vermont no verão passado, eu andava mergulhado na minha história, quase incapaz de pensar em qualquer outra coisa. Instalei-me no antigo escritório de Sachs no dia 25 de junho e nem mesmo essa situação potencialmente sinistra conseguiu perturbar o meu ritmo de trabalho. Há um ponto em que o livro começa a tomar conta da vida da gente, um ponto em que o mundo que você imaginou se torna mais importante do que o real, e passou muito rápido pela minha cabeça que eu estava sentado na mesma cadeira que Sachs usava, que escrevia na mesma mesa em que ele escrevia, que respirava o mesmo ar que ele, tempos antes, havia respirado. Para mim, dava no mesmo; no máximo, aquilo era uma fonte de prazer para mim. Apreciei ter meu amigo por perto outra vez e sentia que, se ele soubesse que eu ocupava seu antigo lugar, ficaria feliz. Sachs era um fantasma bem-vindo e não deixou para trás nenhuma ameaça e nenhum espírito maligno em seu barracão. Ele queria que eu estivesse ali, eu sentia isso, e muito embora, aos poucos, eu tenha adotado a mesma opinião de Iris (de que ele estava morto, de que nunca mais voltaria), era como se nós dois ainda nos entendêssemos, como se nada entre nós tivesse mudado.

No início de agosto, Iris partiu para Minnesota, para presenciar o casamento de uma amiga de infância. Sonia foi com ela, e como David ainda ficaria em um acampamento de verão até o fim do mês, fiquei enfurnado aqui sozinho e tratei de tocar o meu livro adiante. Após alguns dias, me vi recair no mesmo esquema que se instaura toda vez que Iris e eu estamos afastados: trabalho de mais; comida de menos; noites inquietas, insones. Com Iris na cama ao meu lado sempre durmo, mas a partir do momento em que ela se afasta, tenho medo até de fechar os olhos. Cada noite fica um pouco pior do que a anterior e logo estou de pé, de luz acesa, até uma, duas, três da manhã. Nada disso é importante, mas como eu tinha esses mesmos problemas durante a ausência de Iris no verão passado, aconteceu de estar acordado quando Sachs fez sua súbita e inesperada aparição em Vermont. Eram quase duas horas e eu estava na cama, no andar de cima, lendo um livro de suspense vagabundo — um romance policial que algum convidado deixara para trás, anos antes —, quando ouvi o barulho de um carro soltando estouros pelo cano de descarga, na estrada de terra. Ergui os olhos do livro, esperando que o carro seguisse além da casa, mas aí, de forma inequívoca, o motor reduziu a marcha, o facho dos faróis varreu a minha janela e o carro fez uma curva, raspando nos arbustos de pilriteiro, antes de parar no jardim. Enfiei minha calça e corri para baixo, chegando à cozinha segundos depois de o motor ser desligado. Não havia tempo para pensar. Corri direto para os utensílios sobre a bancada da pia, me apossei da faca mais comprida que pude encontrar e aguardei de pé ali no escuro, à espera de quem quer que fosse entrar. Imaginei ser um assaltante ou um maníaco e, durante os dez ou vinte segundos que se seguiram, fiquei mais apavorado do que jamais estivera em toda minha vida.

A luz acendeu antes que eu pudesse atacá-lo. Foi um gesto automático — entrar na cozinha e acender a luz —, e no mesmo instante em que a minha tocaia foi frustrada, me dei conta de que Sachs era a pessoa que havia entrado. Houve, no entanto, um brevíssimo intervalo entre essas duas percepções, e, nesse meio tempo, achei que eu já era um homem morto. Sachs deu três passos para dentro da cozinha e então parou. Foi quando me viu de pé ali no canto — a faca ainda suspensa no ar, meu corpo ainda pronto para o bote.

— Santo Deus — disse ele. — É você.

Tentei falar alguma coisa, mas as palavras não saíram da minha boca.

— Vi a luz — disse Sachs, ainda olhando para mim, incrédulo. — Pensei que na certa era Fanny.

— Não — respondi. — Não é Fanny.

— Não, parece que não é mesmo.

— Mas também não é você. Não pode ser você, pode? Você está morto. Todo mundo sabe disso, agora. Está em alguma vala, não sei onde, na beira de uma estrada, apodrecendo embaixo de um monte de folhas.

Levei certo tempo para me recuperar do choque, mas não muito, não tanto quanto teria imaginado. Ele parecia estar bem, achei, mais lúcido e mais capaz do que nunca e, exceto pelo tom grisalho que agora se espalhava pelo seu cabelo, era essencialmente a mesma pessoa que sempre fora. Isso deve ter me tranqüilizado. Não era nenhuma assombração que tinha voltado — era o velho Sachs, entusiasmado e falante como sempre. Quinze minutos depois de ele haver entrado na casa, já me sentia de novo habituado a ele, já me sentia disposto a admitir que Sachs estava vivo.

Não esperava me encontrar ali, disse, e antes de sentarmos e começarmos a conversar, ele pediu desculpas várias vezes por haver se mostrado tão estupefato. Nas circunstâncias, duvido que quaisquer desculpas fossem necessárias.

— Foi a faca — respondi. — Se eu entrasse aqui e topasse com alguém disposto a me apunhalar, acho que também teria ficado estupefato.

— Não é que eu não esteja contente de ver você. Só que eu não contava com isso.

— Você não precisa se sentir contente. Depois de todo esse tempo, não há razão para ficar assim.

— Não culpo você por ficar indignado comigo.

— Não fiquei. Pelo menos, até agora. Admito que, no início, me senti muito aborrecido, mas isso passou após alguns meses.

— E depois?

— Depois comecei a ter muito receio do que podia ter acontecido com você. Creio que senti sempre esse receio desde então.

— E quanto a Fanny? Ela também ficou com medo?

— Fanny é mais corajosa do que eu. Ela nunca parou de acreditar que você estava vivo.

Sachs sorriu, visivelmente satisfeito com o que eu tinha dito. Até esse momento, eu não tinha certeza se ele pretendia ficar ou ir embora, mas aí, de repente, Sachs puxou uma cadeira da mesa da cozinha e sentou-se, portando-se como se houvesse acabado de chegar a uma decisão importante.

— O que você anda fumando ultimamente? — perguntou, erguendo os olhos para mim, com o seu sorriso ainda na cara.

— Schimmelpennincks. A mesma coisa de sempre.

— Ótimo. Vamos acender dois dos seus charutinhos e depois pegar uma garrafa de alguma coisa para beber.

— Você deve estar cansado.

— Claro que estou cansado. Acabei de dirigir por seiscentos e quarenta quilômetros e são duas horas da madrugada. Mas quer que eu converse com você, não quer?

— Isso pode esperar até amanhã.

— Há uma chance de, amanhã, eu perder a coragem.

— E agora você está disposto a falar?

— Sim, estou disposto. Até entrar aqui e ver você segurando aquela faca, eu não pretendia falar coisa nenhuma. O plano sempre foi esse: não dizer nada, guardar tudo para mim mesmo. Mas acho que agora mudei de idéia. Não é que eu não possa viver sem isso, mas de repente me ocorre que alguém precisa saber. Para o caso de alguma coisa acontecer comigo.

— E por que alguma coisa iria acontecer a você?

— Porque estou em uma situação perigosa, eis o motivo, e minha sorte pode se esgotar.

— Mas por que contar a mim?

— Porque é o meu melhor amigo e sei que você é capaz de guardar um segredo. — Parou um instante e olhou firme nos meus olhos. — É capaz de guardar um segredo, não é?

— Acho que sim. Para dizer a verdade, não tenho certeza se alguma vez já me contaram algum segredo. Não tenho certeza se já tive de guardar um segredo.

Foi assim que começou: com essas deixas e esses comentários enigmáticos a respeito de algum desastre iminente. Achei uma garrafa de *bourbon* na despensa, arranjei dois copos limpos no secador de louça e depois levei Sachs através do jardim até o escritório. Era onde eu guardava meus charutos, e durante as cinco horas seguintes ele fumou e bebeu, lutando contra o cansaço, enquanto despejava sua história em cima de mim. Estávamos sentados em poltronas, de frente um para o outro, com a minha abarrotada mesa de trabalho entre nós e, durante todo esse tempo, nem eu nem ele nos movemos dali. Velas ardiam à nossa volta, tremulando e crepitando enquanto o cômodo se enchia com a voz de Sachs. Ele falava e eu ouvia e, pouco a pouco, tomei conhecimento de tudo o que contei até aqui.

Mesmo antes de ele começar, eu sabia que algo extraordinário devia ter acontecido a Sachs. De outro modo, ele não teria se mantido oculto por tanto tempo; não teria tido tanto trabalho para nos fazer crer que estava morto. Isso estava claro e, agora que Sachs havia voltado, eu estava pronto para aceitar as revelações mais espantosas e chocantes, pronto para ouvir uma história que jamais poderia ter sonhado sozinho. Não que esperasse que ele fosse contar *exatamente essa história*, mas eu sabia que tinha de ser algo desse tipo, e quando Sachs por fim começou (recostando-se para trás na sua poltrona e dizendo: "Você já ouviu falar do Fantasma da Liberdade, eu imagino"), meus olhos nem piscaram.

— Então é nisso que você anda metido — falei, interrompendo Sachs, antes que ele pudesse ir além. — Você é o tal sujeitinho gaiato que anda por aí explodindo essas estátuas. Que belo ramo de atividade você arranjou. Mas quem foi que escolheu você para representar a consciência do mundo? Na última vez que tive notícias suas, você andava escrevendo um romance.

Sachs levou o resto da noite para responder a essa pergunta. Mesmo então, houve no relato lacunas, buracos que não fui capaz de preencher. *Grosso modo*, a idéia parece lhe ter vindo em etapas, começando com a bofetada que ele testemunhou naquela tarde de domingo em Berkeley e terminando com a ruptura do seu caso com Lillian. No intervalo, ocorreu uma gradativa rendição a Dimaggio, uma crescente obsessão pela vida do homem que ele havia matado.

— Enfim, um dia tomei coragem para entrar no quarto dele — disse Sachs. — Foi isso que deflagrou o processo, eu acho, foi esse o primeiro passo rumo a alguma espécie de ação legítima. Até então, eu não havia nem sequer aberto a porta. Sentia medo demais, suponho, eu tinha pavor do que poderia encontrar se começasse a procurar. Mas Lillian ia para a rua novamente, Maria ia para a escola, e eu ficava ali sozinho naquela casa, lentamente começando a enlouquecer. Como era de prever, a maioria dos pertences de Dimaggio havia sido retirada do quarto. Não ficou nada de pessoal, nenhuma carta, nenhum documento, nenhum diário, nem números de telefone, nenhuma pista da sua vida com Lillian. Mas topei com alguns livros. Três ou quatro volumes de Marx, uma biografia de Bakunin, um livreto de Trótski sobre as relações raciais na América, coisas desse tipo. E então, repousando em uma pasta de papel preto na última gaveta da sua escrivaninha, achei um exemplar da sua dissertação. Essa foi a chave. Se eu não a tivesse encontrado, não creio que nenhuma das outras coisas teriam acontecido. Era um estudo sobre Alexander Berkman, uma reavaliação da sua vida e da sua obra, em quatrocentas e cinqüenta páginas extraordinárias. Tenho certeza de que você já viu esse nome. Berkman foi o anarquista que atirou em Henry Clay Frick, o homem cuja casa é hoje um museu na Quinta Avenida. Foi durante a greve dos metalúrgicos de Homestead em 1892, quando Frick convocou um exército de seguranças particulares e mandou que abrissem fogo contra os operários. Berkman tinha vinte anos na ocasião, era um jovem judeu extremista que havia emigrado da Rússia poucos anos antes, e ele viajou até a Pennsylvania e atacou Frick com um revólver, na esperança de aniquilar esse símbolo da opressão capitalista. Frick sobreviveu à agressão e Berkman foi jogado na penitenciária estadual por catorze anos. Após sua libertação, escreveu *Memórias da prisão de um anarquista* e continuou a se meter em atividades políticas, em especial em companhia de Emma Goldman. Ele foi o editor de *Mãe Terra*, ajudou a fundar uma escola libertária, fazia palestras, defendia causas como a greve dos trabalhadores têxteis de Lawrence e por aí afora. Quando a América entrou na Primeira Guerra Mundial, ele foi mandado de novo para a cadeia, dessa vez por se manifestar contra o alistamento militar. Dois anos depois, pouco após ser solto, ele e Emma Goldman foram deportados para a Rússia. Durante o jantar de despedida, chegou a notícia de que Frick havia morrido no início daquela mesma noite. O único comentário de Berkman foi: 'Deportado por Deus'. Uma declaração primorosa, não acha? Na Rússia, ele não levou muito tempo para sentir-se desiludido. Os bolcheviques haviam traído a Revolução, acreditava Berkman; uma espécie de despotismo viera substituir o outro e, depois que a rebelião do Kronstadt foi esmagada em 1912, ele resolveu emigrar da Rússia pela segunda vez. Acabou se fixando no sul da França, onde passou os últimos dez anos de vida. Escreveu o *ABC do anarquista comunista*, subsistiu fazendo traduções, serviços de editoração e redigindo livros para os outros, mas ainda precisava da ajuda de amigos para sobreviver. Em 1936, Berkman estava doente demais para prosseguir e, em vez de continuar a pedir pela caridade dos outros, pegou um revólver e deu um tiro na cabeça. Era uma boa dissertação. Um pouco sem graça e didática, às vezes, mas bem pesquisada e feita com entusiasmo, um trabalho exaustivo e arguto. Era difícil não respeitar Dimaggio por aquilo, era difícil não ver que tinha sido um homem com uma cabeça muito boa. Em vista do que eu sabia acerca de suas últimas atividades, a dissertação obviamente representava algo mais do que um mero trabalho acadêmico. Constituía um passo no seu desenvolvimento interior, um modo de pôr em xeque suas próprias idéias sobre a mudança política. Ele não dizia isso abertamente, mas pude perceber a que ponto Dimaggio apoiava Berkman, a que ponto acreditava que existia uma justificação moral para certas formas de violência política. O terrorismo tinha o seu lugar na luta, digamos assim. Se usado corretamente, ele poderia ser uma ferramenta eficaz para exprimir de uma forma dramática as questões em jogo, para esclarecer o público quanto à natureza do poder institucional. Depois disso, não consegui mais me conter. Comecei a pensar em Dimaggio o tempo todo, me comparar a ele, me perguntar como fomos nos encontrar naquela estrada em Vermont. Deduzi uma espécie de atração cósmica, o impulso de uma força inexorável. Lillian não me contaria grande coisa sobre ele, mas eu sabia que Dimaggio tinha sido soldado no Vietnã e que a guerra o havia virado pelo avesso, que saíra do Exército com uma visão diferente da América, da política e da sua própria vida. Me fascinou pensar que eu tinha ido para a prisão por causa daquela mesma guerra, e que haver lutado lá acabara levando Dimaggio a uma situação mais ou menos igual à minha. Ambos viramos escritores, ambos sabíamos serem necessárias mudanças fundamentais, porém, enquanto eu comecei a perder o rumo e metia os pés pelas mãos em artiguinhos fajutos e em ambições literárias, Dimaggio não parou de progredir, caminhou sempre em frente

, no fim, foi corajoso o bastante para pôr suas idéias à prova. Não que eu ache que explodir firmas madeireiras seja uma boa idéia, mas o invejei por ter peito para agir. Eu jamais levantara um dedo por coisa nenhuma. Ficara parado resmungando e reclamando durante quinze anos, mas, a despeito de todas as minhas opiniões veementes e as minhas atitudes aguerridas, nunca me pus de fato na linha de combate. Eu era um hipócrita, e Dimaggio não, e quando me comparei a ele, comecei a sentir vergonha. Meu primeiro pensamento foi escrever algo a seu respeito. Uma coisa semelhante ao que ele havia escrito sobre Berkman, só que melhor, mais profundo, um autêntico exame da sua alma. Eu planejava uma elegia, um monumento em forma de livro. Se eu conseguisse fazer isso por Dimaggio, pensei, talvez pudesse começar a me redimir, talvez algo de bom pudesse advir da sua morte. Teria de conversar com um monte de gente, é claro, rodar o país à cata de informações, fazer entrevistas com o maior número de pessoas que conseguisse localizar: seus pais e parentes, seus colegas de farda, as pessoas que estudaram com ele, seus colegas de profissão, antigas namoradas, membros das Crianças do Planeta, centenas de pessoas as mais diversas. Seria um projeto colossal, um livro que eu levaria anos para concluir. Mas, de certo modo, essa era a questão. Enquanto estivesse me devotando a Dimaggio, eu o estaria mantendo vivo. Daria a minha vida a ele, por assim dizer, e em troca Dimaggio me devolveria a minha vida. Não estou pedindo para você entender isso. Eu mesmo mal compreendo. Mas eu andava às cegas, entende, procurava aos trancos e barrancos alguma coisa em que me segurar e, por algum tempo, isso me pareceu sólido, uma solução melhor do que qualquer outra coisa. Nunca cheguei a lugar nenhum com esse projeto. Até parei para fazer anotações, algumas vezes, mas não conseguia me concentrar, não conseguia pôr meus pensamentos em ordem. Eu não sabia qual era o problema. Talvez eu ainda tivesse demasiada esperança de que minha situação com Lillian se arranjasse de novo. Talvez eu não acreditasse que era possível, para mim, voltar a escrever. Só Deus sabe o que me detinha, mas, toda vez que eu pegava uma caneta e tentava começar, me punha a suar frio, minha cabeça girava e eu tinha a sensação de que estava à beira de despencar. Exatamente como na vez em que caí da escada de incêndio. Era o mesmo pânico, a mesma sensação de impotência, o mesmo ímpeto rumo ao esquecimento. Em seguida, algo estranho aconteceu. Eu caminhava pela avenida do Telégrafo, certa manhã, para pegar meu carro, quando avistei alguém que conhecia de Nova York: Cal Stewart, editor de uma revista para a qual eu havia escrito alguns artigos no início da década de 80. Era a primeira vez, desde minha vinda para a Califórnia, que via alguém conhecido, e o pensamento de que ele poderia me reconhecer me deixou paralisado, imóvel, ali mesmo aonde eu vinha andando. Se alguém soubesse onde eu me achava, seria o meu fim, estaria completamente destruído. Encolhi-me no primeiro portal que encontrei, só para sair da rua. Calhou de ser uma livraria de livros usados, uma loja grande, com teto alto, e seis ou sete salas. Atravessei toda a sua extensão até o fundo e me escondi atrás de uma fila de estantes altas, meu coração martelava, e eu tentei me acalmar. Havia uma montanha de livros na minha frente, milhões de palavras empilhadas umas sobre as outras, um universo inteiro de literatura refugada, livros que as pessoas não queriam mais, livros que tinham sido vendidos, que haviam sobrevivido à sua utilidade. Não percebi, a princípio, mas por acaso eu estava na seção de ficção americana, e bem ali, na altura dos meus olhos, a primeira coisa que vi quando comecei a olhar os títulos foi um exemplar de *O novo colosso*, a minha própria e pequena contribuição àquele cemitério. Foi uma coincidência assombrosa, uma coisa que bateu em mim com tanta força que tive a impressão de que só podia ser um presságio. Não me pergunte por que o comprei. Eu não tinha nenhuma intenção de ler o livro, mas, tão logo o vi na estante, entendi que precisava possuí-lo. O objeto físico, a coisa em si mesma. Custou só cinco dólares, um exemplar da primeira edição em capa dura, completo, com sobrecapa e guardas em papel púrpura. E lá estava minha foto na orelha de trás: o retrato do artista quando jovem cretino. Fanny tirou aquela foto, eu me lembro. Eu tinha vinte e seis anos, ou vinte e sete, na época, de barba e cabelo comprido, e fitava a lente da câmera com uma inacreditável expressão de seriedade e nobreza nos olhos. Você já viu essa foto, sabe do que estou falando. Quando abri o livro e a vi, na loja, naquele dia, quase soltei uma gargalhada. Depois de pagar, saí da livraria e voltei de carro para a casa de Lillian. Eu sabia que não podia mais continuar em Berkeley. Ver Cal Stewart na rua me deixou totalmente apavorado e, de repente, percebi como minha situação era precária, como eu me tornara vulnerável. Ao voltar para casa com o livro, larguei-o sobre a mesinha de centro, na sala, e me sentei no sofá. Eu não tinha mais nenhuma idéia. Precisava ir embora, mas ao mesmo tempo não podia ir embora, não conseguia reunir forças para abandonar Lillian. Eu já a havia perdido completamente, mas não estava disposto a desistir, não conseguia encarar a idéia de nunca mais ver Lillian. Portanto fiquei ali no sofá, olhando para a capa do meu livro, sentindo-me como alguém que tivesse dado de cara com uma parede de tijolos. Eu nada fizera a respeito da pesquisa sobre Dimaggio; desperdiçara mais de um terço do dinheiro; aniquilara todas as esperanças em mim mesmo. Movido por pura e simples infelicidade, mantive os olhos fixos na capa do meu livro. Durante um longo tempo, creio que nem sequer enxerguei a capa, mas aí, aos poucos, algo começou a acontecer. Deve ter demorado quase uma hora, mas, assim que a idéia se apoderou de mim, não consegui parar de pensar nisso. A Estátua da Liberdade, se lembra? Aquele desenho estranho, distorcido, da Estátua da Liberdade. Foi daí que parti e, assim que me dei conta de para onde eu estava indo, o resto seguiu naturalmente, todo o plano desvairado se concatenou direitinho. Encerrei algumas de minhas contas bancárias naquela tarde e cuidei das demais na manhã seguinte. Eu precisava de dinheiro para fazer o que tinha de fazer, o que significava cancelar todos os meus compromissos, tomar o resto do dinheiro para mim mesmo em vez de entregá-lo para Lillian. Me desagradou quebrar minha promessa, mas não tanto quanto eu havia imaginado. Eu já dera a ela sessenta e cinco mil dólares e, embora isso não fosse todo o dinheiro que eu tinha, já era um bocado de grana, muito mais do que ela esperava receber de mim. Os noventa e um mil dólares que eu ainda possuía dariam para me levar bem longe, mas não se tratava de torrar essa grana em meu próprio benefício. O destino que eu concebera para esse dinheiro era tão significativo quanto o meu plano original. Na verdade, mais ainda. Não só eu o estaria usando para levar a cabo a obra de Dimaggio, como também para expressar minhas próprias convicções, assumir uma posição firme em defesa daquilo que eu acreditava, dar o passo importante que eu nunca antes fora capaz de dar. De uma hora para outra, minha vida pareceu ganhar sentido, para mim. Não apenas os meses anteriores, mas minha vida inteira, desde o primeiro momento. Foi uma confluência milagrosa, uma surpreendente conjunção de motivos e ambições. Eu descobrira o princípio unificador, e essa única idéia acabaria por colar todos os cacos de mim mesmo. Pela primeira vez na vida, eu existiria por inteiro. Não dá nem para começar a transmitir a você a força da minha felicidade. Eu me senti livre outra vez, absolutamente emancipado pela minha decisão. Não que eu desejasse deixar Lillian e Maria, mas havia agora coisas mais importantes para eu resolver e, uma vez que entendi isso, toda a amargura e o sofrimento do mês precedente dissiparam-se no meu coração. Eu já não estava enfeitiçado. Me sentia animado, revigorado, purificado. Quase como um homem que tivesse descoberto a religião. Como um homem que tivesse ouvido o apelo da sua vocação. A questão inacabada da minha vida de repente deixou de ser importante. Eu estava pronto a marchar para o deserto e pregar a palavra sagrada, estava pronto a começar tudo de novo. Relembrando tudo isso agora, vejo como foi absurdo depositar minhas esperanças justamente em Lillian. Me meter com ela foi uma coisa de maluco, um ato de desespero. Poderia ter dado certo se eu não me apaixonasse por ela, mas, uma vez que isso aconteceu, a nossa felicidade estava condenada ao fracasso. Eu trouxe Lillian para uma aliança impossível, e ela não soube como encarar aquilo. Queria o dinheiro e ao mesmo tempo não queria. O dinheiro a deixara cobiçosa e sua ganância a humilhava. Lillian queria que eu a amasse e odiava a si mesma por, em troca, me amar também. Não a culpo mais por me fazer comer o pão que o diabo amassou. Lillian é uma pessoa sem freios. Não é apenas linda, entende, mas incandescente. Sem temores, fora de controle, pronta para o que der e vier, e nunca teve uma chance de ser, ao meu lado, quem ela era na realidade. No fim, o notável não foi eu ter ido embora, mas sim haver conseguido ficar ali tanto tempo. As circunstâncias eram tão singulares, tão perigosas e perturbadoras, que acho que começaram a excitar Lillian. Foi isso que a atraiu: não eu, mas o estímulo da minha presença ali, as sombras que eu representava. A situação estava impregnada de toda sorte de possibilidades românticas e, após um tempo, Lillian não conseguiu mais resistir a isso, deixou-se levar bem mais longe do que pretendia. Dessa mesma forma bizarra e implausível, ela havia conhecido Dimaggio. Ela fora levada a se casar. No meu caso, Lillian foi levada a uma lua-de-mel, aquelas duas semanas deslumbrantes em que nada poderia dar errado para nós. Não importa o que aconteceu depois disso. Não poderíamos ter sustentado aquela situação por muito tempo e, mais cedo ou mais tarde, Lillian começaria a aprontar outra vez, acabaria por recair no seu antigo modo de vida. Mas, enquanto durou, não creio que exista a menor dúvida de que ela estava apaixonada por mim. Toda vez que começo a duvidar disso, basta eu me lembrar da prova. Ela poderia me denunciar à polícia, e não o fez. Mesmo depois de eu ter dito a ela que o dinheiro havia terminado. Mesmo depois de eu ter ido embora. Na pior hipótese, isso prova que eu significava alguma coisa para ela. Prova que tudo o que me aconteceu em Berkeley de fato aconteceu. Mas basta de tristezas. Pelo menos agora. Tudo isso ficou para trás, está acabado e encerrado, é letra morta. O duro foi abandonar a menina. Não pensei que fosse me abalar, mas senti a falta de Maria por muito tempo, por muito mais tempo do que senti a falta de Lillian. Toda vez que eu viajava para o Oeste, me punha a pensar em seguir adiante até a Califórnia, só para dar uma olhada e fazer uma visitinha a ela. Mas nunca fiz isso. Temia o que poderia acontecer se eu visse Lillian de novo, portanto eu tratava de me manter longe da Califórnia e não pus os pés naquele estado desde a manhã em que parti de lá. Dezoito, dezenove meses atrás. Agora, Maria com certeza até já esqueceu quem eu sou. A certa altura, antes de a situação com Lillian se deteriorar, eu pensava que acabaria adotando Maria, que ela viria a ser efetivamente minha filha. Seria bom para ela, eu acho, seria bom para nós dois, mas agora é tarde demais para sonhar com isso. Suponho que não nasci para ser pai. Não deu certo com Fanny e não deu certo com Lillian. Poucas sementes. Poucos ovos e poucas sementes. A gente se vê diante de tantas oportunidades e de repente a vida vem e toma tudo de nós, e então a gente fica de fora, à margem, e para sempre tem de se virar sozinho. Eu me tornei quem eu sou agora, e não há como voltar atrás. E então é isso, Peter. Pelo menos, até onde consigo entender, é isso."

Ele começava a divagar. O sol já ia alto nessa altura, e mil passarinhos cantavam nas árvores: cotovias, tentilhões, canarinhos, o coral matutino com força total. Sachs vinha falando havia tantas horas que ele agora mal sabia o que dizia. Enquanto a luz fluía pelas janelas, eu notava como seus olhos estavam a ponto de se fechar. Podemos continuar a conversa depois, falei. Se você não deitar e dormir um pouco, na certa vai acabar desmaiando, e não sei se sou forte o suficiente para carregá-lo até a casa.

Coloquei-o em um dos quartos vazios do segundo andar, baixei a persiana e saí na ponta dos pés para o meu quarto. Duvidei que eu fosse capaz de dormir. Havia coisas demais para digerir, imagens demais se agitavam na minha mente, mas, assim que minha cabeça tocou no travesseiro, comecei a perder a consciência. Senti-me como se tivesse levado uma paulada, como se meu crânio tivesse sido esmagado por uma pedra. Algumas histórias são, talvez, terríveis demais, e o único modo de admiti-las dentro de nós é fugir, dar as costas para elas e nos refugiar nas trevas.

Acordei às três da tarde. Sachs dormiu por mais duas horas ou duas horas e meia e, no intervalo, matei o tempo no jardim, me mantive fora da casa para não perturbar seu sono. Dormir não me fizera bem nenhum. Ainda estava zonzo demais para refletir e, se consegui me manter ocupado durante aquelas horas, foi simplesmente porque me dediquei a planejar o cardápio do jantar daquela noite. Eu debatia arduamente comigo mesmo acerca de cada decisão, pesava todos os prós e os contras como se o destino do mundo dependesse disso: assar a galinha no forno ou na grelha, servir arroz ou batatas, se a quantidade de vinho disponível no armário era suficiente ou não. É estranho como tudo isso volta agora à minha mente de forma tão nítida. Sachs acabara de me contar como havia matado um homem, como passara os dois anos anteriores vagando pelo país à maneira de um fugitivo, e a única coisa em que eu conseguia pensar era o que preparar para o jantar. Era como se eu precisasse fingir que a vida ainda consistia em detalhes mundanos como esse. Mas isso era só porque eu sabia que não era assim.

Ficamos de novo acordados até tarde nessa noite, conversamos durante todo o jantar e depois até as primeiras horas da manhã. Dessa vez, estávamos ao ar livre, sentados nas mesmas cadeiras reclináveis, de madeira, onde nos sentamos em tantas outras noites ao longo dos anos: duas vozes incorpóreas no escuro, invisíveis um para o outro, sem enxergar coisa alguma, exceto quando um de nós acendia um fósforo e nosso rosto fulgurava por um instante, nas trevas. Recordo a ponta cintilante dos charutos, os vaga-lumes que pulsavam nos arbustos, um vasto céu de estrelas no alto — as mesmas coisas que recordo de tantas outras noites, no passado. Isso ajudava a me manter calmo, penso eu, porém ainda mais importante do que o cenário era o próprio Sachs. O longo sono o havia recuperado, e desde o início ele se mostrou com pleno domínio da conversa. Não havia a menor incerteza em sua voz, nada que me fizesse sentir que eu não podia confiar nele. Foi nessa noite que me contou a respeito do Fantasma da Liberdade, e em nenhum momento sua voz pareceu a de um homem que confessa um crime. Ele tinha orgulho do que fizera, estava inabalavelmente em paz consigo mesmo e falava com a segurança de um artista que sabe que acabou de criar sua obra mais importante.

Era uma história comprida e inacreditável, uma saga de viagens e disfarces, de calmarias e frenesis, e de fugas no último minuto. Se Sachs não me tivesse contado, eu nunca poderia imaginar quanto trabalho demandava cada explosão: as semanas de planejamento e preparação, os métodos tortuosos e complicados para reunir o material necessário para construir as bombas, os álibis e os engodos meticulosos, as distâncias que tinham de ser percorridas. Uma vez escolhida a cidade, Sachs tinha de encontrar uma maneira de passar certo tempo lá, sem despertar suspeitas. O primeiro passo era forjar uma identidade e uma história que servisse de proteção, e como ele nunca era a mesma pessoa duas vezes, seu talento para a ficção era continuamente posto à prova. Tinha sempre um nome diferente, o mais discreto e trivial que conseguisse arranjar (Ed Smith, Al Goodwin, Jack White, Bill Foster) e, entre uma ação e outra, Sachs fazia o possível para apresentar pequenas alterações na sua aparência (uma vez, sem barba; barbado, na vez seguinte; de cabelo escuro, em um lugar; no lugar seguinte, de cabelo claro; com óculos ou sem óculos; de terno ou de roupa esporte; todo um conjunto de variantes que ele podia misturar em diferentes combinações para cada cidade). O desafio fundamental, porém, era inventar uma razão para estar ali, uma desculpa plausível para passar vários dias em uma comunidade onde ninguém o conhecia. Certa vez, se fez passar por um professor de faculdade, um sociólogo que pesquisava a vida e os valores nas cidades pequenas americanas. De outra vez, fingiu estar em uma viagem sentimental, um filho adotivo em busca de informações sobre seus pais biológicos. Em outra ocasião, era um homem de negócios com desejo de investir no comércio local. De outra vez, era um viúvo, um homem que perdera mulher e filhos em um acidente de carro e procurava uma outra cidade para morar. Mais tarde, de forma quase insolente, quando o Fantasma já havia ficado famoso, Sachs se apresentou em uma cidadezinha do Nebraska como um repórter que fazia uma matéria especial sobre as atitudes e os pontos de vista das pessoas que moravam em locais onde havia réplicas da Estátua da Liberdade. O que pensavam dos atentados a bomba?, perguntava Sachs. E o que a estátua significava para elas? Era uma experiência de estraçalhar os nervos, disse ele, mas valeu a pena cada minuto.

Bem cedo, Sachs resolveu que a franqueza era a estratégia mais proveitosa, a melhor maneira de evitar que se criasse uma impressão errada. Em vez de andar se esgueirando e se manter escondido, ele batia papo com as pessoas, cativava-as, levava-as a pensar nele como um cara legal. Esse sentimento amistoso afluía naturalmente para Sachs e lhe proporcionava o espaço livre de que necessitava. Uma vez cientes do motivo de ele estar ali, as pessoas não se sentiam alarmadas de vê-lo circular pela cidade e se, por acaso, em suas caminhadas, ele passasse várias vezes pelo local onde ficava a estátua, ninguém prestaria atenção nenhuma a isso. Assim também os passeios que fazia altas horas da noite, rodando de carro às duas da madrugada pela cidade emudecida, para se familiarizar com o esquema de trânsito, estimar a possibilidade de alguém andar por perto quando Sachs instalasse a bomba. Afinal, ele estava pensando em se mudar para lá, e quem poderia condená-lo se ele queria ter uma idéia de como era a cidade depois que o sol se punha? Sachs compreendia que se tratava de uma desculpa frágil, mas essas saídas noturnas eram inevitáveis, uma precaução necessária, pois não só tinha de salvar sua pele como precisava se assegurar de que ninguém ia se ferir. Um mendigo que dormia na base do pedestal, dois adolescentes que se beijavam na grama, um homem que levava seu cão para passear no meio da noite — bastaria voar apenas um pequeno fragmento de pedra ou de metal para matar uma pessoa, e aí a causa inteira estaria arruinada. Esse era o maior temor de Sachs, e ele chegava aos cuidados mais extremos a fim de se precaver contra acidentes. As bombas que construía eram pequenas, bem menores do que gostaria, e, muito embora isso aumentasse os riscos, ele nunca ajustava o mecanismo de tempo para mais do que vinte minutos após haver introduzido os explosivos na coroa da estátua. Nada impedia que alguém fosse passar por ali naqueles vinte minutos, mas, em vista da hora, e em vista da natureza daquelas cidadezinhas, as possibilidades eram mínimas.

De mistura com todo o resto, Sachs me deu um monte de informações técnicas naquela noite, um curso-relâmpago sobre a mecânica da construção de bombas. Confesso que a maior parte entrou por um ouvido e saiu pelo outro. Não tenho aptidão nenhuma para assuntos mecânicos e minha ignorância tornava difícil acompanhar o que ele dizia. Eu compreendia alguma palavra aqui e ali, termos como *despertador*, *pólvora*, *estopim*, mas o resto era incompreensível para mim, um idioma estrangeiro em que eu não conseguia penetrar. No entanto, a julgar pelo seu modo de falar, deduzi que era preciso um bocado de argúcia. Sachs não se baseava em nenhuma fórmula preestabelecida e, com o fardo adicional de ter de apagar seus rastos, ele tinha muita dor de cabeça para conseguir usar apenas os materiais mais corriqueiros e de uso doméstico e montar seus artefatos explosivos com bugigangas que se podia comprar em qualquer loja de ferragens. Devia ser um trabalho muito árduo viajar até um local só para comprar um despertador, depois percorrer oitenta quilômetros de carro para comprar um rolo de fios, depois ir a outro lugar para comprar um pacote de fita isolante. Nenhuma compra alcançava mais de vinte dólares, e Sachs tomava o cuidado de só pagar com dinheiro vivo — em qualquer loja, em qualquer restaurante, em qualquer motel caindo aos pedaços. Entrar e sair; bom dia e até logo. Num instante ia embora, como se seu corpo houvesse se dissolvido no ar rarefeito. Era um trabalho duro, mas, após um ano e meio, Sachs ainda não deixara um só vestígio atrás de si.

Morava em um apartamento barato na zona sul de Chicago, que alugava sob o nome de Alexander Berkman, mas isso era mais um refúgio do que um lar, um lugar para repousar no intervalo das viagens, e não passava ali mais do que um terço do seu tempo. Só de pensar na vida de Sachs, me sentia incomodado. O movimento constante, a tensão de sempre fingir ser outra pessoa, a solidão — mas Sachs fez pouco-caso de minhas apreensões, como se não tivessem nenhuma importância. Estava preocupado demais, explicou, concentrado demais no que fazia para pensar nesse tipo de coisa. Se Sachs havia criado algum problema para si mesmo, consistia unicamente em como enfrentar o sucesso. Uma vez que a reputação do Fantasma não parava de crescer, tornava-se cada vez mais difícil encontrar Estátuas da Liberdade aptas a serem atacadas. A maioria, agora, vivia sob proteção de guardas, e enquanto no início ele levava de uma a três semanas para executar sua missão, o tempo médio havia crescido para quase dois meses e meio. No início daquele verão, Sachs fora obrigado a desistir de um projeto no último minuto, e muitos outros foram adiados — transferidos para o inverno, quando o frio sem dúvida diminuiria a determinação dos vigilantes noturnos. Mesmo assim, para cada obstáculo que se erguia, existia um benefício compensatório, mais um sinal que atestava o alcance cada vez maior da influência dele. Nos últimos meses, o Fantasma da Liberdade fora tema de editoriais e de sermões. Fora debatido em programas de entrevistas no rádio, caricaturado em charges políticas, execrado como uma ameaça à sociedade, exaltado como um verdadeiro homem do povo. Camisetas e broches do Fantasma da Liberdade foram postos à venda em lojas de novidades, piadas começaram a circular, e ainda no mês passado dois nudistas em Chicago fizeram uma encenação na rua, na qual uma Estátua da Liberdade era aos poucos desnudada e seduzida pelo Fantasma. Sachs estava deixando uma marca, disse ele, uma marca muito maior do que jamais pensara ser possível. Enquanto estivesse em condições de levar aquilo adiante, estava disposto a enfrentar todo e qualquer inconveniente, abrir a ferro e fogo o seu caminho. Era o tipo de coisa que um fanático diria, entendi depois, o reconhecimento de que não precisava mais de uma vida própria, porém Sachs falava com tamanha felicidade, tamanho entusiasmo e ausência de dúvida, que mal me dei conta do significado dessas palavras, na ocasião.

Havia mais a dizer. Todos os tipos de perguntas haviam se acumulado na minha cabeça, mas àquela altura já amanhecera e eu estava esgotado demais para prosseguir. Queria perguntar-lhe sobre o dinheiro (quanto restara, o que ia fazer quando acabasse); queria saber mais sobre o seu rompimento com Lillian Stern; queria perguntar-lhe sobre Maria Turner, sobre Fanny, sobre o manuscrito de *Leviatã* (que ele nem se dera ao trabalho de olhar). Havia mil pontas soltas e eu imaginava ter o direito de saber de tudo, imaginava que ele tinha a obrigação de responder a todas as minhas perguntas. Mas não o pressionei a continuar. Conversaríamos sobre essas coisas depois do café da manhã, disse para mim mesmo, mas agora estava na hora de dormir.

Quando acordei, bem tarde na manhã seguinte, o carro de Sachs tinha ido embora. Supus que tivesse ido ao mercado e estaria de volta a qualquer momento, mas, depois de esperar mais de uma hora, comecei a perder a esperança. Não queria acreditar que ele havia partido sem se despedir e, no entanto, eu sabia que tudo era possível. Ele já havia deixado outras pessoas dessa mesma forma, e por que eu haveria de pensar que Sachs agiria diferente comigo? Primeiro Fanny, depois Maria Turner, depois Lillian Stern. Talvez eu fosse apenas o último em uma longa série de escapadas silenciosas, mais uma pessoa cujo nome Sachs riscara da sua lista.

Ao meio-dia e meia, fui ao escritório para trabalhar no meu livro. Eu não sabia o que mais podia fazer e, em vez de continuar esperando ao ar livre, sentindo-me cada vez mais ridículo ali parado, enquanto aguardava ouvir o barulho do carro de Sachs, achei que seria bom me distrair com um pouco de trabalho. Foi então que encontrei a carta dele. Sachs a colocara em cima do meu manuscrito e eu a vi no instante em que sentei à minha escrivaninha.

"Desculpe por ir embora assim, sorrateiramente", começava a carta, "mas acho que já tratamos de quase tudo. Se eu ficasse mais tempo, só traria problemas. Você ia tentar me persuadir a abandonar o que venho fazendo (porque você é meu amigo, porque veria isso como sua responsabilidade, por ser meu amigo), e eu não quero brigar com você, não tenho estômago para discussões, agora. O que quer que você pense de mim, sou grato por ter me ouvido. A história precisava ser contada, e foi melhor que fosse você do que qualquer outra pessoa. Se a hora chegar, você saberá como contá-la aos outros, fará com que compreendam o que significa, afinal, tudo isso. Seus livros dão prova disso e, quando tudo estiver encerrado, você será o único com quem poderei contar. Você foi muito mais longe do que jamais cheguei, Peter. Admiro você pela sua inocência, pelo modo como persistiu em uma só coisa por toda a vida. Meu problema foi que nunca consegui acreditar nisso. Sempre quis algo mais, porém nunca soube onde o encontrar. Agora sei. Depois de todas as coisas horríveis que aconteceram, por fim descobri algo em que acreditar. Isso é a única coisa que importa para mim agora. Perseverar nesse caminho e mais nada. Por favor, não me censure por isso — e acima de tudo não tenha pena de mim. Estou bem. Nunca estive melhor. Vou continuar a infernizar a vida deles enquanto eu puder. Da próxima vez que você ler a respeito do Fantasma da Liberdade, espero que solte uma boa gargalhada. Para a frente e para cima, meu velho. Nos veremos nas tiras de quadrinhos dos jornais. Ben."

Devo ter lido e relido aquela carta umas vinte ou trinta vezes. Não havia mais nada que eu pudesse fazer, e levei pelo menos esse tempo para assimilar o choque da sua partida. As primeiras leituras me deixaram magoado, aborrecido com ele por escapulir enquanto eu estava de costas. Mas depois, bem lentamente, à proporção que relia a carta mais vezes, comecei, de má vontade, a reconhecer que Sachs tinha razão. A conversa seguinte seria mais difícil do que as outras. É verdade que eu planejava contestá-lo, que havia resolvido fazer todo o possível para convencê-lo a parar. Sachs pressentira isso, suponho, e, em lugar de permitir que alguma animosidade se desenvolvesse entre nós, ele foi embora. Eu não podia, na verdade, condená-lo por isso. Ele quis que a nossa amizade sobrevivesse, e como sabia que essa visita poderia ser a última ocasião em que nos veríamos, não quis que ela terminasse de forma ruim. Esse era o objetivo da carta. Levar as coisas a um final, mas sem lhes dar fim. Foi o jeito de Sachs me dizer que não podia se despedir de mim.

Sachs viveu por mais dez meses, mas nunca mais tive notícias dele. O Fantasma da Liberdade atacou duas vezes nesse período — uma em Virginia e outra em Utah —, mas não ri. Agora que eu conhecia a história toda, não conseguia sentir nada a não ser tristeza, uma dor incomensurável. O mundo sofreu transformações extraordinárias nesses dez meses. O muro de Berlim foi derrubado, Havel tornou-se presidente da Tchecoslováquia, a Guerra Fria de repente cessou. Mas Sachs ainda estava em atividade, um grão de poeira solitário na noite americana, zunindo rumo à destruição em um carro roubado. Onde quer que Sachs estivesse, agora eu estaria com ele. Eu lhe dera minha palavra de que não contaria nada, e quanto mais eu guardava seu segredo, menos eu pertencia a mim mesmo. Deus sabe de onde vinha minha obstinação, mas jamais deixei escapar uma sílaba. Nem para Iris, nem para Fanny e Charles, nem para ninguém. Pus nos ombros o fardo desse silêncio por Sachs e, no fim, o peso quase me esmagou.

Estive com Maria Turner no início de setembro, alguns dias depois de Iris e eu havermos voltado para Nova York. Foi um alívio poder conversar com alguém a respeito de Sachs, mas mesmo com ela me contive o mais que pude. Nem sequer mencionei que o tinha visto — só que ele me telefonara e que havíamos conversado durante uma hora. Foi uma dancinha tenebrosa aquela que dancei com Maria Turner nesse dia. Acusei-a de deslealdade, de trair Sachs ao manter a promessa que fizera a ele, enquanto era exatamente isso o que eu mesmo fazia. Nós dois fomos autorizados a conhecer o segredo de Sachs, mas eu sabia mais do que ela e não estava disposto a partilhar os detalhes com Maria Turner. Para ela, bastava saber que eu sabia o que ela sabia. Falou com muito desembaraço, depois disso, deu-se conta de como seria fútil querer me enganar. Dentro desse limite, não havia mais segredos para nós, e acabei ouvindo mais coisas sobre a relação dela com Sachs do que ele próprio me contara. Entre outras coisas, aquele foi o dia em que vi pela primeira vez as fotos que ela havia tirado dele, as chamadas "Terças-feiras com Ben". Mais importante ainda, eu soube também que Maria estivera com Lillian Stern em Berkeley no ano anterior — uns seis meses depois de Sachs ter ido embora. Segundo o que Lillian lhe contou, Ben voltara duas vezes para visitá-la. Isso contradizia o que Sachs me havia contado, mas, quando apontei essa discrepância para Maria, ela apenas deu de ombros:

— Lillian não é a única pessoa que mente — disse ela. — Você sabe disso tão bem quanto eu. Depois do que esses dois fizeram um para o outro, não dá para acreditar em ninguém.

— Não estou dizendo que Ben não seja capaz de mentir — respondi. — Só não entendo por que o faria.

— Parece que ele fez algumas ameaças. Talvez ele se sentisse muito constrangido para lhe falar a respeito disso.

— Ameaças?

— Lillian disse que ele ameaçou raptar a filha dela.

— E por que ele faria uma loucura dessas?

— Aparentemente, Ben não gostava do modo como Lillian criava Maria. Ele disse que ela era uma influência ruim para a menina, que Maria merecia uma chance de crescer em um ambiente saudável. Ele levou a discussão para o terreno moral e tudo degenerou em uma cena horrorosa.

— Não parece coisa de Ben.

— Talvez não, mas Lillian ficou assustada o bastante para tomar uma atitude drástica. Depois da segunda visita de Ben, ela pôs Maria em um avião e mandou-a para a casa da sua mãe, lá no Leste. O garotinha mora lá desde então.

— Talvez Lillian tivesse suas próprias razões para querer se livrar dela.

— Tudo é possível. Só estou contando o que ela me contou.

— E quanto ao dinheiro que Ben deu a ela? Lillian o gastou?

— Não. Pelo menos, não consigo mesma. Ela me disse que o depositou em uma poupança para Maria.

— Eu só queria saber se Ben chegou a contar a ela de onde veio o dinheiro. Não entendi muito bem essa questão, e pode ser importante.

— Não tenho certeza. Mas uma questão mais interessante seria, antes de tudo, saber onde Dimaggio arranjou o dinheiro. Era uma soma fantástica de dinheiro vivo para ele andar carregando por aí.

— Ben achava que era roubado. Pelo menos, no início. Depois, achou que podia ter sido entregue a Dimaggio por alguma organização política. Se não as Crianças do Planeta, alguma outra. Terroristas, por exemplo. A OLP, o IRA, há um monte de grupos. Ele imaginava que Dimaggio podia andar metido com gente desse tipo.

— Lillian tinha suas próprias opiniões sobre o que Dimaggio andava fazendo.

— Tenho certeza que sim.

— Pois é, sabe, mas até parece interessante quando a gente pára para pensar no que ela dizia. Do ponto de vista de Lillian, Dimaggio trabalhava como agente infiltrado do governo. Da CIA, do FBI, uma dessas gangues de espionagem. Ela acha que começou quando ele era soldado no Vietnã. Acha que o convocaram para o serviço de espionagem lá na guerra e depois bancaram a sua faculdade e a pós-graduação. Para que ele tivesse as credenciais necessárias.

— Quer dizer que ele era um agente infiltrado? Um provocador?

— É o que Lillian acha.

— Parece forçado demais, para mim.

— Claro que parece. Mas isso não significa que não seja verdade.

— Lillian tinha alguma prova, ou estava só fazendo uma conjetura delirante?

— Não sei, não perguntei a ela. Na verdade, nós não conversamos muito sobre isso.

— E por que não lhe pergunta agora?

— Não estamos mais nos falando.

— Ah, é?

— Foi uma visita meio desagradável, e eu não tive contato com ela desde o ano passado.

— Vocês se desentenderam.

— É, mais ou menos isso.

— Por causa de Ben, eu aposto. Você ainda gosta dele, não é? Deve ter sido difícil ouvir sua amiga contar como Ben se apaixonou por ela.

Maria de repente virou a cabeça para o lado e percebi que eu tinha razão. Mas ela era orgulhosa demais para admitir qualquer coisa e, um minuto depois, se recompôs o bastante para olhar de novo na minha direção. Disparou um sorriso irônico e duro.

— Você é o único homem a quem jamais amei, Chiquita — disse ela. — Mas de repente você foi embora, se casou e me deixou na mão, não foi? Quando alguém parte o coração de uma garota, ela faz o que tem de fazer.

Consegui convencê-la a me dar o endereço de Lillian e seu telefone. Ia sair um novo livro meu em outubro e meu editor conseguira agendar para mim sessões de leitura em diversas cidades por todo o país. San Francisco era o ponto final da excursão e seria absurdo ir até lá e não tentar encontrar Lillian. Eu não tinha a menor idéia se ela sabia ou não onde Sachs andava (e, mesmo se soubesse, não era certo que iria me contar), mas de todo modo eu imaginava que teríamos muito o que conversar. No mínimo, eu queria pôr meus olhos nela, poder formar minha própria opinião quanto a Lillian. Tudo o que eu sabia sobre ela viera ou de Sachs ou de Maria, e Lillian era uma personagem importante demais para eu confiar unicamente nas palavras deles. Liguei um dia depois de conseguir seu telefone com Maria. Lillian não estava em casa, mas deixei um recado na secretária eletrônica e, para minha grande surpresa, ela ligou de volta na tarde seguinte. Foi uma conversa rápida, mas amistosa. Ela sabia quem eu era, disse Lillian. Ben lhe falara a meu respeito e até lhe dera um de meus romances, o qual ela confessou não ter tido tempo de ler. Não me atrevi a fazer nenhuma pergunta por telefone. Já era bastante ter feito contato com Lillian, portanto fui logo ao que interessava, perguntei se ela se importaria de se encontrar comigo quando eu estivesse na região da Baía no final de outubro. Lillian hesitou um instante, mas, quando eu lhe disse o quanto isso era importante para mim, acabou concordando. Me telefone quando você chegar ao hotel, disse ela, e vamos tomar um drinque em algum lugar. Foi muito simples. Lillian tinha uma voz interessante, me pareceu, um pouco gutural e grave, e gostei do seu timbre. Se ela tivesse seguido a carreira de atriz, era o tipo de voz que as pessoas não iam esquecer.

A promessa desse encontro me manteve estimulado durante um mês e meio. Quando o terremoto atingiu San Francisco no início de outubro, meu primeiro pensamento foi que a minha visita talvez tivesse de ser cancelada. Agora tenho vergonha da minha falta de compaixão, mas na época mal me dei conta disso. Estradas destruídas, prédios em chamas, corpos esmagados e mutilados — essas tragédias nada significavam para mim, exceto na medida em que poderiam impedir que eu me encontrasse com Lillian Stern. Felizmente, o teatro escalado para eu fazer minha leitura escapou sem nenhum dano e a viagem se cumpriu conforme o planejado. Depois de preencher a ficha do hotel, fui direto ao meu quarto e telefonei para a casa dela, em Berkeley. Uma mulher com uma voz desconhecida atendeu. Quando pedi para falar com Lillian Stern, ela me disse que Lillian tinha ido embora, que fora para Chicago três dias depois do terremoto. Quando ela ia voltar, perguntei. A mulher não sabia. Quer dizer que o terremoto a deixou tão assustada assim?, falei. Ah, não, respondeu a mulher. Lillian já vinha planejando partir desde antes. Pusera o anúncio para sublocar a casa no início de setembro. E quanto ao novo endereço dela, perguntei. A mulher não tinha, pagava o aluguel diretamente ao senhorio.

Bem, falei, lutando para superar minha frustração, se a senhora tiver alguma notícia dela, eu gostaria que me informasse. Antes de desligar, dei-lhe meu telefone em Nova York. Ligue a cobrar, disse eu, a qualquer hora do dia ou da noite.

Compreendi, então, como Lillian me ludibriara completamente. Ela sabia que já teria ido embora muito antes de eu aparecer por lá — o que significava que nunca teve a menor intenção de manter o nosso encontro marcado. Roguei pragas a mim mesmo pela minha credulidade, pelo tempo e pela esperança que eu desperdiçara. Só para conferir, verifiquei com o serviço de auxílio à lista telefônica de Chicago, mas não havia nenhum registro do nome de Lillian Stern. Quando telefonei para Maria Turner, em Nova York, e pedi o endereço da mãe de Lillian, ela respondeu que não tinha notícia da senhora Stern havia muitos anos e não fazia a menor idéia de onde morava. As pegadas de repente se apagaram. Lillian estava tão perdida para mim quanto Sachs, e eu não conseguia nem sequer imaginar um jeito de começar a procurar por ela. Se existia algum consolo no seu sumiço, advinha da palavra "Chicago". Tinha de haver uma razão para ela não querer conversar comigo, e eu rezava para que ela estivesse tentando proteger Sachs. Se fosse isso, talvez eles estivessem se entendendo melhor do que eu fora levado a acreditar. Ou talvez a situação tivesse melhorado depois da visita de Sachs a Vermont. E se ele tivesse ido de carro até a Califórnia e convencido Lillian a fugir com ele? Sachs me disse que morava em um apartamento em Chicago e Lillian disse à sua inquilina que estava se mudando para Chicago. Seria uma coincidência, ou um deles ou os dois estavam mentindo? Eu não conseguia nem arriscar um palpite, mas, para o bem de Sachs, desejei que os dois estivessem juntos, levando uma vida louca e fora da lei, enquanto ele cruzava o país em todas as direções, planejando furtivamente seu próximo ataque. O Fantasma da

Liberdade e sua bandoleira. Pelo menos, ele não estaria sozinho, e eu preferia imaginá-lo com ela a imaginá-lo só, preferia imaginar qualquer outra vida que não aquela que ele me havia descrito. Se Lillian fosse mesmo tão corajosa quanto Sachs me dissera, talvez estivesse com ele, talvez fosse arrojada o bastante para ter feito uma coisa dessas.

Não soube de mais nada depois disso. Oito meses se passaram, e quando Iris e eu voltamos para Vermont no fim de junho, eu já havia desistido da idéia de um dia reencontrá-lo. Entre centenas de desenlaces possíveis que imaginei, o que parecia mais plausível era que Sachs nunca mais apareceria. Eu não tinha a menor idéia de quanto tempo os atentados à bomba ainda iriam durar, nenhuma noção de quando viria o fim. E, mesmo que houvesse um fim, parecia duvidoso que eu jamais viesse a saber a respeito — o que significava que a história ia continuar toda a vida, segregando seu veneno dentro de mim para sempre. A luta consistia em aceitar isso, coexistir com as forças de minha própria incerteza. Por mais ansioso que estivesse por uma conclusão, tive de reconhecer que talvez ela nunca viesse. Afinal, a gente só pode prender o fôlego por certo tempo. Cedo ou tarde, chega a hora em que é preciso começar a respirar outra vez — mesmo que o ar esteja contaminado, mesmo que a gente saiba que vai acabar nos matando.

A matéria no *Times* me apanhou de surpresa. Nessa altura, eu me habituara de tal modo à minha ignorância que já não esperava que nada mudasse. Alguém havia morrido naquela estrada de Wiscosin, mas, muito embora eu soubesse que podia ser Sachs, não estava preparado para acreditar nisso. A vinda dos homens do FBI acabou por me convencer e, mesmo então, me aferrei às minhas dúvidas até o último momento — quando mencionaram o número de telefone que fora encontrado no bolso do homem morto. Após isso, uma única imagem se manteve acesa na minha mente e permaneceu comigo desde então: o meu pobre amigo se despedaçando quando a bomba explodiu, o corpo do meu pobre amigo se espalhando no vento.

Isso foi dois meses atrás. Sentei e comecei a escrever este livro na manhã seguinte e, desde então, trabalhei em um estado de pânico incessante — lutando para concluí-lo antes que o tempo se esgotasse, sem nunca saber se eu conseguiria chegar ao fim. Conforme previ, os homens do FBI se dedicaram a me investigar. Falaram com minha mãe, na Flórida, com minha irmã, em Connecticut, com meus amigos, em Nova York, e, durante o verão inteiro, as pessoas me telefonavam para me falar dessas visitas, preocupadas que eu andasse metido em alguma encrenca. Não estou em uma encrenca, mas com toda franqueza creio que vou estar, no futuro próximo. Assim que meus amigos Worthy e Harris descobrirem quantas coisas escondi deles, vão com toda certeza ficar muito irritados. Não há nada que eu possa fazer quanto a isso agora. Compreendo que existem penas por negar informações ao FBI, mas, nas circunstâncias, não vejo como eu poderia ter agido de outra forma. Meu compromisso com Sachs era ficar de bico calado, e escrever este livro é também o meu compromisso com ele. Sachs foi corajoso o bastante para me confiar sua história, e não creio que eu conseguisse viver em paz comigo mesmo se o tivesse traído.

Redigi um rascunho breve, preliminar, no primeiro mês, restringindo-me ao estritamente essencial. O caso ainda estava sem solução naquele momento, quando voltei ao início e comecei a preencher as lacunas, ampliei todos os capítulos até mais de duas vezes o seu tamanho original. Meu plano era rever o manuscrito tantas vezes quantas fossem necessárias para poder acrescentar informações novas a cada sucessiva redação, e me dedicar inteiramente ao livro até sentir que não havia mais nada a dizer. Teoricamente, o processo poderia ter se prolongado durante meses, talvez até durante anos — mas só se eu tivesse sorte. No pé em que as coisas estão, essas últimas oito semanas são todo o tempo de que posso dispor. Quando estava na penúltima quarta parte da segunda redação (no meio do capítulo quatro), fui obrigado a parar de escrever. Isso foi ontem, e ainda estou tentando me habituar à forma repentina como isso aconteceu. O livro acaba agora porque o caso está encerrado. Se ponho aqui esta página final, é apenas para registrar como eles descobriram a resposta, para apontar a última pequenina surpresa, a derradeira guinada que conclui a história.

Foi Harris quem desvendou o segredo. Era o mais velho dos dois agentes, o mais falante, que me fez perguntas sobre meus livros. Aconteceu que ele acabou indo a uma livraria e comprou alguns de meus romances, como havia prometido, quando veio me visitar em companhia de seu parceiro, em julho. Não sei se pretendia ler os livros ou simplesmente seguia um palpite, mas os exemplares que comprou estavam por acaso assinados com o meu nome. Ele deve ter lembrado o que lhe contei a respeito dos curiosos autógrafos que andavam pipocando nos meus livros e por isso me telefonou uns dez dias atrás para me perguntar se eu por acaso estivera alguma vez naquela livraria, situada em uma cidadezinha nos arredores de Albany. Disse-lhe que não, nunca, jamais tinha posto os pés naquela cidade, e aí ele me agradeceu pela ajuda e desligou. Só disse a verdade porque não vi nenhum motivo para mentir. Suas perguntas nada tinham a ver com Sachs, e se ele quisesse procurar a pessoa que andava forjando a minha assinatura, que mal poderia haver nisso? Achei que ele estava me fazendo um favor, mas na realidade eu simplesmente lhe entreguei a chave da solução do mistério. Ele mandou os livros para o laboratório do FBI na manhã seguinte e, após uma busca exaustiva de digitais, conseguiram uma série de impressões nítidas. Uma delas pertencia a Sachs. O nome de Ben já devia ser conhecido deles, e como Harris era um cara astuto, não ia deixar de fazer a associação. Uma coisa levou à outra, e quando ele apareceu aqui, ontem, já havia montado as peças do quebra-cabeça. Sachs era o homem que explodira a si mesmo em Wisconsin. Sachs era o homem que havia matado Reed Dimaggio. Sachs era o Fantasma da Liberdade.

Harris veio sozinho, sem o estorvo do carrancudo e silencioso Worthy. Iris e as crianças tinham ido nadar no lago e, de novo, eu estava sozinho, parado diante da casa, enquanto o vi descer do seu carro. Harris estava de bom humor, mais jovial do que da última vez, e me cumprimentou como se fôssemos velhos conhecidos, colegas na missão de buscar a chave para os mistérios da vida. Trazia novidades, disse Harris, e achava que talvez fossem do meu interesse. Haviam identificado a pessoa que andava autografando os meus livros e constataram que era um amigo meu. Um homem chamado Benjamin Sachs. Pois bem, por que um amigo iria querer fazer uma coisa dessas?

Olhei fixo para o chão, contendo as lágrimas, enquanto Harris aguardava uma resposta.

— Por que sentia minha falta — respondi, enfim. — Ele partiu em uma longa viagem e esqueceu de comprar cartões-postais. Era o seu modo de se manter em contato comigo.

— Ah — disse Harris. — Um autêntico brincalhão. Talvez você possa me falar mais a respeito dele.

— Sim, tem muita coisa que eu posso lhe contar. Agora que ele está morto, já não faz mais diferença, não é?

Então, apontei para o escritório e, sem falar mais nada, levei Harris através do jardim sob o sol quente da tarde. Subimos juntos a escadinha da entrada e, uma vez lá dentro, lhe entreguei as páginas deste livro.

ESTA OBRA FOI COMPOSTA PELO GRUPO DE CRIAÇÃO EM ELECTRA,
TEVE SEUS FILMES GERADOS PELA SPRESS E FOI IMPRESSA PELA
PROL EDITORA GRÁFICA EM OFF-SET SOBRE PAPEL PÓLEN SOFT DA
COMPANHIA SUZANO PARA A EDITORA SCHWARCZ EM JANEIRO DE 2001